O CASAL QUE MORA AO LADO

Obras da autora publicadas pela Editora Record

Alguém que você conhece
O casal que mora ao lado
Uma estranha em casa
O último jantar

SHARI LAPENA

O CASAL QUE MORA AO LADO

Tradução de
Márcio El-Jaick

13ª edição

2024

CIP-BRASIL. CATALOGAÇÃO NA PUBLICAÇÃO
SINDICATO NACIONAL DOS EDITORES DE LIVROS, RJ

L316c
13ª ed.
Lapena, Shari, 1960-
O casal que mora ao lado / Shari Lapena; tradução de Márcio El-Jaick. – 13ª ed. – Rio de Janeiro: Record, 2024.

Tradução de: The Couple Next Door
ISBN: 978-85-01-10954-5

1. Romance canadense. 2. Ficção canadense. I. El-Jaick, Márcio. II. Título.

17-39571

CDD: 819.13
CDU: 821.111(71)-3

Título original:
The Couple Next Door

Copyright © 1742145 Ontario Limited 2016

Texto revisado segundo o novo Acordo Ortográfico da Língua Portuguesa.

Todos os direitos reservados. Proibida a reprodução, no todo ou em parte, através de quaisquer meios. Os direitos morais da autora foram assegurados.

Direitos exclusivos de publicação em língua portuguesa somente para o Brasil adquiridos pela
EDITORA RECORD LTDA.
Rua Argentina, 171 – Rio de Janeiro, RJ – 20921-380 – Tel.: (21) 2585-2000, que se reserva a propriedade literária desta tradução.

Impresso no Brasil

ISBN 978-85-01-10954-5

Seja um leitor preferencial Record.
Cadastre-se no site www.record.com.br e receba informações sobre nossos lançamentos e nossas promoções.

Atendimento e venda direta ao leitor:
sac@record.com.br

Para Helen Heller,
a agente mais incrível do mundo.

Capítulo Um

ANNE SENTE A acidez revirar no estômago e subir pela garganta; a cabeça gira. Ela bebeu demais. Cynthia encheu sua taça a noite toda. Anne pretendia estabelecer um limite, mas perdeu o controle: não sabia de que outra forma poderia passar aquela noite. Agora não faz ideia da quantidade de vinho que tinha bebido durante aquele jantar interminável. Teria que tirar o leite do peito e jogar fora pela manhã.

No calor da noite de verão, ela se retrai e observa a anfitriã com os olhos semicerrados. Cynthia está nitidamente flertando com o marido de Anne, Marco. Por que tolera isso? Por que o marido de Cynthia, Graham, permite que isso aconteça? Anne está irritada, mas se vê impotente: não sabe como dar um basta à situação sem parecer patética e ridícula. Estão todos bêbados. Por isso, ela tenta ignorar o flerte, atormentando-se em silêncio, e continua tomando vinho. Não é mulher de fazer cena, não gosta de chamar atenção.

Cynthia, por sua vez...

Os três — Anne, Marco e o reservado marido de Cynthia, Graham — observam-na como se estivessem enfeitiçados. Marco, em especial, parece não conseguir desviar os olhos de Cynthia. Ela se aproxima um pouco demais dele ao se inclinar para encher sua taça, o decote tão profundo que Marco praticamente roça o nariz nele.

Anne lembra a si mesma que Cynthia flerta com todo mundo. Sua beleza é tão extraordinária que ela não consegue deixar de fazer isso.

Porém, quanto mais Anne observa a cena, mais se pergunta se, na verdade, poderia estar acontecendo alguma coisa entre Marco e Cynthia. Nunca desconfiou de nada antes. Talvez o álcool a esteja deixando paranoica.

Não, decide ela: os dois não estariam se comportando desse jeito se tivessem algo a esconder. Cynthia está mais empenhada no flerte do que Marco. Ele é o alvo lisonjeado das atenções dela. Marco também é quase excessivamente bonito: com o cabelo preto desalinhado, os olhos castanhos e o sorriso encantador, sempre chamou atenção. Eles formam um casal incrível, Cynthia e Marco. Anne diz a si mesma que basta. Diz a si mesma que é evidente que Marco é fiel. Sabe que ele é devotado à família. Ela e a filha são tudo para ele. Ele ficará ao lado dela — Anne toma mais um gole do vinho —, não importa o que aconteça. Mas, ao observar Cynthia se debruçando sobre o marido, Anne fica cada vez mais ansiosa e irritada. Está quase dez quilos acima do peso, mesmo seis meses depois de dar à luz. Achou que a essa altura já estaria com o corpo de antes, mas aparentemente isso leva pelo menos um ano. Precisa parar de olhar os tabloides no caixa do supermercado e ficar se comparando com todas aquelas celebridades com personal trainers que já estão lindas poucas semanas depois do parto.

Contudo, mesmo em sua melhor forma, Anne jamais seria páreo para mulheres como Cynthia, a vizinha mais alta e mais curvilínea, com suas pernas esguias, cintura fina e seios fartos, pele de porcelana e cabelo caindo pelas costas, preto. E Cynthia está sempre vestida de forma impecável, com sapatos de salto alto e roupas sensuais — mesmo para uma reuniãozinha em casa, com outro casal.

Anne não consegue se concentrar na conversa. Sua atenção se volta para a lareira de mármore, igual à de sua própria sala, do outro lado da parede que dividem com Cynthia e Graham: eles moram em casas geminadas de tijolinhos, típicas desta cidade no norte do estado de Nova York, construídas no fim do século XIX. Todas as casas da rua são semelhantes, de estilo italiano, restauradas, caras — a de Anne e Marco fica no fim da rua —, e todas exibem poucas diferenças de gosto e decoração. São pequenas obras-primas.

De forma desajeitada, Anne pega o celular sobre a mesa e confere a hora. É quase uma da manhã. Foi ver como estava a filha à meia-noite. Marco foi à meia-noite e meia. Depois ele saiu para fumar no quintal com Cynthia, enquanto Anne e Graham permaneceram um tanto acanhados à mesa de jantar, mantendo um diálogo atravancado. Ela deveria ter ido para o quintal com eles; talvez estivesse correndo uma brisa. Mas não foi, porque Graham não gosta de fumaça de cigarro, e seria falta de educação, ou pelo menos falta de consideração, deixá-lo sozinho em seu próprio jantar. Assim, por uma questão de boas maneiras, ela ficou. Graham, um *WASP* como ela, é muito educado. O motivo de ter se casado com uma mulher vulgar como Cynthia é um mistério. Cynthia e Marco voltaram do quintal há alguns minutos, e Anne quer desesperadamente ir embora, apesar de todos estarem se divertindo.

Ela olha para o monitor da babá eletrônica na beirada da mesa, a luzinha vermelha brilhando como a ponta de um cigarro. A tela está quebrada — ela deixou o aparelho cair alguns dias antes, e Marco não teve tempo de trocá-lo —, mas o áudio ainda funciona. De repente, ela tem dúvidas, sente que aquilo tudo foi um erro. Quem vai a um jantar na casa dos vizinhos e deixa a filha sozinha em casa? Que tipo de mãe faz uma coisa dessas? Ela sente aquela agonia familiar se aproximando: *não sou uma boa mãe.*

E daí que a babá cancelou? Eles deveriam ter trazido Cora, deveriam ter botado a filha no cercadinho portátil. Mas Cynthia havia vetado a presença de crianças. Deveria ser uma noite só de adultos para comemorarem o aniversário de Graham. Esse foi mais um motivo para Anne ter passado a antipatizar com a vizinha, que outrora era uma boa amiga: Cynthia não gosta muito de crianças. Que tipo de pessoa diz que um bebê de seis meses não é bem-vindo a um jantar? Como Anne permitiu que Marco a convencesse de que não haveria problema? Era uma irresponsabilidade. Ela se pergunta o que as outras mães do grupo pensariam se contasse a elas. *Nós deixamos nossa filha de seis meses sozinha em casa e fomos a um jantar na casa dos vizinhos.* Imagina todas elas boquiabertas, chocadas, o silêncio constrangedor. Jamais contará a elas. Seria banida do grupo.

Ela e Marco discutiram por causa disso antes da festa. Quando a babá telefonou para dizer que não poderia ir, Anne se ofereceu para ficar em casa com a filha: não queria ir ao jantar mesmo. Mas Marco não aceitou.

— Você não pode simplesmente ficar em casa — objetou ele durante a discussão na cozinha.

— Por mim, tudo bem — afirmou Anne, a voz baixa.

Não queria que Cynthia os ouvisse do outro lado da parede, discutindo por causa do jantar.

— Vai ser bom para você sair de casa — argumentou Marco, também abaixando o tom de voz. Então acrescentou: — Você sabe o que a médica disse.

Ela passou a noite toda tentando decidir se esse último comentário tinha sido feito por crueldade ou egoísmo ou se ele estava realmente tentando ajudar. Por fim, cedeu. Marco a convenceu de que, com a babá eletrônica, eles poderiam ouvir a filha sempre que ela se mexesse ou acordasse. Eles dariam uma olhada na menina de meia em meia hora. Nada de mau aconteceria.

É uma hora da manhã. Ela deveria dar uma olhada na filha agora ou apenas tentar convencer Marco a ir embora? Anne só queria ir para casa dormir. Só queria que a noite acabasse.

Ela segura o braço do marido.

— Marco, é melhor a gente ir. É uma hora da manhã.

— Ah, não vão ainda não! — protesta Cynthia. — Não é tão tarde assim.

Ela obviamente não quer que a festa acabe. Não quer que Marco vá embora. Mas não se importaria se Anne fosse para casa. Anne tem certeza disso.

— Talvez não para você — retruca ela, e seu tom de voz sai áspero, apesar de estar bêbada. — Mas eu preciso acordar cedo para amamentar Cora.

— Tadinha — diz Cynthia, e por algum motivo isso enfurece Anne. Cynthia não tem nem nunca quis ter filhos. Ela e Graham não têm filhos por opção.

Convencer Marco a ir embora é difícil. Ele está decidido a ficar. Está se divertindo muito, mas Anne está ficando nervosa.

— Só mais uma — diz Marco para Cynthia, erguendo a taça, evitando o olhar da esposa.

Ele está estranhamente feliz hoje, quase parece forçado. Anne fica imaginando o porquê. Marco tem andado calado em casa. Distraído, até taciturno. Mas hoje, com Cynthia, está transbordando animação. Há algum tempo Anne sente que tem alguma coisa errada, mas ele não diz o que é. Não tem falado muito com ela ultimamente. É como se a ignorasse. Ou talvez esteja se afastando por causa da depressão pós-parto. Está decepcionado com ela. Quem não estaria? Hoje ele evidentemente prefere a bela e esfuziante Cynthia.

Anne olha novamente o relógio e perde a paciência.

— Estou indo. Eu devia ter dado uma olhada em Cora à uma da manhã. — Ela volta os olhos para Marco. — Você pode ficar o tempo que quiser — acrescenta, ríspida.

Marco dirige a Anne um olhar penetrante, os olhos reluzindo. De repente, Anne pensa que ele não parece nem um pouco bêbado, mas ela se sente meio tonta. Eles vão brigar? Na frente dos vizinhos? Sério? Anne olha ao redor à procura da bolsa, pega a babá eletrônica, lembra que o aparelho está ligado na tomada e se inclina para tirá-lo, ciente de que todos estão olhando para seu quadril avantajado. Que olhem. É como se estivessem todos contra ela, como se fosse uma estraga-prazeres. As lágrimas começam a brotar, mas ela as detém. Não quer chorar na frente de ninguém. Cynthia e Graham não sabem da depressão pós-parto. Não entenderiam. Anne e Marco não contaram a ninguém, com exceção da mãe de Anne. Há pouco tempo, Anne contou a ela. Sabe que a mãe não vai dizer nada a ninguém, nem mesmo ao pai dela. Não quer que ninguém mais saiba e desconfia de que Marco pensa da mesma forma, embora ele não tenha dito isso claramente. Mas fingir o tempo todo é exaustivo.

Quando está de costas, ouve o arrependimento de Marco em seu tom de voz.

— Você tem razão. É tarde, precisamos ir — diz ele.

Anne ouve o tinido da taça sendo deixada sobre a mesa.

Ela dá meia-volta, afastando o cabelo dos olhos com as costas da mão. Precisa desesperadamente cortar o cabelo. Abre um sorriso falso e diz:

— O próximo jantar é lá em casa.

Em silêncio, acrescenta: *Onde nossa filha mora. E espero que ela chore o tempo todo e estrague a noite de vocês. Vou convidá-los quando os dentes começarem a nascer.*

Em seguida, os dois vão embora. Não há nenhum pertence da filha para pegar, apenas a bolsa de Anne e a babá eletrônica, que ela joga na bolsa. Cynthia parece irritada com a saída súbita deles — Graham se mostra neutro. Anne e Marco atravessam o vão da magnífica porta da frente e descem a escada. Para se equilibrar, Anne segura o corrimão entalhado de forma elaborada. São apenas alguns passos até chegar à escada de sua própria casa, com um corrimão semelhante e uma porta igualmente magnífica. Anne caminha à frente de Marco, sem dizer nada. Talvez não fale com ele pelo resto da noite. Sobe os degraus da escada e se detém.

— O que foi? — pergunta Marco logo atrás dela, a voz tensa.

Anne mantém os olhos fixos adiante. A porta está entreaberta, uns cinco centímetros.

— Tenho certeza de que a tranquei! — exclama Anne, a voz estridente.

Marco diz, sóbrio:

— Talvez você tenha esquecido de trancá-la. Bebeu muito.

Mas Anne não dá ouvidos a ele. Já está dentro de casa, subindo correndo a escada e atravessando o corredor até o quarto da filha, com Marco ainda em seu encalço.

Quando chega ao quarto do bebê e vê o berço vazio, ela grita.

Capítulo Dois

ANNE SENTE o grito ecoar na cabeça e reverberar pelas paredes: está por toda parte. Ela permanece diante do berço vazio, imóvel, a mão cobrindo a boca. Marco tateia a parede em busca do interruptor. Ambos fitam o local onde a bebê deveria estar. É impossível que ela não esteja ali. Cora não conseguiria sair do berço sozinha. Acabou de completar seis meses.

— Chame a polícia — murmura Anne antes de se inclinar para a frente e vomitar, o vômito caindo no chão de tábua corrida por entre os dedos.

O quarto da bebê, pintado num amarelo bem claro com desenhos de carneirinhos fazendo travessuras nas paredes, imediatamente é invadido pelo cheiro de bile e pânico.

Marco não se move. Anne ergue os olhos para ele. Está paralisado, em estado de choque, olhando para o berço vazio como se não acreditasse no que via. Anne vê o medo e a culpa em seus olhos e solta um gemido — um som horrível, agudo, como o de um animal agonizante.

Marco continua imóvel. Anne dispara pelo corredor rumo ao quarto deles, pega o telefone na mesinha de cabeceira e liga para o serviço de emergência, as mãos trêmulas sujando de vômito o aparelho. Marco finalmente sai do transe. Do outro lado do corredor, ela fita o berço vazio e escuta os passos dele. Marco dá uma olhada no banheiro, bem no topo da escada, e passa rapidamente pela esposa a caminho do quarto de hóspedes. Por fim, chega ao último cômodo do corredor, que eles transformaram em escritório. Mas, enquanto ele se desloca pela casa, Anne se pergunta, friamente, por que o marido está fazendo isso. É como se uma parte de sua mente estivesse pensando de forma racional. A filha não sabe andar. Não pode estar no banheiro, no quarto de hóspedes ou no escritório.

Alguém a raptou.

Quando a funcionária do serviço de emergência atende, Anne grita:

— Alguém levou minha filha!

Ela mal consegue se acalmar para responder as perguntas feitas pela atendente.

— Senhora, procure ficar calma. A polícia está a caminho.

Anne desliga o telefone. Está tremendo. Sente que vai vomitar de novo. Pensa no que aquilo vai parecer. Eles deixaram a filha sozinha em casa. Será que isso é ilegal? Deve ser. Como vão se explicar?

Marco surge no vão da porta do quarto, pálido.

— É culpa sua! — grita Anne, os olhos arregalados, e passa por ele com um empurrão.

Ela corre para o banheiro e vomita novamente, dessa vez na pia, e, em seguida, lava as mãos trêmulas e a boca. Vê de relance sua imagem no espelho. Marco está atrás dela. Os dois se olham.

— Sinto muito — murmura ele. — Sinto muito. É minha culpa.

E ele de fato sente muito, ela sabe. Ainda assim, Anne ergue a mão e esmurra o reflexo do rosto dele no espelho, que quebra. Ela desaba, chorando. Marco tenta abraçá-la, mas Anne o afasta e desce a escada correndo. Sua mão está sangrando, deixando um rastro vermelho no corrimão.

Um clima de irrealidade permeia tudo que acontece em seguida. A confortável casa de Anne e Marco imediatamente se transforma em cena de crime.

Anne está sentada no sofá da sala. Alguém colocou um cobertor em seus ombros, mas ela ainda está trêmula. Em estado de choque. Há viaturas paradas na frente da casa, as luzes vermelhas atravessando a janela, percorrendo as paredes brancas. Anne mantém o olhar fixo adiante, como se estivesse hipnotizada por elas.

Com a voz embargada, Marco deu à polícia uma rápida descrição da bebê: seis meses de vida, loura, olhos azuis, por volta de sete quilos, vestindo macacão cor-de-rosa bem claro e fralda descartável. Uma manta branca e leve também desapareceu do berço.

A casa está cheia de policiais uniformizados. Eles se espalham e começam a vasculhar metodicamente os cômodos. Alguns usam luvas de borracha e trazem kits para coletar provas. A busca frenética de Anne e Marco pela casa nos poucos minutos que antecederam a chegada da polícia foi inútil. A equipe forense avança devagar. É evidente que não procura Cora. Está em busca de provas. A bebê desapareceu.

Marco se senta no sofá, ao lado de Anne, e a abraça bem forte. Ela quer se afastar, mas não se move. Deixa o braço dele envolvê-la. O que pensariam se o afastasse? Ela sente cheiro de bebida no marido.

Anne agora se culpa. É culpa dela. Quer culpar Marco, mas concordou em deixar a bebê sozinha. Deveria ter ficado em casa. Não: deveria ter levado Cora para a casa dos vizinhos, dane-se Cynthia. Ela duvida que Cynthia os teria expulsado e cancelado o jantar de Graham. Mas essa ideia lhe ocorreu tarde demais.

Eles serão julgados pelos policiais e por todas as outras pessoas. É bem feito por terem deixado a filha sozinha. Ela pensaria a mesma coisa se acontecesse com outra pessoa. Sabe como as mães adoram julgar, como é bom julgar os outros. Pensa em seu próprio grupo de mães, que se encontra uma vez por semana na casa umas das outras para tomar café e jogar conversa fora, no que comentarão sobre ela.

Mais alguém chegou. Um homem tranquilo, de terno escuro bem-cortado. Os policiais o tratam com deferência. Anne ergue os olhos, fita os penetrantes olhos azuis e se pergunta quem será.

Ele se aproxima, senta-se em uma das poltronas diante de Anne e Marco e se apresenta como detetive Rasbach. Então inclina-se para a frente.

— Contem-me o que aconteceu.

Anne imediatamente esquece o nome do detetive, ou sequer chegou a registrá-lo. Só se lembra do "detetive". Encara-o, motivada pela inteligência que vê em seus olhos. Ele vai ajudá-los. Vai ajudá-los a trazer Cora de volta. Ela tenta pensar, mas não consegue. Está ao mesmo tempo inquieta e entorpecida. Apenas fita os olhos atentos do detetive e deixa Marco falar.

— Nós estávamos na casa ao lado — começa Marco, nitidamente nervoso. — Na casa dos vizinhos.

Ele se detém.

— Sim? — diz o detetive.

Marco hesita.

— Onde estava a bebê? — pergunta Rasbach.

Marco não responde. Não quer dizer a verdade.

Recompondo-se, Anne responde por ele, as lágrimas escorrendo pelo rosto.

— Nós a deixamos aqui, no berço, com a babá eletrônica ligada. — Ela observa o detetive à espera de sua reação, *Que pais horríveis!*, mas o rosto dele não revela nada. — Ficamos com a babá ligada e vínhamos vê-la o tempo todo. De meia em meia hora. — Ela olha para Marco. — Nunca imaginamos...

Mas não consegue terminar a frase. Leva a mão à boca, os dedos sobre os lábios.

— Quando foi a última vez que vocês vieram vê-la? — pergunta o detetive, tirando um caderninho de anotações do bolso interno do paletó.

— Eu vim à meia-noite — responde Anne. — Estávamos vindo de meia em meia hora, e era minha vez. Ela estava bem. Estava dormindo.

— Eu vim à meia-noite e meia — diz Marco.

— Vocês têm certeza em relação à hora? — indaga Rasbach. Marco assente; está olhando para os próprios pés. — E essa foi a última vez que um de vocês veio vê-la?

— Foi — responde Marco, erguendo os olhos para o detetive, passando nervosamente a mão pelo cabelo preto. — Vim ver como ela estava à meia-noite e meia. Era minha vez. A gente estava respeitando os horários.

Anne assente.

— O senhor bebeu muito essa noite? — pergunta o detetive.

Marco enrubesce.

— Teve uma reuniãozinha na casa ao lado. Bebi um pouco, sim — admite.

O detetive se vira para Anne.

— A senhora bebeu?

Ela sente o rosto queimar. Mães que estão amamentando não devem beber. Ela quer mentir.

— Tomei um pouco de vinho no jantar. Não sei exatamente quanto. Era uma festinha.

Anne fica se perguntando se parece estar muito bêbada, o que esse detetive deve estar pensando dela. É como se ele enxergasse sua verdadeira natureza. Ela se lembra do vômito no andar superior, no quarto da bebê. Será que ele consegue sentir o cheiro de álcool nela como ela sente em Marco? Anne se lembra do espelho quebrado no banheiro, a mão ensanguentada agora enrolada em um pano de prato limpo. Sente vergonha da impressão que devem estar passando para o policial, pais embriagados que abandonaram a filha de seis meses. Serão acusados de algum crime?

— Isso é relevante? — pergunta Marco ao detetive.

— Pode comprometer a confiabilidade de suas observações — responde o detetive, imparcial. Ele não julga. Parece estar apenas em busca dos fatos. — A que horas vocês saíram da festa?

— Era quase uma e meia — responde Anne. — Eu ficava o tempo todo olhando a hora no celular. Queria vir embora. Deveria...

deveria ter vindo à uma da manhã dar uma olhada nela, era minha vez, mas achei que já estávamos de saída e fiquei tentando apressar Marco.

Anne se sente terrivelmente culpada. Será que a menina teria desaparecido se ela tivesse vindo dar uma olhada na filha à uma hora da manhã? Naquele horário talvez ainda houvesse muitas maneiras de se evitar o sumiço de Cora.

— A senhora telefonou para o serviço de emergência à uma e vinte e sete — diz o detetive.

— A porta da frente estava aberta — comenta Anne ao se lembrar do fato.

— A porta da frente estava aberta? — repete o detetive.

— Estava uns cinco centímetros aberta. Tenho certeza de que a tranquei quando vim vê-la à meia-noite — garante Anne.

— Tem certeza mesmo?

Anne reflete por um instante. Tinha certeza mesmo? Estava certa disso quando viu a porta da frente aberta. Mas agora, depois do que aconteceu, como ter certeza do que quer que fosse? Ela se volta para o marido.

— Você tem certeza de que não deixou a porta aberta?

— Tenho — responde ele. — Não usei a porta da frente. Estava vindo pelos fundos para ver Cora, lembra?

— O senhor usou a porta dos fundos — repete o detetive.

— Talvez eu não a tenha trancado todas as vezes — admite Marco, e cobre o rosto com as mãos.

O detetive Rasbach observa o casal com atenção. Uma bebê desapareceu. Foi raptada de seu berço — segundo os pais, Marco e Anne Conti — aproximadamente entre meia-noite e meia e uma e vinte e sete por um desconhecido, enquanto eles estavam em um jantar na casa ao lado. A porta da frente estava entreaberta. A porta dos fundos pode ter sido deixada destrancada pelo pai: estava fechada, mas destrancada, quando a polícia chegou. Não há como negar a aflição da mãe. E do pai, que parece muito abalado. Mas toda a situação é estranha. Rasbach se pergunta o que de fato aconteceu.

O detetive Jennings acena para ele.

— Com licença — diz Rasbach, afastando-se dos pais por um instante. — O que foi? — murmura para Jennings, que segura um pequeno frasco de comprimidos.

— Encontrei isso no armário do banheiro.

Rasbach pega o frasco de plástico transparente e analisa o rótulo: ANNE CONTI, SERTRALINA, 50 MG. Rasbach sabe que sertralina é um antidepressivo poderoso.

— O espelho do banheiro lá de cima está quebrado — informa Jennings.

Rasbach o encara. Ainda não foi ao andar superior.

— Mais alguma coisa?

Jennings balança a cabeça negativamente.

— Por enquanto, não. A casa parece estar em ordem. Aparentemente não levaram mais nada. Vamos descobrir mais coisas com a equipe forense daqui a algumas horas.

— Muito bem — diz Rasbach, devolvendo a Jennings o frasco de comprimidos.

Ele retorna à poltrona diante do casal e dá continuidade às perguntas. Volta-se para o marido.

— Marco... Posso chamá-lo de Marco? O que você fez depois de vir olhar sua filha, à meia-noite e meia?

— Voltei para o jantar — responde Marco. — Fumei um cigarro no quintal dos vizinhos.

— Você estava sozinho?

— Não. Cynthia foi fumar comigo. — Marco enrubesce, Rasbach percebe. — É a vizinha que nos convidou para o jantar.

Rasbach volta a atenção para a esposa. É uma mulher atraente, com traços delicados e cabelo castanho brilhoso, mas agora está pálida.

— A senhora não fuma?

— Não. Mas Cynthia fuma — responde Anne. — Eu fiquei sentada à mesa de jantar com Graham, o marido dela. Ele não gosta de fumaça de cigarro, e era aniversário dele, por isso achei que seria falta de educação deixá-lo sozinho. — Então, inexplicavelmente, acrescenta: — Cynthia passou a noite toda flertando com Marco, e senti pena de Graham.

— Entendo — assente Rasbach. Ele avalia o marido, que parece desolado. E também nervoso e culpado. Dirige-se a ele. — Então você foi para o quintal da casa ao lado pouco depois da meia-noite e meia. Faz ideia de quanto tempo passou lá?

Em desalento, Marco faz que não com a cabeça.

— Uns quinze minutos, talvez.

— Viu ou ouviu alguma coisa?

— Como assim?

O marido parece em estado de choque. A fala dele está arrastada. Rasbach se pergunta o quanto ele teria bebido.

— Alguém aparentemente raptou sua filha entre meia-noite e meia e uma e vinte e sete. Você passou alguns minutos no quintal da casa ao lado, pouco depois de meia-noite e meia. — Ele observa o marido, espera ele juntar as informações. — A mim parece pouco provável que alguém sairia com um bebê pela porta da frente no meio da noite.

— Mas a porta da frente estava aberta — objeta Anne.

— Não vi nada — diz Marco.

— Tem uma viela atrás das casas desse lado da rua — observa o detetive Rasbach. Marco assente. — Você notou alguém passando por ela? Ouviu algum barulho, um carro?

— Acho... acho que não — responde Marco. — Desculpe, não vi nem ouvi nada. — Ele cobre o rosto com as mãos novamente. — Não estava prestando atenção.

O detetive Rasbach já havia feito uma verificação naquela área antes de entrar na casa para conversar com os pais. Acha pouco provável, mas não impossível, que um desconhecido tenha saído com um bebê pela porta da frente da casa em uma rua como aquela, correndo o risco de ser visto. As casas são geminadas e dão direto na calçada. A rua é iluminada e tem bastante movimento de veículos e pedestres, mesmo durante a noite. Portanto é estranho que a porta da frente estivesse aberta; talvez estejam querendo despistá-lo? A equipe forense está coletando impressões digitais nela, mas Rasbach acha que não encontrarão nada.

A porta dos fundos tem mais possibilidades. A maioria das casas, inclusive a da família Conti, tem uma garagem que se abre para a viela nos fundos da casa. Os quintais são compridos e estreitos, cercados, e a maioria deles, inclusive o da família Conti, tem jardim com árvores e arbustos. São relativamente escuros. Não há postes como na rua da frente. A noite está escura, sem luar. Ao sair pela porta dos fundos, quem quer que tenha raptado a criança precisaria apenas cruzar o quintal até a garagem, que dá acesso à viela. As chances de ser visto levando um bebê até um carro que o aguardasse ali são muito menores do que as chances de ser visto raptando um bebê pela porta da frente.

A casa, o jardim e a garagem estão sendo diligentemente vasculhados pela equipe de Rasbach. Até agora, eles não haviam encontrado qualquer sinal da bebê desaparecida. A garagem está vazia, e o portão estava aberto. É possível que alguém que estivesse no quintal da casa ao lado não tivesse notado nada. Mas é pouco provável. O que reduz o período do rapto para algo entre meia--noite e quarenta e cinco e uma e vinte e sete.

— Vocês sabiam que o sensor de movimento não está funcionando? — indaga Rasbach.

— O quê? — pergunta Marco, sobressaltado.

— Vocês têm um sensor de movimento na porta dos fundos, uma lâmpada que acende quando alguém se aproxima. Sabiam que não está funcionando?

— Não — murmura a esposa.

O marido balança a cabeça negativamente.

— Não, eu... Estava funcionando quando vim vê-la. O que aconteceu?

— Afrouxaram a lâmpada. — O detetive Rasbach observa os pais com atenção. — Isso me faz crer que a criança foi levada pelos fundos, até a garagem, onde um veículo a aguardava.

Ele faz uma pausa, mas nem o marido nem a esposa dizem nada. Rasbach percebe que a esposa ainda está tremendo.

— Onde está o carro de vocês? — pergunta, inclinando-se para a frente.

— Nosso carro? — ecoa Anne.

Capítulo Três

O DETETIVE AGUARDA a resposta.

— Está na rua — diz Anne.

— Vocês estacionam na rua mesmo tendo uma garagem nos fundos da casa?

— Todo mundo faz isso — afirma Anne. — É mais fácil do que dirigir pela viela, ainda mais no inverno. A maioria das pessoas consegue uma autorização e estaciona o carro na rua.

— Entendo — assente Rasbach.

— Por quê? — pergunta Anne. — Que importância tem isso?

— Provavelmente isso facilitou a vida do sequestrador — explica o detetive. — Com a garagem vazia e o portão da garagem aberto, seria relativamente fácil entrar com um carro e botar a criança nele. Isso seria obviamente mais difícil, e com certeza mais arriscado, se houvesse um veículo estacionado aqui. O sequestrador correria o risco de ser visto na viela com a criança.

Rasbach nota que o marido ficou ainda mais pálido, se é que isso era possível. Sua palidez é assustadora.

— Esperamos encontrar pegadas ou marcas de pneu na garagem — acrescenta Rasbach.

— Você fala como se tudo tivesse sido planejado — observa a mãe.

— A senhora acha que não foi? — pergunta Rasbach.

— Eu... não sei. Achei que tivessem levado Cora porque a deixamos sozinha em casa, que fosse um crime de oportunidade. Como se a tivessem raptado no parque quando eu não estava olhando.

Rasbach assente, como se tentasse compreender seu ponto de vista.

— Entendo o que a senhora quer dizer. Por exemplo, a mãe que deixa o filho brincando no parque enquanto vai comprar sorvete na carrocinha, e então o filho desaparece. Acontece. — Ele faz uma pausa. — Mas a senhora deve perceber a diferença que existe nesse caso.

Anne o encara com um olhar vago. Rasbach precisa se lembrar de que ela provavelmente encontra-se em estado de choque. Mas ele vê esse tipo de coisa o tempo todo, é seu trabalho. Ele é racional, nem um pouco sentimental. Precisa ser assim para ser eficiente. Encontrará essa criança, viva ou morta, e quem a raptou.

De maneira um tanto casual, diz à mãe:

— A diferença é que a pessoa que raptou sua filha provavelmente sabia que ela estava sozinha.

Os pais se entreolham.

— Mas ninguém sabia — murmura a mãe.

— Evidentemente é possível que ela tivesse sido raptada mesmo que vocês estivessem dormindo no seu quarto — acrescenta Rasbach. — Não sabemos ao certo.

Os pais querem acreditar que não é culpa deles, que isso não aconteceu porque deixaram a filha sozinha. Que o sequestro teria acontecido de qualquer forma.

— Vocês sempre deixam o portão da garagem aberto? — pergunta o detetive.

— Às vezes — responde o marido.

— Não o fechariam à noite? Para impedir algum furto?

— Não deixamos nada de valor lá — responde o marido. — Quando o carro está na garagem, geralmente trancamos o portão, mas, do contrário, não deixamos muita coisa lá. Todas as minhas ferramentas estão no porão. É um bairro tranquilo, mas as pessoas invadem garagens o tempo todo, então de que adianta trancar?

— Qual é o seu carro? — pergunta Rasbach.

— Um Audi — responde Marco. — Por quê?

— Eu gostaria de dar uma olhada nele. O senhor poderia me emprestar a chave?

Marco e Anne se entreolham, confusos. Marco se levanta, vai até a mesinha que fica junto à porta e pega um chaveiro em uma travessa. Entrega-o ao detetive e volta a se sentar.

— Obrigado — diz Rasbach, inclinando-se para a frente. — Vamos descobrir quem raptou sua filha.

O casal o encara, o rosto da mãe inchado por causa do choro, o rosto do pai branco como o de um fantasma, os olhos injetados por causa da angústia e da bebida. O detetive os observa com atenção, mas não encontra neles nada que possa ser esclarecedor.

Rasbach faz sinal para Jennings, e juntos os dois se retiram para ver o carro. O casal permanece sentado no sofá, em silêncio, observando-os sair da casa.

Anne não sabe o que pensar do detetive. Toda essa história do carro... Ele parece estar insinuando algo. Ela sabe que, quando a esposa desaparece, o marido costuma ser o principal suspeito, e provavelmente vice-versa. Mas quando um filho desaparece, será que os pais são os principais suspeitos? Claro que não! Quem faria mal ao próprio filho? Além do mais, os dois têm álibis consistentes. Álibis que podem ser corroborados por Cynthia e Graham. De modo algum eles poderiam ter raptado e escondido a própria filha, é claro. Além do mais, por que fariam isso?

Ela sabe que os policiais estão vasculhando o bairro, que eles estão percorrendo as ruas, batendo à porta das casas, interrogando pessoas, arrancando-as de suas camas. Marco entregou à polícia uma foto recente de Cora, tirada poucos dias antes. A imagem mostra uma menininha loura de olhos azuis sorrindo para a câmera.

Anne está furiosa com Marco — quer gritar com ele, dar um soco nele —, mas a casa está cheia de policiais, por isso ela se controla. E, quando olha para o rosto pálido e sombrio do marido, percebe que ele já está se culpando. Anne sabe que não conseguirá passar por isso sozinha. Vira-se para ele e desaba em seu peito, chorando. Marco a abraça apertado. Ela sente o corpo trêmulo do marido, ouve as batidas fortes de seu coração. Diz a si mesma que, juntos, vão superar isso. A polícia vai encontrar Cora. Eles vão recuperar a filha.

Se não a encontrarem, Anne nunca vai perdoá-lo.

O detetive Rasbach sai da casa da família Conti e desce a escada rumo à noite quente de verão, com o detetive Jennings logo atrás. Os dois já trabalharam juntos. Os dois já viram coisas que gostariam de esquecer.

Eles seguem para o outro lado da rua, que está cheio de carros estacionados. Rasbach aperta um botão, e os faróis do Audi piscam. Os vizinhos já estão do lado de fora de suas casas, de pijama ou roupão. Eles observam os detetives se aproximarem do veículo da família Conti.

Rasbach espera que alguém na rua saiba de alguma coisa, tenha visto algo e se apresente.

Em voz baixa, Jennings pergunta:

— O que você acha?

— Não estou otimista — responde Rasbach, também em voz baixa.

Ele coloca o par de luvas de borracha que Jennings lhe entregou e abre a porta do lado do motorista. Dá uma rápida olhada dentro do veículo e se dirige para a parte de trás sem dizer uma palavra. Jennings o acompanha.

Rasbach abre o porta-malas. Os dois dão uma olhada ali dentro. Está vazio. E muito limpo. O veículo tem pouco mais de um ano. Ainda parece novo.

— Adoro o cheiro de carro novo — comenta Jennings.

Evidentemente, a criança não está ali. O que não significa que não tenha estado, ainda que por um breve instante. Talvez a perícia forense revele fibras do macacão cor-de-rosa ou do DNA da bebê, um fio de cabelo, um pouco de saliva, talvez sangue. Sem um corpo será difícil montar um caso. Mas nenhum pai coloca o filho no porta-malas com boas intenções. Se encontrarem algum sinal da criança desaparecida ali, ele vai se certificar de que os pais apodreçam na cadeia. Porque, se tem algo que Rasbach aprendeu durante os anos na polícia é que as pessoas são capazes de qualquer coisa.

Rasbach sabe que a bebê pode ter desaparecido antes do jantar. Ainda precisa interrogar os pais detalhadamente sobre o dia anterior, ainda precisa descobrir quem, além deles, viu a criança por último. Mas ele vai descobrir. Talvez uma babá, uma diarista ou um vizinho, alguém que tenha visto a criança naquele dia. Ele vai confirmar quando a bebê foi vista com vida pela última vez e vai trabalhar a partir daí. Essa história de deixarem a babá eletrônica ligada, de darem uma olhada na menina a cada meia hora enquanto jantavam na casa ao lado, tudo pode ser apenas uma ficção elaborada, uma mentira cuidadosamente criada pelos pais para terem um álibi, para despistar as autoridades. Eles podem ter matado a filha a qualquer hora do dia — deliberada ou acidentalmente — e botado a criança no porta-malas, livrando-se do corpo antes de aparecerem no jantar da casa ao lado. Ou, se ainda estivessem pensando com clareza, talvez sequer a tivessem colocado no porta-malas, mas no banco do carro. Um bebê morto não é tão diferente assim de um bebê vivo e adormecido. Dependendo de como a tenham matado.

Rasbach sabe que é desconfiado. Não era assim no começo da carreira.

— Traga os cães farejadores — diz a Jennings.

Capítulo Quatro

ENQUANTO JENNINGS VAI falar com os policiais que estão na rua, Rasbach volta para a casa. Ao entrar, vê Anne chorando no sofá e uma policial sentada ao seu lado, abraçando-a. Marco não está com ela.

Atraído pelo cheiro de café fresco, ele se dirige à cozinha, nos fundos da casa comprida e estreita. Evidentemente o cômodo foi reformado há pouco tempo. É tudo muito sofisticado, desde os armários brancos até as bancadas de granito e os eletrodomésticos caros. Marco está lá, diante da cafeteira, de cabeça baixa, esperando o café ficar pronto. Ergue a vista quando o detetive se aproxima, então desvia o olhar, talvez constrangido pela tentativa óbvia de recuperar a sobriedade.

Há um silêncio constrangedor. Sem tirar os olhos da cafeteira, num murmúrio, pergunta:

— O que você acha que aconteceu com ela?

— Ainda não sei — responde Rasbach. — Mas vou descobrir.

Marco serve o café em três xícaras de porcelana em cima da bancada de pedra imaculada. Rasbach percebe que a mão dele está trêmula. O dono da casa oferece ao detetive uma das xícaras, a qual ele aceita. Em seguida, Marco vai para a sala com as outras duas xícaras.

Rasbach observa-o se afastar, preparando-se para o que vem pela frente. Casos de sequestro de crianças são sempre difíceis. Para começar, geram um circo na imprensa. E quase nunca terminam bem.

Ele sabe que vai precisar pressionar o casal. Faz parte do trabalho.

Rasbach nunca sabe o que esperar quando é chamado para um caso, mas, quando resolve o enigma, nunca se surpreende. Parece ter perdido a capacidade de ser surpreendido. Mas sempre foi curioso. Sempre quis *saber*.

Rasbach se serve do leite e do açúcar que Marco deixou para ele e se detém na porta da cozinha com a xícara de café na mão. De onde está, vê a mesa de jantar e o aparador próximos à cozinha, ambos evidentemente antiguidades. Mais adiante, vê o sofá, estofado com veludo verde-escuro, e a parte de trás da cabeça de Anne e de Marco Conti. À direita deles, há uma lareira de mármore e, acima do consolo, uma grande pintura a óleo. Rasbach não sabe exatamente do que se trata. O sofá fica diante da janela, mas entre eles há uma mesinha de centro e duas poltronas confortáveis.

O detetive entra na sala e se senta novamente de frente para o casal, na poltrona mais próxima à lareira. Observa as mãos de Marco ainda trêmulas quando ele leva a xícara à boca. Anne apenas segura a xícara no colo, como se não se desse conta de que está segurando algo. Tinha parado de chorar, pelo menos por enquanto.

As luzes das viaturas estacionadas lá fora ainda perambulam pelas paredes. A equipe forense trabalha em silêncio e com eficiência. O clima na casa é de diligência, mas também de tristeza.

Rasbach tem uma tarefa delicada. Precisa deixar claro para o casal que está trabalhando para eles, fazendo o possível para encontrar a bebê desaparecida — e de fato está fazendo isso, com o restante da equipe —, embora saiba que, na maioria dos casos, quando uma criança desaparece assim, os pais são os responsáveis pelo sumiço. E há fatores nesse caso que o deixam desconfiado. Mas ele vai manter a mente aberta.

— Sinto muito mesmo — começa. — Eu nem imagino como deve ser difícil para vocês.

Anne olha para ele. A solidariedade faz seus olhos imediatamente se encherem de lágrimas.

— Quem sequestraria nossa filha? — pergunta ela, desesperada.

— É o que precisamos descobrir — responde Rasbach, deixando a xícara na mesinha de centro e pegando o caderno. — Essa pergunta pode parecer muito óbvia, mas vocês fazem alguma ideia de quem poderia tê-la raptado?

Ambos o encaram; a ideia é absurda. No entanto, o rapto de fato aconteceu.

— Vocês notaram algum desconhecido andando pela vizinhança, alguém que mostrasse interesse pela menina?

Os dois negam com a cabeça.

— Fazem alguma ideia de quem poderia querer fazer mal a ela?

O detetive olha de Anne para Marco. Os dois negam novamente com a cabeça, perplexos.

— Por favor, pensem — pede Rasbach. — Levem o tempo que for necessário. Tem de haver um motivo. Sempre tem um motivo. Só precisamos descobrir qual é.

Marco parece estar prestes a falar, mas pensa melhor.

— O que foi? — pergunta Rasbach. — Agora não é hora de hesitar.

— Seus pais — diz Marco, por fim, virando-se para a esposa.

— O que tem meus pais? — questiona ela, surpresa.

— Eles têm dinheiro.

— E daí?

Ela não parece entender aonde ele quer chegar.

— Eles têm *muito* dinheiro — frisa Marco.

Lá vamos nós, pensa Rasbach.

Anne encara o marido, atordoada. Talvez seja uma ótima atriz.

— Como assim? — pergunta ela. — Você acha que alguém teria raptado Cora para... — Rasbach os observa com atenção. A fisionomia de Anne se altera. — Isso seria bom — considera ela, olhando para o detetive —, não seria? Se só quiserem dinheiro, posso recuperar minha filha! Não fariam mal a ela!

A esperança em sua voz é dolorosa. Rasbach está quase convencido de que ela não tem nada a ver com a situação.

— Ela deve estar muito assustada! — exclama Anne, desatando a chorar.

Rasbach quer perguntar sobre os pais dela. O tempo é essencial em casos de sequestro. Vira-se para Marco.

— Quem são eles?

— Alice e Richard Dries — responde Marco. — Richard é o padrasto.

Rasbach escreve os nomes no caderninho.

Anne se recompõe.

— Meus pais têm muito dinheiro.

— De quanto dinheiro estamos falando? — quer saber Rasbach.

— Não sei exatamente. Milhões.

— Pode ser um pouco mais precisa?

— Acho que devem ter uns quinze milhões de dólares. Mas ninguém sabe disso.

Rasbach olha para Marco. Ele está inexpressivo.

— Quero ligar para minha mãe — diz Anne.

Ela olha para o relógio no consolo da lareira, e Rasbach acompanha seu olhar. São duas e quinze da manhã.

Anne tem uma relação complicada com os pais. Quando ela e Marco têm alguma desavença com eles, o que acontece com frequência, Marco diz que a relação dela com os pais se tornou insustentável. Talvez sim, mas eles são os únicos que ela tem. Ela precisa dos dois. Tenta sempre agir da melhor maneira possível, mas não é fácil.

Marco vem de uma família totalmente diferente, grande, barulhenta. São efusivos quando se veem, o que é raro. Os pais dele vieram da Itália para Nova York antes de Marco nascer e são donos de uma lavanderia. Não são ricos, mas vivem bem. Não se intrometem na vida do filho como os pais endinheirados de Anne se intrometem na vida dela. Marco e os quatro irmãos precisaram trabalhar desde cedo, pois foram expulsos do ninho. Marco é independente desde os 18 anos. Bancou a universidade. Vê os pais de vez em quando, mas eles não fazem parte de sua vida. Ninguém consideraria que ele tem origem pobre, a não ser os pais de Anne e seus amigos ricaços do Grandview Golf & Country Club. Marco vem de uma família honesta de classe média, de pessoas trabalhadoras que se deram bem na vida, mas não muito. Nenhum dos amigos de Anne, seja da faculdade ou da galeria de arte onde ela trabalhava, considera que Marco veio de uma família humilde.

Apenas pessoas muito ricas o veriam assim. E a mãe de Anne é muito rica. O pai, Richard Dries — na verdade, padrasto; o pai morreu num acidente trágico quando Anne tinha 4 anos —, é um empresário bem-sucedido, mas a mãe, Alice, é milionária.

Os pais de Anne usufruem do dinheiro, têm amigos ricos. Moram em uma casa em um dos bairros mais nobres da cidade, são sócios do Grandview Golf & Country Club, têm carros de luxo e passam férias em hotéis cinco estrelas. Colocaram Anne em uma escola particular para meninas e, depois, em uma boa universidade. Quanto mais velho o pai fica, mais ele gosta de fingir que fez aquela fortuna, mas não é verdade. O status subiu à sua cabeça. Ele se tornou uma pessoa muito orgulhosa.

Quando Anne começou a namorar Marco, os pais agiram como se fosse o fim do mundo. Marco parecia o protótipo do bad boy. Era perigosamente atraente — a pele bem clara para um descendente de italianos —, com cabelo preto, olhos misteriosos e uma aparência rebelde, ainda mais quando não se barbeava. Mas os olhos se iluminavam quando via Anne, e ele tinha um sorriso maravilhoso. E a maneira como a chamava de "meu amor"... Ela não resistiu. A primeira vez que ele apareceu na casa dos pais dela para buscá-la foi um dos momentos decisivos da juventude de Anne. Ela tinha 22 anos. A mãe vinha lhe falando de um rapaz simpático, advogado, filho de uma amiga, que estava interessado em conhecê-la. Sem paciência, Anne explicou que já estava namorando Marco.

— Tudo bem, mas... — disse a mãe.
— Mas o quê? — interrompeu Anne, cruzando os braços.
— Você não pode estar levando esse caso a sério — insistiu a mãe.
Anne ainda se lembra da expressão dela. Desilusão, constrangimento. A mãe pensava nas aparências. Em como explicaria às amigas que a filha estava namorando um rapaz que não tinha berço, que trabalhava de barman no bairro italiano da cidade e andava de moto. A mãe se esquecia do diploma de administração de Marco, obtido na mesma universidade que ela considerara boa o bastante para a filha. Eles não achavam admirável o fato de ele trabalhar à noite para pagar a faculdade. Talvez ninguém nunca fosse bom o suficiente para sua filhinha.

E então foi perfeito: Marco surgiu com sua Ducati, e Anne saiu correndo da casa dos pais para os braços dele, a mãe observando-os por trás da cortina. Ele lhe deu um beijão, ainda sentado na moto, e lhe entregou o capacete. Ela subiu na moto, e os dois foram embora levantando poeira. Foi nesse momento que Anne chegou à conclusão de que estava apaixonada.

Mas não temos 22 anos para sempre. A gente cresce. As coisas mudam.

— Quero ligar para minha mãe — repete Anne.
Aconteceu tanta coisa... Faz menos de uma hora que os dois voltaram para casa e se depararam com o berço vazio?
Marco pega o telefone, entrega-o a Anne e volta a se sentar no sofá, de braços cruzados, tenso.
Ela agarra o aparelho e começa a chorar outra vez, antes mesmo de acabar de discar os números. A mãe atende.
— Mãe — diz Anne, caindo no choro.
— Anne? O que aconteceu?
Ela finalmente consegue dizer:
— Alguém raptou Cora.
— Meu Deus! — exclama a mãe.
— A polícia está aqui. Vocês podem vir?

— Claro, estamos indo. Espere aí. Seu pai e eu estamos indo.

Anne desliga o telefone e continua chorando. Os pais estão vindo. Sempre a ajudaram, mesmo quando estavam furiosos com ela. Vão ficar furiosos agora, com ela e com Marco, mas sobretudo com Marco. Adoram Cora, a única neta. O que vão pensar quando souberem o que eles fizeram?

— Eles estão vindo — avisa Anne.

Ela encara o marido, mas em seguida desvia o olhar.

Capítulo Cinco

MARCO SE SENTE um pária. É uma sensação que costuma ter quando os pais de Anne estão por perto. Mesmo nesse momento, com Cora desaparecida, ele se sente ignorado, enquanto os três — sua esposa aflita; a mãe dela, sempre sensata; e o pai arrogante — formam a já conhecida tríade. Às vezes, sua exclusão é sutil; outras, nem tanto. Ele sabia no que estava se metendo quando se casou com Anne. Mas achou que conseguiria conviver com isso.

Ele está no canto da sala, feito um inútil, observando a esposa. Anne está sentada no meio do sofá, com a mãe ao lado, consolando-a. O pai está um pouco mais distante, sentado ereto, afagando o ombro da filha. Ninguém olha para Marco. Ninguém oferece consolo a *ele*. Ele se sente deslocado na própria casa.

Mas, pior do que isso, sente-se apavorado. Tudo o que quer é sua pequena Cora de volta ao berço. Quer que nada disso tivesse acontecido.

Sente os olhos do detetive fixos nele. Ele é o único que está prestando atenção em Marco, que, por sua vez, o ignora, embora saiba que provavelmente não deveria fazer isso. Sabe que é um suspeito. O detetive vem insinuando isso desde que chegou. Marco ouviu os policiais murmurando sobre a possibilidade de trazerem cães farejadores. Ele não é idiota. Só vão fazer isso porque acham que

Cora estava morta antes de desaparecer. A polícia evidentemente deve achar que ele e Anne mataram a própria filha.

Que tragam os cães! Ele não está com medo. Talvez a polícia lide com esse tipo de situação todo dia, com pais que matam os filhos, mas ele *nunca* faria mal à sua bebê. Cora é tudo para ele. É a luz de sua vida, sua única fonte de alegria, sobretudo nos últimos meses, quando as coisas começaram a desmoronar e Anne ficou cada vez mais perdida e deprimida. Ele quase não reconhece a esposa. O que aconteceu com a mulher bonita e encantadora com quem se casou? Tudo deu errado. Mas ele e Cora têm um vínculo próprio; estão esperando essa tempestade passar, esperando mamãe voltar ao normal.

Os pais de Anne vão detestá-lo ainda mais. Eles vão perdoar Anne. São capazes de perdoá-la por quase tudo, até mesmo por abandonar a filha a um predador, até isso. Mas nunca vão perdoá-lo. Serão estoicos diante da adversidade. Sempre são estoicos, ao contrário da filha, que é emotiva. Talvez até salvem Anne e Marco de seus próprios erros. É o que mais gostam de fazer. Nesse mesmo instante, ele observa o pai de Anne olhando para a frente, com a testa franzida, concentrado no problema — problema que Marco criou —, tentando resolvê-lo. Pensando em como vencer o desafio e se sair triunfante. Talvez possa mostrar a Marco, mais uma vez, sua superioridade.

Marco detesta o sogro. O sentimento é mútuo.

Porém o mais importante é trazer Cora de volta. É só o que importa. Eles formam uma família complicada, difícil, na opinião de Marco, mas todos adoram a bebê. Ele pisca para conter as lágrimas.

O detetive Rasbach percebe a hostilidade que existe entre os pais de Anne e o genro. Na maioria dos casos, uma crise dissipa esse tipo de adversidade, mesmo que por um breve período. Mas eles não estão passando por uma crise comum. Os pais deixaram a filha sozinha em casa, e ela foi raptada. Ao observar a família reunida no sofá, ele percebe que a filha adorada será absolvida pelos pais de qualquer culpa. O marido é o providencial bode expiatório: será responsabilizado sozinho, justa ou injustamente. E parece saber disso.

O pai de Anne se levanta do sofá e se aproxima de Rasbach. Ele é alto, tem os ombros largos e cabelo grisalho e curto. Uma segurança quase agressiva.

— Detetive...

— Rasbach — informa ele.

— Richard Dries. — O homem estende a mão. — Diga: o que vocês estão fazendo para encontrar minha neta?

Ele fala em voz baixa, mas com autoridade. Um homem acostumado a estar no comando.

— Temos policiais fazendo busca na área, interrogando todas as pessoas, procurando testemunhas — informa Rasbach. — Uma equipe forense está vasculhando a casa e os arredores. Espalhamos a descrição da bebê pela cidade e pelo país. As pessoas logo vão saber pela cobertura da imprensa. Talvez tenhamos sorte de encontrar algo em câmeras de segurança. — Ele faz uma pausa. — Esperamos ter alguma pista em breve.

Estamos fazendo todo o possível, mas provavelmente não vai ser o suficiente para salvar sua neta, pensa Rasbach. Ele sabe por experiência própria que em geral as investigações são demoradas, a menos que haja uma descoberta significativa nas primeiras horas. A menininha não tem muito tempo, se é que ainda está viva.

Dries se aproxima ainda mais e está tão perto de Rasbach que o detetive sente o cheiro de sua loção pós-barba. Olhando por cima do ombro do detetive para a filha, Dries pergunta num murmúrio:

— Vocês já pensaram que ela pode ter sido raptada por um pervertido?

Rasbach encara o homem. Ele é o único que disse o impensável.

— Estamos de olho em todos de que temos notícia, mas sempre há aqueles que não conhecemos.

— Isso vai acabar com a minha filha — resmunga Richard Dries, ainda olhando para Anne.

Rasbach se pergunta se o pai sabe da depressão pós-parto da filha. Talvez não seja a hora de perguntar sobre isso.

— Sua filha mencionou que vocês têm bastante dinheiro. É verdade?

— Pode-se dizer que sim — responde Dries, olhando para Marco, que não retribui o olhar porque sua atenção está voltada para a esposa.

— O senhor acha que pode ser um crime motivado por dinheiro? — pergunta Rasbach.

O homem parece surpreso, mas logo considera a questão.

— Não sei. *Você* acha que é isso?

Rasbach meneia a cabeça.

— Ainda não sabemos. Certamente é uma possibilidade. — Ele deixa Dries pensar no assunto por um instante. — Consegue pensar em alguém, talvez uma pessoa do trabalho, que tenha algum ressentimento contra o senhor?

— Você está sugerindo que minha neta foi raptada por minha causa?

Dries parece perplexo.

— Só estou perguntando.

Richard Dries não descarta a ideia de imediato. Ou o ego dele é muito grande, pensa Rasbach, ou fez inimigos suficientes ao longo dos anos para considerar essa possibilidade. Por fim, nega com a cabeça.

— Não, não consigo pensar em ninguém que faria isso. Não tenho nenhum inimigo, pelo que sei.

— É pouco provável, mas já vi coisas mais estranhas. — Em tom casual, Rasbach pergunta: — O senhor trabalha com o que, Sr. Dries?

— Tenho uma empresa de empacotamento. — Ele encara o detetive. — Precisamos encontrar Cora. É minha única neta. — Põe a mão no ombro de Rasbach. — Mantenha-me informado, está bem? — Ele entrega um cartão de visita e se afasta. — Pode me ligar a qualquer hora. Quero saber o que está acontecendo.

Alguns instantes depois, Jennings se aproxima de Rasbach e cochicha em seu ouvido:

— Os cães chegaram.

O detetive assente, deixa a família na sala e vai para a rua se encontrar com o adestrador de cães. Há uma caminhonete da unidade K9 estacionada diante da casa. Ele reconhece o adestrador: um policial chamado Temple. Já trabalhou com ele. É um homem bom, competente.

— O que temos aqui? — pergunta Temple.

— Uma bebê desapareceu em algum momento depois da meia-noite — responde Rasbach.

Temple assente, sério. Ninguém gosta de casos de crianças desaparecidas.

— Seis meses de vida, ainda não anda.

Esse não é o caso de uma criança que acorda no meio da noite, sai na rua, fica cansada e se esconde no galpão de um jardim. Se fosse assim, eles usariam os cães para seguir o cheiro dela. Mas dessa vez a bebê foi levada por alguém.

Rasbach solicitou os cães farejadores para descobrir se a criança estava morta dentro da casa ou do carro. Cães bem treinados são capazes de detectar indícios de que alguém morreu em superfícies e em roupas em até duas ou três horas depois do ocorrido. As substâncias químicas do corpo mudam depressa com a morte, mas não imediatamente. Se a bebê foi assassinada e logo em seguida retirada dali, os cães não vão sentir o cheiro, mas, se a menina foi morta e demorou para ser levada do local... Vale a pena tentar. Rasbach sabe que a informação que os cães podem fornecer é inútil do ponto de vista comprobatório sem outras provas que a corroborem, como o corpo. Mas está desesperado para ter qualquer informação que puder. É um profissional que se vale de todas as ferramentas investigativas possíveis. É implacável na busca da verdade. Precisa saber o que aconteceu.

Temple o encara.

— Vamos começar.

Ele abre a caçamba da caminhonete. Dois cachorros saltam, springer spaniels ingleses pretos e brancos. Temple usa as mãos e a voz para dar os comandos aos animais, que não usam coleira.

— Vamos começar pelo carro — propõe Rasbach.

Ele os conduz ao Audi da família Conti. Os cachorros se sentam ao lado de Temple, muito obedientes. A equipe forense já está ali. Ao ver os cães, todos recuam em silêncio.

— Já terminaram aqui? Os cachorros podem dar uma verificada? — pergunta Rasbach ao chefe da equipe forense.

— Terminamos, sim. Fiquem à vontade — responde.

— Vão — ordena Temple aos cães.

Os animais começam a trabalhar. Contornam o veículo, farejando-o. Entram no porta-malas, no banco de trás, no banco da frente e logo saltam para fora. Sentam-se ao lado do adestrador e olham para ele. Temple dá a eles uma recompensa e balança a cabeça.

— Aqui não tem nada.

— Vamos tentar lá dentro — diz Rasbach, aliviado.

Ele torce para que a bebê desaparecida ainda esteja viva. Quer estar enganado em relação aos pais. Quer encontrá-la. Em seguida, lembra-se de não ter falsas esperanças. Precisa ser objetivo. Não pode se dar ao luxo de se envolver emocionalmente nos casos. Senão, nunca sobreviveria.

Os cães farejam o ar o tempo todo ao subirem a escada e entrarem na casa. Uma vez lá dentro, o adestrador os conduz ao andar de cima. Eles começam pelo quarto da bebê.

Capítulo Seis

ANNE SE SOBRESSALTA QUANDO os cães entram na casa, desvencilha-se do abraço da mãe e se levanta, sem muito equilíbrio. Observa em silêncio o adestrador subir a escada com os animais.

Ela nota a presença de Marco atrás de si.

— Eles trouxeram cães farejadores — murmura. — Graças a Deus. Talvez agora descubram alguma pista. — Sente o toque do marido em seu braço, mas também se desvencilha dele. — Quero ver.

Rasbach ergue a mão.

— É melhor a senhora ficar aqui e deixar os cachorros fazerem o trabalho deles — diz o detetive gentilmente.

— Quer que eu pegue alguma roupa dela? — pergunta Anne. — Alguma coisa que ela tenha usado há pouco tempo, que ainda não tenha sido lavada? Posso buscar lá embaixo, na lavanderia.

— Eles não são cães farejadores comuns... — diz Marco.

— Como assim? — pergunta Anne, virando-se para ele.

— Não são cães farejadores comuns — repete Marco. — São cães especializados em busca de cadáveres.

Ela finalmente compreende. Vira-se para o detetive, o rosto lívido.

— Você acha que nós matamos nossa filha!

A reação explosiva deixa todos aturdidos. Ficam paralisados pelo choque. Anne vê a mãe levar a mão à boca. O pai parece transtornado.

— Isso é um absurdo! — exclama Richard Dries, com o rosto vermelho. — Vocês não podem achar que Anne faria mal à própria filha!

O detetive não diz nada.

Anne volta a olhar para o pai. Ele sempre a protegeu, desde que ela se entende por gente. Mas agora não há muito que ele possa fazer por ela. Alguém raptou Cora. Anne se dá conta de que é a primeira vez na vida que vê o pai com medo. Será que está com medo por Cora? Ou será que está com medo por ela? A polícia realmente acha que ela matou a própria filha? Anne não se atreve a olhar para a mãe.

— Vocês precisam fazer seu trabalho e encontrar minha neta! — grita Richard para o detetive, usando a hostilidade como uma nítida tentativa de disfarçar o nervosismo.

Ninguém diz nada por um tempo. O momento é tão estranho que ninguém consegue pensar em nada para dizer. Apenas ouvem o barulho das patas dos cães riscando o chão de tábua corrida do andar de cima.

— Estamos fazendo tudo o que podemos para encontrar sua neta — garante Rasbach, por fim.

Anne está terrivelmente tensa. Quer a filha de volta. Quer Cora de volta ilesa. Não suporta imaginar a filha sofrendo, sendo machucada. Sente que pode desmaiar a qualquer momento e afunda de novo no sofá. Imediatamente, a mãe a abraça. A mãe de Anne se recusa a olhar para o detetive.

Os cães descem a escada. Anne ergue os olhos e se vira para observá-los. O adestrador faz um gesto com a cabeça. Os cachorros entram na sala, e Anne, Marco, Richard e Alice ficam completamente imóveis, como se não quisessem chamar a atenção deles. Anne continua petrificada no sofá enquanto os cães, farejando o ar e andando pelos tapetes, vasculham a sala. Os animais se aproximam para cheirá-la. Há um policial atrás dela, para avaliar a reação dos cães, talvez esperando para prender o casal em flagrante. E se os cachorros começarem a latir?, pergunta-se Anne, apavorada.

Tudo está girando. Anne sabe que ela e Marco não mataram a filha. Mas se sente impotente e com medo. E os cachorros farejam o medo.

Lembra-se disso nesse instante, ao fitar os olhos quase humanos deles. Os cães farejam sua roupa. Ela sente o hálito deles, quente e fétido, e se retrai. Tenta não respirar. Em seguida, eles se afastam dela e se aproximam de seus pais, e então de Marco, que está sozinho, junto à lareira. Anne se recosta no sofá, aliviada com o fato de os cachorros aparentemente não terem encontrado nada na sala nem na sala de jantar. Eles seguiram para a cozinha. Anne ouve as patas no piso da cozinha, mas logo eles descem a escada dos fundos, em direção ao porão. Rasbach sai da sala para acompanhá-los.

A família permanece ali, esperando que isso termine. Anne não quer olhar para ninguém, por isso olha o relógio no consolo da lareira. A cada minuto que passa, perde as esperanças. Sente a filha se afastar ainda mais dela.

Ouve a porta dos fundos se abrindo. Imagina os cachorros farejando o quintal, o jardim, a garagem e a rua. Seus olhos se mantêm fixos no relógio no consolo, mas o que ela vê são os cães na garagem, cheirando vasos de cerâmica quebrados e ancinhos enferrujados. Está tensa, os ouvidos atentos, à espera de latidos. Aguarda, preocupada. Pensa no sensor de movimento desativado.

Por fim, Rasbach volta para a sala.

— Os cães não encontraram nada — anuncia. — É uma boa notícia.

Anne sente o alívio da mãe ao seu lado.

— Agora podemos levar a sério a busca pela minha neta? — pergunta Richard Dries.

— Estamos levando a sério a busca por sua neta, pode acreditar — retruca o detetive.

— Então — diz Marco, com certa amargura —, o que acontece agora? O que podemos fazer?

— Teremos que fazer muitas perguntas a vocês dois — explica Rasbach. — Talvez saibam de algo que não compreendam, mas que vai ajudar.

Descrente, Anne olha para Marco. *O que nós podemos saber?*

— E precisamos que vocês falem com a imprensa. Alguém pode ter visto alguma coisa, ou pode ver alguma coisa amanhã, ou no dia seguinte. E, se a notícia não se espalhar, essa pessoa não vai saber do que se trata.

— Tudo bem — diz Anne tacitamente.

Ela faria qualquer coisa para recuperar a filha, por mais que morresse de medo de falar com a imprensa. Marco também concorda, mas parece nervoso. Por um instante, Anne pensa em seu cabelo sem brilho, em seu rosto inchado. Marco segura sua mão e a aperta com força.

— E uma recompensa? — sugere o pai de Anne. — Poderíamos oferecer uma recompensa em troca de informação. Vou me encarregar disso. Se alguém tiver visto alguma coisa e não quiser se envolver, talvez pense duas vezes se houver dinheiro.

— Obrigado — diz Marco.

Anne apenas assente.

O celular de Rasbach toca. É o detetive Jennings, que foi encarregado de bater de porta em porta na vizinhança.

— Talvez a gente tenha uma pista — anuncia ele.

Rasbach sente um aperto familiar no peito. Eles estão desesperados por uma pista. Sai apressado da casa da família Conti e, em poucos minutos, chega a uma casa na rua de trás.

Jennings está esperando por ele na entrada. Bate à porta de novo, que se abre imediatamente, revelando uma mulher que aparenta ter uns 50 anos. É claro que ela foi acordada no meio da noite. Está usando um roupão, e o cabelo foi preso com grampos. Jennings a apresenta como Paula Dempsey.

— Sou o detetive Rasbach — diz ele, mostrando o distintivo à mulher.

Ela os convida a ir até a sala, onde o marido está sentado numa poltrona, usando uma calça de pijama, com o cabelo desgrenhado.

— A Sra. Dempsey viu uma coisa que pode ser importante — informa Jennings. Quando todos se sentam, ele se vira para ela. — Conte ao detetive Rasbach o que a senhora me contou. O que viu.

— Está bem. — Ela passa a língua pelos lábios. — Eu estava no banheiro lá de cima. Eu me levantei para pegar uma aspirina, porque minhas pernas estavam doendo por causa do trabalho que faço no jardim durante o dia.

Rasbach assente, incentivando-a a falar.

— Está fazendo tanto calor esta noite que deixamos a janela do banheiro aberta, para entrar uma brisa. A janela dá para a rua. A casa da família Conti fica logo aqui atrás, um pouco mais para lá.

Rasbach assente outra vez. Já havia notado a disposição da casa em relação à da família Conti. Ouve com atenção.

— Por acaso, olhei pela janela. Dá para ver bem a rua, porque eu não tinha acendido a luz do banheiro.

— E o que a senhora viu? — pergunta Rasbach.

— Um carro. Vi um carro na viela.

— Qual era o carro exatamente? E em que direção seguia?

— Estava vindo da direção da residência dos Conti, passando pela minha casa. Talvez tenha saído da garagem deles, ou de qualquer outra casa da rua.

— Qual era o carro? — pergunta Rasbach novamente, pegando o caderno.

— Não sei. Não entendo muito de carros. Queria que meu marido tivesse visto... Ele poderia ser de mais ajuda. — Ela olha para o marido no sofá, que dá de ombros. — Mas claro que na hora achei que não fosse nada de mais.

— Pode descrevê-lo?

— Era um carro pequeno, acho que de cor escura. Mas não estava com os faróis acesos. Por isso chamou minha atenção. Achei estranho os faróis não estarem acesos.

— A senhora viu o motorista?
— Não.
— Sabe dizer se havia alguém no banco do carona?
— Acho que não havia ninguém, mas não tenho certeza. Não deu para ver muita coisa. Acho que podia ser um carro elétrico, ou híbrido, porque era muito silencioso.
— Tem certeza?
— Não, não tenho certeza. Mas normalmente dá para ouvir o som vindo da rua, e o carro era muito silencioso. Talvez estivesse apenas bem devagar.
— E a que horas foi isso, a senhora sabe?
— Vi o relógio quando me levantei. Tenho um relógio digital na mesinha de cabeceira. Era meia-noite e trinta e cinco.
— Tem certeza absoluta da hora?
— Tenho. Absoluta.
— A senhora se lembra de mais algum detalhe do carro, qualquer coisa? — pergunta Rasbach. — Era um carro de duas portas? Ou de quatro?
— Desculpe — lamenta ela. — Não lembro. Não percebi. Mas era pequeno.
— Eu gostaria de dar uma olhada na janela do banheiro, se a senhora não se importar — pede Rasbach.
— Claro.

Ela os conduz ao banheiro no andar de cima, nos fundos da casa. Rasbach olha pela janela aberta. A vista é boa: dá para ver claramente a rua. Ele nota a garagem da família Conti à esquerda, cercada pela fita de isolamento amarela da polícia. O portão da garagem continua aberto. Que falta de sorte a Sra. Dempsey não ter olhado para fora dois minutos antes. Talvez tivesse visto o carro de faróis apagados saindo da garagem da família Conti, se é que o veículo realmente havia saído dali. Se Rasbach ao menos tivesse uma testemunha que afirmasse ter visto um carro saindo da garagem da família Conti à meia-noite e trinta e cinco... Mas o carro poderia ter saído de qualquer lugar.

Rasbach agradece a Paula e seu marido, deixa seu cartão de visita e vai embora com Jennings. Os dois param diante da casa. O céu está começando a clarear.

— O que você acha? — pergunta Jennings.

— Interessante — diz Rasbach. — A hora. E o fato de os faróis estarem apagados.

O outro detetive assente. Marco deu uma olhada na filha à meia-noite e meia. O carro estava vindo da direção da garagem da família Conti à meia-noite e trinta e cinco, com os faróis apagados. Um possível cúmplice.

Os pais acabam de se tornar os principais suspeitos.

— Peça a alguns policiais que falem com todas as pessoas que têm garagem com acesso a essa rua. Quero saber quem estava dirigindo um carro à meia-noite e trinta e cinco. E peça para tentarem descobrir especificamente se, a essa hora, havia alguém olhando pela janela. Talvez alguém tenha visto alguma coisa.

— Tudo bem — responde Jennings, assentindo.

Anne segura com força a mão de Marco. Está quase hiperventilando antes de ir falar com a imprensa. Sentou-se e colocou a cabeça entre os joelhos. São sete da manhã, poucas horas depois do desaparecimento de Cora. Há vários fotógrafos e jornalistas esperando na rua. Anne é uma pessoa reservada, e esse tipo de exposição na mídia é terrível para ela. Nunca quis atenção. Mas eles precisam despertar o interesse da imprensa. Precisam estampar o rosto de Cora em todos os jornais, na televisão e na internet. Não é possível que uma bebê seja raptada no meio da noite sem que ninguém note. É uma vizinhança movimentada. Com certeza vai aparecer alguém com alguma informação. Anne e Marco precisam fazer isso, embora saibam que serão alvo de críticas severas depois que tudo for divulgado. São os pais que abandonaram a filha, que a deixaram sozinha em casa, uma bebê. E então alguém a raptou. Eles são a atração da semana.

Optaram por uma declaração escrita, elaborada na mesinha de centro com a ajuda do detetive Rasbach. A declaração não menciona o fato de que a bebê estava sozinha em casa na hora do sequestro, mas Anne não tem dúvida de que esse fato logo vai vir à tona. Tem a sensação de que, assim que a imprensa invadir a vida deles, não terá mais volta. Nada será privado. Ela e Marco ficarão famosos, seus rostos estampados nas páginas dos tabloides. Ela está com medo e com vergonha.

Eles saem de casa e param na escada. O detetive Rasbach está ao lado de Anne, o detetive Jennings, ao lado de Marco. Anne busca apoio no braço do marido, como se estivesse prestes a desabar. Eles combinaram que Marco vai ler a declaração. Anne simplesmente não conseguiria fazer isso. É como se o vento fosse capaz de derrubá-la. Marco observa a multidão de repórteres, parece se encolher e volta a olhar para o papel que treme visivelmente em suas mãos. Os flashes disparam initerruptamente.

Anne ergue a cabeça, desorientada. A rua está cheia de repórteres, carros, câmeras de televisão, técnicos, equipamentos, fios e pessoas estendendo microfones na direção deles, de seus rostos com expressões falsas. Ela já viu isso na televisão, mas agora é ela que está ali. Não parece real, como se não estivesse acontecendo com ela, mas com outra pessoa. Sente-se estranha, absorta, como se estivesse ali na escada e, ao mesmo tempo, observando tudo de longe, do alto.

Marco ergue a mão para indicar que quer falar. O grupo de jornalistas de repente fica em silêncio.

— Eu gostaria de ler uma declaração — murmura ele.

— Mais alto! — grita alguém da calçada.

— Vou ler uma declaração — diz Marco, mais alto e com mais clareza. Então começa a ler, a voz ganhando força: — Essa madrugada, em algum momento entre meia-noite e meia e uma e meia, uma linda bebê, Cora, foi raptada de seu berço por uma ou mais pessoas desconhecidas. — Ele faz uma pausa para se recompor. Ninguém dá um pio. — Ela tem seis meses. Cabelo louro, olhos azuis, e pesa cerca de sete quilos. Estava usando fralda descartável e um macacão cor-de-rosa clarinho. Uma manta branca também desapareceu do berço. Nós amamos Cora mais que tudo. Queremos nossa menininha de volta. Pedimos a quem quer que a tenha levado que, por favor, *por favor*, traga nossa filha de volta, ilesa.

Marco ergue a cabeça. Está chorando e precisa interromper a leitura para enxugar as lágrimas. Anne chora baixinho ao seu lado, olhando para o mar de rostos.

— Não temos ideia de quem sequestraria nossa filhinha linda e inocente. Estamos pedindo sua ajuda. Se você sabe ou viu qualquer coisa, por favor ligue para a polícia. Oferecemos uma boa recompensa em troca de informações que nos ajudem a recuperar nossa filha. Obrigado.

Marco se vira para Anne, e os dois desabam nos braços um do outro, enquanto os flashes continuam disparando.

— De quanto é a recompensa? — pergunta alguém.

Capítulo Sete

NINGUÉM ENTENDE como isso pode ter passado despercebido, mas pouco tempo depois da coletiva de imprensa em frente à casa da família Conti, um policial se aproxima do detetive Rasbach, segurando entre dois dedos enluvados um macacãozinho cor-de--rosa. Os olhares de todos na sala — o detetive Rasbach, Marco, Anne e os pais de Anne, Alice e Richard — se voltam para a roupa.

Rasbach é o primeiro a se manifestar.

— Onde encontrou isso? — pergunta bruscamente.

— Ah! — exclama Anne.

Todos desviam os olhares do policial e se viram para ela, que está pálida.

— Estava no cesto de roupa suja no quarto da Cora? — indaga ela, levantando-se.

— Não — responde o policial. — Estava embaixo do trocador. Não tínhamos visto ainda.

Rasbach está muito irritado. Como podiam não ter visto?

Anne enrubesce, parecendo confusa.

— Desculpe. Devo ter esquecido. Cora estava usando essa roupa mais cedo. Troquei o macacão depois da última mamada. Ela golfou nesse. Vou mostrar a vocês.

Anne se aproxima do policial, faz menção de pegar o macacão, mas o homem o afasta.

— Por favor, não toque nisso — pede.

Ela se vira para Rasbach.

— Eu troquei a roupa dela. Achei que tinha colocado esse macacão no cesto de roupa suja, ao lado do trocador.

— Então demos uma descrição errada? — pergunta Rasbach.

— Sim — admite Anne, parecendo confusa.

— O que ela estava usando? — pergunta Rasbach. Como Anne hesita em responder, ele repete: — O que ela estava usando?

— Eu... não sei — diz Anne.

— Como assim não sabe? — insiste o detetive com um tom de voz severo.

— Eu não sei. Eu tinha bebido um pouco. Estava cansada. Estava escuro. A última mamada do dia é sempre no escuro, para ela não acordar. Ela golfou no macacão e, quando fui trocar a fralda, troquei a roupa também. Joguei o macacão cor-de-rosa no cesto de roupa suja, pelo menos achei que tivesse feito isso, e peguei outro no armário. Ela tem muitos. Não sei qual era a cor.

Anne se sente culpada. Mas era evidente que aquele homem nunca tinha trocado a roupa de um bebê no meio da noite.

— Você sabe? — pergunta Rasbach, virando-se para Marco.

Marco parece um cervo surpreendido diante dos faróis de um carro. Nega com a cabeça.

— Não notei que ela tinha trocado de roupa. Não acendi a luz quando passei para ver como ela estava.

— Posso dar uma olhada no armário e tentar descobrir que roupa ela está usando — sugere Anne, tomada pela culpa.

— É, faça isso — concorda Rasbach. — Precisamos de uma descrição exata.

Anne sobe correndo a escada e abre a gaveta da cômoda da filha, onde guarda todos os macacões, calças e camisetas. Flores, bolinhas, coelhos e abelhas.

O detetive e Marco a acompanham e a observam ajoelhada no chão, tirando todas as roupas do armário, aos prantos. Mas ela não se lembra da roupa, não consegue descobrir qual é. Qual está faltando? O que a filha estava usando?

Ela se vira para Marco.

— Pegue a roupa suja lá embaixo.

Marco desce, obediente. Pouco depois, volta com um cesto de roupa suja, que joga no chão do quarto. Alguém tinha limpado o vômito. As roupas do bebê estão misturadas com as deles próprios, mas Anne separa todas as peças da filha.

— É o verde-menta, com o coelhinho bordado na frente — anuncia, por fim.

— Tem certeza? — pergunta Rasbach.

— Só pode ser — responde Anne com tristeza. — É o único que está faltando.

A investigação forense da casa de Anne e Marco revelou muito pouco nas horas que se seguiram ao desaparecimento de Cora. A polícia não encontrou nenhum indício, nenhum mesmo, de que algum desconhecido teria estado no quarto da menina ou em qualquer outro cômodo da casa. Não há qualquer evidência — nenhuma impressão digital, nenhuma fibra — dentro da casa que traga uma luz ao caso. Parece que ninguém entrou ali, ninguém além deles próprios, dos pais de Anne e da diarista. Todos se submeteram à insultante coleta de impressões digitais. Ninguém suspeita de que a diarista, uma senhora filipina, possa ser uma sequestradora. Mas tanto ela quanto sua família estão sendo cuidadosamente investigadas.

Entretanto, do lado de fora da casa, a equipe forense encontrou algo. Há marcas de pneu na garagem que não correspondem aos pneus do Audi da família Conti. Rasbach ainda não divulgou essa informação para os pais da menina desaparecida. Isso, aliado à testemunha que viu um carro descendo a rua à meia-noite e trinta e cinco, é, por enquanto, a única pista sólida da investigação.

— Provavelmente usaram luvas — diz Marco, quando o detetive Rasbach relata a ausência de qualquer indício de um intruso na casa.

Já amanheceu, e Anne e Marco estão exaustos. Parece que ele também está de ressaca. Mas os dois sequer tentam descansar. Os policiais pediram aos pais de Anne que tomassem café na cozinha, enquanto o detetive continua interrogando o casal. Precisa repetir constantemente que a polícia está fazendo o possível para recuperar a filha deles, que não está apenas desperdiçando o tempo dos dois.

— É muito provável — diz Rasbach, concordando com a suposição de Marco sobre as luvas. — Mas ainda assim deveria haver pegadas dentro da casa e fora dela, na garagem, que não sejam de vocês.

— A menos que a pessoa tenha saído pela porta da frente — observa Anne.

Ela se lembra do que viu: a porta estava aberta. A imagem vem com clareza à sua mente agora que está totalmente sóbria. Anne acredita que o sequestrador saiu com sua filha pela porta da frente, e por isso não encontraram nenhuma pegada desconhecida.

— Mesmo assim, era de se esperar que encontrássemos alguma coisa. — Rasbach encara seriamente os dois. — Interrogamos todos os vizinhos que poderiam ter visto algo. Nenhum deles viu ninguém saindo pela porta da frente com um bebê.

— Isso não significa que não tenha acontecido — objeta Marco, deixando clara sua frustração.

— Vocês também não encontraram ninguém que tenha visto Cora sendo levada pela porta dos fundos — argumenta Anne rispidamente. — Não encontraram nada.

— Podemos considerar a lâmpada com o sensor de movimento, que foi afrouxada — lembra o detetive Rasbach. Depois de uma pausa, acrescenta: — Também encontramos marcas de pneus na garagem que não correspondem aos do carro de vocês. — Ele espera até que a informação seja assimilada. — Alguém andou usando a garagem, que vocês saibam? Deixam alguém estacionar lá?

Marco encara o detetive, mas logo desvia o olhar.

— Que eu saiba, não — responde.

Anne nega com a cabeça.

É óbvio que ela e Marco estão estressados. Não é nenhuma surpresa, afinal Rasbach havia sugerido que, na falta de indícios que comprovem que outra pessoa saiu da casa com a criança e atravessou o quintal até a garagem, apenas eles poderiam ter desaparecido com a menina.

— Desculpe, mas preciso perguntar sobre o remédio no armário do banheiro — diz o detetive, virando-se para Anne. — Sertralina.

— O que tem o remédio? — murmura Anne.

— A senhora pode me dizer para que serve? — indaga Rasbach com delicadeza.

— Tenho depressão moderada — responde Anne, na defensiva. — Foi prescrito pela minha médica.

— Ela é clínica geral?

Anne hesita. Encara Marco, como se não soubesse direito o que fazer, mas responde:

— Psiquiatra.

— Entendo. Pode me passar o nome dela?

Anne olha novamente para o marido.

— Dra. Leslie Lumsden.

— Obrigado — murmura o detetive, fazendo uma anotação em seu caderninho.

— Muitas mães têm depressão pós-parto — comenta Anne, ainda na defensiva. — É bem comum.

Rasbach assente, inexpressivo.

— E o espelho do banheiro? Podem me contar o que aconteceu?

Anne enrubesce e olha pouco à vontade para o detetive.

— Fui eu — admite. — Quando chegamos em casa e descobrimos que Cora tinha sumido, dei um soco no espelho. — Ela ergue a mão, que a mãe havia lavado, desinfetado e enfaixado para ela.

— Eu estava transtornada.

Rasbach assente de novo e faz outra anotação.

De acordo com o que os pais disseram mais cedo, a última vez em que alguém além deles viu a criança viva foi por volta das duas da tarde do dia do sequestro, quando Anne tomou um café no Starbucks da esquina. De acordo com ela, a menina estava acordada no carrinho, sorrindo e chupando os dedos, e a funcionária acenou para ela.

Rasbach foi ao Starbucks e conversou com a tal funcionária, que por sorte estava lá naquele momento. Ela se lembrou de Anne e da bebê. Porém ninguém mais poderia confirmar que a bebê estava viva depois das duas da tarde de sexta-feira, dia em que ela desapareceu.

— O que a senhora fez depois de ir ao Starbucks ontem? — pergunta Rasbach.

— Voltei para casa. Cora estava agitada. Geralmente fica agitada à tarde. Por isso andei pela casa com ela. Tentei deixá-la no berço para que cochilasse, mas ela não dormia. Por isso a peguei no colo de novo e continuei andando pela casa, pelo quintal.

— E depois?

— Fiz isso até Marco chegar.

— Que horas eram? — pergunta Rasbach.

— Cheguei em casa por volta das cinco — responde ele. — Saí um pouco mais cedo, porque era sexta-feira e tínhamos o jantar.

— E então?

— Anne deixou Cora comigo e subiu para tirar um cochilo.

Marco se recosta no sofá e esfrega as mãos nas coxas. Em seguida, começa a balançar uma perna. Está inquieto.

— Você tem filhos, detetive? — pergunta Anne.

— Não.

— Então não sabe como eles podem ser exaustivos.

— Não. — Ele muda de posição na poltrona. Todos estão ficando cansados. — Que horas vocês saíram para o jantar?

— Por volta das sete — responde Marco.

— Então o que fizeram entre as cinco e as sete?

— Por que está nos perguntando isso? — retruca Anne, irritada. — Não é perda de tempo? Achei que você ia nos ajudar!

— Preciso saber tudo que aconteceu. Por favor, respondam da melhor maneira possível — pede Rasbach, com tranquilidade.

Marco põe a mão na perna da esposa, como se tentasse acalmá-la.

— Fiquei brincando com Cora enquanto Anne dormia — conta ele. — Dei um mingau de cereais para ela. Anne acordou por volta das seis.

Ela respira fundo.

— Então discutimos por causa da festa.

Marco fica paralisado.

— Por que discutiram? — pergunta Rasbach, olhando bem nos olhos de Anne.

— A babá avisou que não viria — responde ela. — Se não tivesse cancelado, nada disso teria acontecido — murmura, como se estivesse se dando conta desse fato pela primeira vez.

Isso era novidade. Rasbach não sabia que deveria haver uma babá. Por que só agora estavam lhe contando isso?

— Por que não disseram isso antes?

— Não dissemos? — retruca Anne, surpresa.

— Quem era a babá? — pergunta Rasbach.

— Uma adolescente chamada Katerina — responde Marco. — É quem sempre toma conta de Cora. Está no último ano do ensino médio. Mora a um quarteirão daqui.

— Você falou com ela?

— Como assim?

Parece que Marco não está prestando atenção. Talvez esteja sendo vencido pelo cansaço, pensa Rasbach.

— Quando ela avisou que não viria? — pergunta o detetive.

— Ela ligou por volta das seis horas. A essa altura, era tarde demais para arranjar outra babá — explica Marco.

— Quem falou com ela?

Rasbach faz anotações em seu caderno.

— Fui eu — responde Marco.

— A gente podia ter *tentado* arranjar outra babá — comenta Anne, amargurada.

— Na hora, achei que não havia necessidade. Claro que agora... — A voz de Marco fica embargada, e ele olha para o chão.

— Podem me dar o endereço dela? — pede Rasbach.

— Vou pegar.

Anne se retira para a cozinha.

Enquanto Rasbach e Marco a esperam, o detetive ouve murmúrios vindos da cozinha: os pais de Anne querem saber o que está acontecendo.

— Como foi exatamente essa discussão? — questiona Rasbach depois que Anne volta e lhe entrega um papel com o nome e o endereço da babá.

— Eu não queria deixar nossa filha sozinha — responde Anne. — Falei que preferia ficar em casa com ela. Cynthia não queria que a gente levasse a bebê porque Cora fica muito agitada. Queria uma festa só para adultos. Por isso chamamos a babá. Mas, quando ela disse que não viria, Marco achou que seria falta de educação levar Cora, porque já tinham nos pedido para não fazer isso. E eu não queria deixá-la sozinha. Foi por isso que discutimos.

Rasbach se volta para Marco, que assente, desolado.

— Marco achou que, se a gente levasse a babá eletrônica e viesse dar uma olhada nela de meia em meia hora, não teria problema. Nada de ruim aconteceria, foi o que você disse — diz Anne, virando-se com súbito rancor para o marido.

— Eu errei! — responde Marco, voltando-se para a esposa. — Desculpe! A culpa é minha! Quantas vezes preciso dizer isso?

O detetive Rasbach observa as desavenças se aprofundando na relação do casal. A tensão que ele detectou assim que chegou ali se transformou em algo mais: *culpa*. A linha de frente sólida que os dois formavam nas primeiras horas da investigação começa a ruir. Como poderia ser diferente? A filha deles está desaparecida. Os dois estão sob muita pressão. A polícia está na casa deles, a imprensa batendo à porta. Rasbach sabe que, se houver algo aqui a ser descoberto, ele vai descobrir.

Capítulo Oito

O DETETIVE RASBACH SAI da casa da família Conti e vai até a casa da babá para interrogá-la e confirmar a versão do casal. A manhã já está chegando ao fim e, ao percorrer o breve trajeto de ruas cobertas de folhas, ele reflete sobre o caso. Não há nenhum indício de que alguém tenha invadido a casa ou passado pelo quintal. Mas existem marcas de pneus recentes no chão de cimento da garagem. Ele suspeita dos pais, mas surgiu essa novidade sobre a babá.

Quando chega ao endereço que Anne lhe deu, uma mulher com fisionomia triste abre a porta. É óbvio que andou chorando. Ele mostra o distintivo.

— Katerina Stavros mora aqui, correto? — pergunta o detetive. A mulher assente. — É sua filha?

— É — responde a mãe da adolescente com a voz embargada. — Desculpe. Não é uma boa hora, mas sei por que você está aqui. Por favor, entre.

Rasbach entra na casa. A sala está cheia de mulheres em prantos. Três mulheres de meia-idade e uma adolescente estão sentadas em torno da mesinha de centro repleta de comida.

— Minha mãe morreu ontem — explica a Sra. Stavros. — Minhas irmãs e eu estamos tentando tomar as devidas providências.

— Sinto muito por incomodá-las — diz o detetive Rasbach. — Mas é importante. Sua filha está aqui?

Ele já a viu no sofá, com as tias: uma adolescente gordinha de 16 anos, com a mão na travessa de brownies. Ela ergue os olhos e vê o detetive entrando na sala.

— Katerina, tem um policial aqui querendo falar com você.

A adolescente e todas as tias se viram para o detetive.

Katerina começa a chorar e pergunta:

— É sobre Cora?

Rasbach assente.

— Não acredito que ela foi raptada — lamenta Katerina, apoiando as mãos no colo e esquecendo-se dos brownies. — Estou me sentindo péssima. Minha avó morreu e não pude ficar com a bebê.

No mesmo instante, todas as tias se aproximam dela, enquanto a mãe se senta no braço do sofá, ao seu lado.

— Que horas você telefonou para a casa da família Conti? — pergunta ele, com gentileza. — Você lembra?

A adolescente continua chorando.

— Não sei.

A mãe se vira para o detetive.

— Eram umas seis horas. Foi por volta desse horário que recebemos uma ligação do hospital pedindo que fôssemos para lá, porque minha mãe estava agonizando. Pedi que Katerina não fosse à casa dos Conti para ir ao hospital com a gente. — Ela põe a mão no ombro da filha. — Estamos muito mal com o que aconteceu com Cora, mas não é culpa de Katerina.

A mãe quer deixar isso bem claro.

— De jeito nenhum — confirma Rasbach, enfático.

— Não acredito que deixaram a bebê sozinha em casa — comenta a mulher. — Que tipo de pais fariam uma coisa dessas?

Suas irmãs maneiam a cabeça, em um gesto de censura.

— Espero que vocês a encontrem — continua a mãe de Katerina, olhando, preocupada, para a própria filha. — E que Cora esteja bem.

— Vamos fazer o possível — responde Rasbach, virando-se para ir embora. — Obrigado por terem me recebido.

A versão do casal confere com a da adolescente. É quase certo que a bebê ainda estivesse viva por volta das seis, ou como os pais lidariam com a babá que esperavam? Rasbach se dá conta de que, se os pais mataram ou esconderam a filha, isso só pode ter ocorrido depois do telefonema das seis da tarde. Ou antes das sete, quando foram para a casa dos vizinhos, ou em algum momento durante a festa. O que significa que provavelmente não teriam tempo de se livrar do corpo.

Talvez, pensa Rasbach, *eles estejam dizendo a verdade*.

Quando o detetive vai embora, Anne tem a sensação de que consegue respirar melhor. É como se ele os observasse o tempo inteiro, à espera de que cometessem um deslize. Mas que deslize ele poderia estar esperando? Cora não está com eles. Se tivessem encontrado algum indício de um intruso, pensa Anne, o detetive não estaria se concentrando erroneamente neles. Mas a pessoa que levou Cora foi muito cuidadosa.

Talvez a polícia seja incompetente, pensa ela. Anne tem medo de que metam os pés pelas mãos. A investigação está indo muito devagar. A cada hora, seu desespero só aumenta.

— Quem poderia ter raptado nossa filha? — murmura Anne para Marco, quando eles ficam sozinhos.

Anne pediu aos pais que fossem para casa, embora eles quisessem ficar no quarto de hóspedes no andar de cima. Porém, por mais que dependa de Richard e Alice, Anne também acha que eles a deixam aflita, sobretudo nas horas de estresse. E ela já está aflita o suficiente. Além disso, a presença deles dificulta seu relacionamento com Marco, que parece prestes a surtar. Ele está com o cabelo desgrenhado e não se barbeou. Os dois passaram a noite em claro e já estão na metade do dia. Anne se sente exausta e sabe que deve estar com uma aparência péssima, assim como o marido, mas não se importa. É impossível dormir.

— Nós precisamos pensar, Marco! Quem a sequestraria?

— Não faço ideia — responde ele, impotente.

Ela se levanta e começa a andar de um lado para outro da sala.

— Não consigo entender por que não encontraram nenhum indício da presença de um estranho. Não faz sentido. Faz sentido para você? — Ela para de andar e acrescenta: — A não ser pela lâmpada do sensor de movimento afrouxada. Essa é uma prova evidente de que houve uma invasão.

Marco a encara.

— Eles acham que nós mesmos afrouxamos a lâmpada.

Ela olha para o marido.

— Isso é ridículo! — Há um tom de histeria em sua voz.

— Não fomos nós. Sabemos disso — afirma Marco. Ele esfrega as mãos na calça jeans, uma nova mania. — Mas o detetive tem razão em uma coisa: parece mesmo ter sido planejado. Não foi alguém que passou por aqui, viu a porta aberta, entrou e levou Cora. Mas se a bebê foi raptada em troca de um resgate, por que o sequestrador não deixou um bilhete? Já não deveria ter entrado em contato? — Ele consulta o relógio de pulso. — São quase três da tarde! Faz mais de doze horas que ela desapareceu — observa ele, com a voz embargada.

Anne também está pensando nisso. Com certeza alguém já deveria ter entrado em contato. O que normalmente acontecia em casos de sequestro? Quando ela fez essa pergunta ao detetive Rasbach, ele respondeu:

— Não existe algo normal em um sequestro. Cada caso é um caso. O resgate pode ser exigido nas primeiras horas... ou pode levar dias. Mas, em geral, os sequestradores não querem ficar com a vítima por mais tempo do que o necessário. O perigo aumenta com o passar do tempo.

A polícia colocou uma escuta no telefone deles, para gravar qualquer possível conversa com o sequestrador. Mas até o momento não houve qualquer telefonema de alguém que alegasse estar com Cora.

— E se for alguém que conhece seus pais? — sugere Marco. — Talvez seja algum conhecido deles.

— Você adoraria colocar a culpa neles, não é? — rebate Anne, andando de um lado para outro com os braços cruzados.

— De jeito nenhum — defende-se Marco. — Não estou culpando ninguém, pense um pouco! Seus pais são ricos. Então só pode ser alguém que conhece os dois e sabe que eles têm muito dinheiro. Nós não temos nada para pagar um resgate, é óbvio.

— Talvez estivessem monitorando os telefonemas dos meus pais — comenta Anne.

Marco olha para ela.

— Acho que precisamos ser mais criativos com a recompensa.

— Como assim? Já oferecemos uma recompensa. Cinquenta mil dólares.

— É, mas cinquenta mil dólares em troca de informações que nos ajudem a recuperar Cora... Como isso vai ajudar se ninguém viu nada? Se alguém tivesse visto alguma coisa, você não acha que já teriam procurado a polícia? — Ele espera Anne considerar a questão. — Precisamos agir — insiste. — Quanto mais tempo ficarem com Cora, maior a chance de fazerem mal a ela.

— Eles acham que fui eu — lamenta Anne de repente. — Acham que matei minha filha. — Seu olhar é desesperado. — Pelo jeito que o detetive olha para mim, sei que é isso que pensa. Provavelmente só está tentando descobrir qual foi a *sua* participação.

Marco se levanta num pulo do sofá e tenta abraçá-la.

— Shhh. Eles não acham isso.

Mas ele tem medo de que Anne esteja certa. A depressão pós--parto, os antidepressivos, a psiquiatra. Não sabe o que dizer para acalmá-la. Sente que ela está cada vez mais agitada e quer impedir uma crise.

— E se procurarem a Dra. Lumsden? — questiona Anne.

Claro que vão procurar a Dra. Lumsden, pensa Marco. Como Anne pode considerar a possibilidade de eles não irem atrás da sua psiquiatra?

— Provavelmente eles irão procurá-la — responde Marco, o tom de voz deliberadamente calmo, até mesmo casual. — Mas e daí? Você não teve nada a ver com o desaparecimento de Cora, nós dois sabemos disso.

— Mas ela pode contar algumas coisas... — argumentou Anne, evidentemente assustada.

— Não pode, não — garante Marco. — Ela é médica. Não pode contar a eles nada do que você disse. Sigilo médico-paciente. Não podem obrigar sua psiquiatra a revelar o que você conversou com ela.

Anne volta a andar de um lado para outro, retorcendo as mãos. Para de súbito e diz:

— Ok. Você está certo. — Respira fundo e lembra: — A Dra. Lumsden está viajando. Foi passar duas semanas na Europa.

— É verdade... Você me disse.

Ele põe a mão nos ombros da esposa e olha em seus olhos.

— Anne, não quero que você se preocupe com isso — afirma ele em tom decisivo. — Você não tem o que temer. Não tem o que esconder. E daí se descobrirem que você tinha depressão mesmo antes do parto? Metade da população mundial sofre com isso. Provavelmente o idiota desse detetive sofre de depressão.

Ele mantém os olhos fixos na esposa até a respiração dela voltar ao normal. Então relaxa os braços.

— Precisamos nos concentrar em recuperar Cora.

Ele desaba no sofá, exausto.

— Mas como? — pergunta Anne.

Ela está retorcendo as mãos de novo.

— O que eu estava dizendo, sobre a recompensa. Talvez a gente não esteja agindo direito. Talvez devêssemos tentar falar direto com quem está com ela, oferecer muito dinheiro e ver se nos ligam.

Anne reflete por um instante.

— Mas, se foi um sequestrador, por que ele não pediu resgate?

— Não sei! Talvez tenha entrado em pânico. O que me assusta muito, porque pode decidir matar Cora e jogá-la em algum lugar!

— Como podemos começar a negociação com o sequestrador se ele sequer entrou em contato com a gente? — pergunta Anne.

Marco a encara.

— Por meio da imprensa.

Anne assente, pensativa.

— Quanto você acha que devemos oferecer?

Marco maneia a cabeça em desespero.

— Não faço ideia. Mas só temos uma chance, por isso precisamos fazer com que a oferta valha a pena. Talvez uns dois ou três milhões?

Anne sequer hesita.

— Meus pais adoram Cora. Tenho certeza de que pagariam esse valor. Vamos chamá-los aqui de novo. E o detetive Rasbach também.

Rasbach volta às pressas para a casa da família Conti depois do telefonema de Marco.

O casal está na sala. Os dois têm o rosto marcado pelas lágrimas recentes, mas parecem decididos. Por um breve instante, Rasbach imagina que vão confessar o crime.

Junto à janela, Anne aguarda os pais. Richard e Alice logo chegam e sobem rapidamente os degraus na entrada, passando pelos repórteres, de algum modo mantendo a dignidade, apesar do flash das câmeras. Anne abre a porta, mas toma o cuidado de permanecer atrás dela.

— O que aconteceu? — pergunta Richard, alarmado, olhando para a filha e para o detetive. — Vocês a encontraram?

Com seus olhos perspicazes, Alice tenta assimilar tudo de uma vez. Parece estar ao mesmo tempo esperançosa e assustada.

— Não — responde Anne. — Mas precisamos da ajuda de vocês.

Rasbach observa todos com atenção. Marco não diz nada.

— Marco e eu achamos que deveríamos oferecer dinheiro ao sequestrador — continua Anne. — Uma quantia significativa. Se oferecermos bastante dinheiro e prometermos não processar o sequestrador, talvez ele devolva nossa filha. — Ela se vira para os pais, com Marco a seu lado. — Precisamos fazer alguma coisa. Não podemos ficar aqui parados, esperando que o sequestrador a mate! — Seus olhos procuram desesperadamente os dos pais. — Precisamos da ajuda de vocês.

Alice e Richard se entreolham por um instante. Então Alice diz:

— Claro, Anne. Vamos fazer qualquer coisa para trazer Cora de volta.

— Claro — confirma Richard.

— De quanto vocês precisam? — indaga Alice.

— O que você acha? — pergunta Anne, virando-se para o detetive Rasbach. — Quanto seria necessário para convencer uma pessoa a devolver nossa filha?

Rasbach considera a questão com cuidado antes de responder. Se você é inocente, é natural que queira oferecer dinheiro, qualquer quantia, à pessoa que está com seu filho. E essa família parece ter muito dinheiro. Com certeza, vale a tentativa. No fim das contas, talvez os pais não sejam os culpados. E o tempo está correndo.

— Em quanto vocês estão pensando? — questiona Rasbach.

Anne parece desconfortável, como se estivesse constrangida por colocar um preço na filha. Na verdade, não faz ideia. Que quantia seria excessiva? Que quantia seria insuficiente?

— Marco e eu pensamos em dois milhões de dólares, talvez mais?

Sua hesitação é óbvia. Apreensiva, ela olha para os pais. Será que pediu muito?

— Claro, Anne — responde Alice. — O que você precisar.

— Vamos precisar de algum tempo para ter o dinheiro em mãos — observa Richard —, mas faremos qualquer coisa por Cora. E por você também, Anne. Sabe disso.

Anne assente, aos prantos. Primeiro abraça a mãe, depois o pai. Os ombros sacudindo de tanto chorar.

Por um breve instante, Rasbach pensa em como a vida é muito mais fácil para os ricos.

Ele observa Richard olhando para o genro, que não diz nada.

Capítulo Nove

ELES FIXAM o valor em três milhões de dólares. É muito dinheiro, mas Richard e Alice Dries não ficarão arruinados. O casal tem muitos milhões. Pode bancar essa quantia.

Menos de vinte e quatro horas depois de fazerem o comunicado sobre o desaparecimento da filha, no começo da noite de sábado, Anne e Marco se veem novamente diante da imprensa. Não falam com os jornalistas desde as sete da manhã. Mais uma vez, tiveram o cuidado de escrever uma declaração na mesinha de centro com a ajuda do detetive Rasbach e se posicionaram na frente de casa para fazer outro pronunciamento.

Anne está usando um vestido preto, simples mas chique. Não usa joias, com exceção de brincos de pérola. Tomou banho, lavou o cabelo, passou até um pouco de maquiagem, tentando parecer forte. Marco também tomou banho, fez a barba e vestiu uma camisa branca e uma calça jeans limpa. Os dois formam um casal atraente com seus 30 e poucos anos, que foi surpreendido por uma tragédia.

Quando saem na pequena varanda, pouco antes do noticiário das seis horas, os flashes disparam como da última vez. O interesse pelo caso aumentou ao longo do dia. Marco espera todos se apaziguarem e se dirige aos repórteres:

— Gostaríamos de dar outra declaração... — anuncia em voz alta, mas é interrompido antes mesmo de começar a ler.

— Como o senhor explica a confusão sobre o que a bebê estava vestindo? — pergunta alguém da calçada.

— Como vocês podem ter cometido um erro desses? — acrescenta outra voz.

Marco olha para Rasbach e, sem esconder a irritação, responde:

— Pelo que sei, a polícia já deu uma declaração sobre isso mais cedo, mas posso explicar de novo. — Ele respira fundo. — No início da noite, vestimos Cora com um macacão cor-de-rosa. Mas, quando minha esposa foi amamentá-la às onze horas, ela golfou na roupa. Por isso ela trocou, no escuro, o macacão rosa por um verde-menta. Depois, aflitos por terem levado nossa filha, nós nos esquecemos desse detalhe.

Marco age com frieza.

Os repórteres ficam em silêncio, assimilando a informação. Desconfiados.

Marco aproveita o silêncio para ler o texto que prepararam:

— Anne e eu amamos Cora. Vamos fazer qualquer coisa para trazê-la de volta. Imploramos a quem quer que a tenha raptado que devolva nossa filha. Podemos oferecer a quantia de três milhões de dólares... — Há burburinho na multidão, e Marco espera tudo se aquietar novamente. — Podemos oferecer a quantia de três milhões de dólares a quem estiver com nossa filha. Estou falando com você, que está com Cora: ligue para nós, e conversaremos. Sei que deve estar assistindo à TV. Por favor, entre em contato e daremos um jeito de entregar o dinheiro em troca de nossa filha sã e salva. — Marco ergue a cabeça e diz para as câmeras: — E eu também queria dizer à pessoa que está com ela que prometo que não entraremos com nenhum processo. Só queremos nossa filha de volta.

Nesse ponto ele fugiu do texto original, e a sobrancelha direita do detetive Rasbach se ergue discretamente.

— Isso é tudo.

Os flashes disparam furiosamente quando Marco abaixa o papel. Os repórteres o enchem de perguntas, mas ele dá meia-volta e conduz Anne para dentro de casa. Rasbach e Jennings os acompanham.

Rasbach sabe que, independentemente da mensagem de Marco, o sequestrador, quem quer que seja, não vai se safar de um processo. Não são os pais que tomam essa decisão. E, sem dúvida, o sequestrador sabe muito bem disso. Se for mesmo um sequestro para obter um resgate, o mais difícil será entregar o dinheiro à pessoa que está com a bebê e recuperá-la ilesa sem que ninguém entre em pânico e faça uma besteira. Mas sequestro é um crime grave, portanto, para o sequestrador, se as coisas desandarem, será grande a tentação de matar a vítima e se livrar do corpo para não ser preso.

Já dentro de casa, Rasbach diz:

— Agora só nos resta esperar.

Marco finalmente convence Anne a descansar um pouco. Ela tomou um pouco de sopa e comeu biscoito: isso foi tudo o que ingeriu o dia inteiro. Precisou tirar o leite do peito várias vezes, indo ao quarto da filha para ter privacidade. Mas tirar o leite não é tão eficaz quanto amamentar, por isso seus seios estão inchados, quentes e doloridos.

Antes de tentar dormir, precisa tirar mais leite. Senta-se na poltrona em que costuma amamentar Cora e começa a chorar. Como é possível que esteja sentada nessa poltrona e, em vez de ver a filha junto ao seio — abrindo e fechando as mãozinhas, fitando a mãe com aqueles olhos azuis imensos, aqueles cílios compridos —, está tirando leite com a mão, jogando-o numa vasilha de plástico, para descartá-lo na pia do banheiro. Leva bastante tempo. Primeiro um seio, depois o outro.

Por que ela não se lembra de ter trocado a roupa da filha? Do que mais não se lembra daquela noite? É o choque, com certeza. Nada mais.

Então termina. Ajeita a roupa, levanta-se da poltrona e vai para o banheiro, que fica perto da escada. Enquanto joga o leite na pia, observa a si mesma no espelho quebrado.

Rasbach sai da casa da família Conti e caminha alguns quarteirões, até uma rua cheia de restaurantes, galerias e lojas sofisticadas. É mais uma noite quente e úmida de verão. Ele decide fazer uma refeição rápida e verificar as informações de que dispõe. A babá avisou que não iria às seis da tarde, portanto ele precisa considerar que a bebê estava viva a essa hora. Os pais estavam na casa dos vizinhos às sete da noite, o que significa que provavelmente não tiveram tempo de matar a filha e se livrar do corpo entre o telefonema da babá e a ida à casa ao lado. Além disso, ninguém os viu sair de casa entre as seis e as sete, com ou sem a filha.

Tanto Marco quanto Anne afirmam que o pai deu uma olhada na filha à meia-noite e meia e que entrou pela porta dos fundos. Marco alega que o sensor de movimento estava funcionando a essa hora. A equipe forense encontrou marcas de pneu na garagem que não correspondem aos pneus do carro da família Conti. Paula Dempsey viu um carro com os faróis apagados passar pela rua silenciosamente, vindo da direção da casa da família Conti, à meia-noite e trinta e cinco. A lâmpada do sensor de movimento havia, evidentemente, sido afrouxada.

Isso significa que ou o sequestrador agiu depois da meia-noite e meia — em algum momento entre a hora em que Marco deu uma olhada na filha e a hora em que o casal voltou para casa — e o carro que Paula Dempsey viu era irrelevante, ou Marco estava mentindo e ele mesmo desconectou o sensor de movimento e levou a bebê até o carro, que o aguardava. A criança não saiu voando até a garagem. Alguém a levou até lá, e as únicas pegadas no quintal são de Marco e Anne. O motorista, ou cúmplice, se é que havia um, com certeza não saiu do carro.

Em seguida, Marco voltou para o jantar e foi casualmente fumar um cigarro no quintal da casa ao lado, enquanto flertava com a esposa do vizinho.

Porém, há um problema: a babá. Marco não tinha como saber que ela ia desmarcar sua ida à casa. O fato de que deveria haver uma babá no local desmente a hipótese de um sequestro planejado, com o intuito de pedir resgate.

Mas talvez ele estivesse lidando com algo mais improvisado.

Será que o marido ou a esposa mataram acidentalmente a filha, talvez num acesso de raiva, entre as seis e as sete da noite — pode ser que a menina tenha se ferido durante a discussão entre eles — ou em algum outro momento, quando foram ver como ela estava? Se algo assim havia acontecido, será que o casal teria pedido para alguém ajudá-lo a se livrar do corpo no começo da madrugada?

Rasbach está incomodado com a história do macacão cor-de-rosa. A mãe diz que o jogou no cesto de roupa suja, ao lado do trocador. Mas ele foi encontrado embaixo do trocador. Por quê? Talvez ela estivesse tão bêbada que, em vez de jogar o macacão golfado no cesto de roupa suja, acabou enfiando-o ali. Se ela havia ficado bêbada a ponto de achar que tinha jogado o macacão no cesto de roupa suja quando, na verdade, não fizera isso, será que também havia bebido a ponto de deixar a filha cair? Talvez a bebê tenha batido com a cabeça na queda e morrido. Ou talvez a mãe a tenha sufocado. Se foi isso que aconteceu, como os pais conseguiram tão depressa alguém para levar o corpo da filha? Para quem eles ligaram?

Ele precisa encontrar o possível cúmplice. Vai pedir o registro telefônico da casa e dos celulares do casal e descobrir se algum deles ligou para alguém entre as seis e a meia-noite e meia.

Se a filha foi morta, acidental ou intencionalmente, por um dos pais, por que encenariam um sequestro?

Tudo o que resta a Rasbach são deduções. Há três milhões de dólares em jogo. Possivelmente mais. Motivação suficiente para qualquer pessoa. A facilidade com que os avós ofereceram o dinheiro aos pais desorientados foi reveladora.

Rasbach logo vai descobrir tudo sobre Anne e Marco Conti. Agora está na hora de interrogar os vizinhos.

Capítulo Dez

RASBACH PASSA NA casa da família Conti para buscar Jennings. Quando, sob os olhares dos repórteres, os detetives chegam à casa dos vizinhos, ficam sabendo que o marido, Graham Stillwell, não está no local.

Rasbach viu o casal muito brevemente na noite anterior, assim que chegou à casa dos Conti. Cynthia e Graham Stillwell ficaram chocados com o rapto da menina, sem palavras. Naquele momento, Rasbach tinha concentrado sua atenção no quintal, na cerca e no espaço entre as duas casas. Mas agora quer conversar com Cynthia, a anfitriã do jantar, para saber o que ela pode lhes dizer sobre o casal que mora ao lado.

Ela é uma linda mulher. De 30 e poucos anos, cabelo preto e comprido, olhos grandes e azuis. Tem um corpo escultural. Também tem plena consciência de sua beleza e faz questão de que todos ao redor a notem. Está usando uma blusa muito decotada, calça de linho que acentua suas curvas e sandálias de salto alto. Está vestida com elegância, embora alguém tenha raptado a filha de seus convidados enquanto eles estavam em sua casa na noite passada. Mas, por trás da maquiagem perfeita, está evidentemente cansada, como se tivesse dormido mal ou não tivesse dormido nada.

— Descobriram alguma coisa? — pergunta Cynthia Stillwell logo depois de convidá-los a entrar.

Rasbach fica surpreso com as semelhanças com a casa ao lado. A planta é a mesma. Assim como a escada de madeira entalhada, a lareira de mármore e a janela; tudo idêntico. Mas cada uma das casas tem a marca inconfundível de seus donos. A casa da família Conti tem cores suaves e é decorada com antiguidades e objetos de arte; a casa da família Stillwell tem móveis brancos e modernos de couro, mesas de vidro e cromo e toques de cor vibrante.

Cynthia se senta na poltrona diante da lareira, cruza elegantemente as pernas e fica balançando o pé, com as unhas pintadas de vermelho.

Os detetives se acomodam no sofá de couro macio. Rasbach dá um sorriso pesaroso.

— Não podemos comentar sobre o caso — diz. A mulher diante dele parece nervosa. Ele quer deixá-la à vontade. — O que a senhora faz, Sra. Stillwell?

— Sou fotógrafa profissional — responde ela. — *Freelancer*, principalmente.

— Entendi. — Rasbach olha para as paredes, que ostentam várias fotografias em preto e branco. — São suas?

— São.

Ela dá um sorrisinho.

— O rapto foi algo terrível — comenta o detetive. — Deve estar sendo muito perturbador para a senhora.

— Não consigo parar de pensar nisso — confessa ela, aflita, franzindo a testa. — Quer dizer, eles estavam aqui quando tudo aconteceu. Todos nós estávamos aqui, nos divertindo, despreocupados. Estou me sentindo péssima.

Ela umedece os lábios.

— A senhora pode me contar sobre a noite de ontem? — pede Rasbach. — É só me dizer como foi, com suas próprias palavras.

— Tudo bem. — Ela respira fundo. — Pensei em fazer um jantar para o aniversário de 40 anos de Graham. Ele queria uma comemoração simples. Por isso convidei Marco e Anne, porque às vezes jantamos juntos e somos bons amigos. Fazíamos isso com bastante frequência antes do nascimento da filha deles, depois nem tanto. Fazia um tempo que a gente não se via.

— A senhora sugeriu que eles deixassem a menina em casa? — questiona Rasbach.

Ela enrubesce.

— Eu não sabia que eles estavam sem babá.

— Pelo que sei, eles tinham uma babá, *sim*, mas ela avisou que não poderia ir em cima da hora.

Cynthia assente.

— Entendo. Mas eu nunca teria dito a eles que deixassem a menina em casa sem a babá. Eles trouxeram a babá eletrônica, disseram que iam ligar o aparelho na tomada e se revezar para dar uma olhada na filha algumas vezes.

— E o que a senhora achou disso?

— O que *eu* achei? — pergunta ela, erguendo as sobrancelhas, surpresa. Rasbach assente e aguarda a resposta. — Não achei nada. Não sou mãe. Deduzi que sabiam o que estavam fazendo. Pareciam tranquilos. Eu estava muito ocupada preparando o jantar para pensar no assunto. — Depois de uma pausa, ela acrescenta: — Para ser sincera, com essa história de um deles sair a cada meia hora para dar uma olhada na filha, provavelmente teria sido menos incômodo deixá-la aqui. — Cynthia faz uma pausa. — Por outro lado, a menina é bem agitada...

— E Anne e Marco? A senhora disse que eles saíam para dar uma olhada na filha a cada meia hora?

— Ah, sim. Eram bem rigorosos com isso. Pais perfeitos.

— Quanto tempo eles ficavam fora quando saíam? — pergunta Rasbach.

— Variava.

— Como assim?

Ela joga o cabelo preto para trás e se endireita na poltrona.

— Bem, quando Marco ia até lá, ele era bem rápido. Uns cinco minutos ou menos. Mas Anne demorava mais. Eu me lembro do momento em que brinquei com ele dizendo que ela não voltaria.

— Quando foi isso?

Rasbach se inclina para a frente, olhando nos olhos dela.

— Acho que umas onze horas. Ela ficou muito tempo fora. Quando voltou, perguntei se estava tudo bem. Ela disse que sim, que foi amamentar a filha. — Cynthia faz uma pausa. — Isso mesmo, eram onze horas, porque ela disse que sempre amamenta a filha nesse horário para que a menina durma até as cinco. — De repente, parece hesitante. — Quando ela voltou depois de amamentar a filha às onze, parecia que tinha chorado.

— Chorado? Tem certeza?

— Foi a impressão que passou. Acho que ela lavou o rosto depois. Marco olhou para ela meio preocupado. Eu me lembro de ter pensado que deve ser muito chato ter que se preocupar com Anne o tempo todo.

— Por que acha que Marco ficou preocupado?

Cynthia dá de ombros.

— Anne é um pouco melancólica. Tenho a impressão de que ela está achando a maternidade mais difícil do que esperava. — Ela enrubesce ao se dar conta de que fez um comentário bem inoportuno diante das circunstâncias. — Quer dizer, ela mudou com a maternidade.

— Mudou como?

Cynthia respira fundo e se ajeita novamente na poltrona.

— Anne e eu éramos muito amigas. Saíamos para tomar café, íamos ao shopping, conversávamos. Tínhamos muito em comum. Eu sou fotógrafa, e ela trabalhava numa galeria de arte no centro da cidade. Adora arte abstrata, ou pelo menos adorava. Era uma excelente profissional: ótima curadora, ótima vendedora. Sabe o que é um trabalho de qualidade e o que vai vender.

Ela se detém, recordando.

— E então...? — incentiva Rasbach.

— Então ela engravidou e parecia que só pensava em bebês. Só queria comprar coisas de criança. — Cynthia dá uma risadinha. — Desculpe, mas fiquei um pouco entediada com isso depois de um tempo. Acho que Anne ficou magoada porque eu não demonstrava interesse pela gravidez dela. Já não tínhamos tanto em comum. Então, quando Cora nasceu, passou a consumir todo o tempo dela. Eu sei que ela estava cansada, mas Anne se tornou uma pessoa menos interessante, entende o que quero dizer? — Cynthia faz uma pausa e cruza novamente as pernas compridas. — Acho que ela deveria ter voltado a trabalhar depois de alguns meses, mas ela não quis. Certamente queria ser a mãe perfeita.

— Marco mudou muito depois do nascimento da filha? — pergunta Rasbach.

Ela inclina a cabeça, pensando no assunto.

— Não, na verdade, não. Mas também não o temos visto muito. Ele me parece o mesmo de sempre, mas acho que Anne o deixa um pouco pra baixo. Ele ainda gosta de se divertir.

— Anne e Marco chegaram a ficar a sós depois que ela voltou de casa? — pergunta Rasbach.

— Como assim?

— A senhora e seu marido foram levar a louça para a cozinha ou deixaram os dois sozinhos em algum momento da noite? Eles se sentaram juntos em um canto ou coisa parecida?

— Não sei. Acho que não. Marco passou a maior parte do tempo comigo, porque dava para perceber que Anne não estava muito animada.

— Então a senhora não se lembra de ter visto os dois conversando sozinhos?

Ela faz que não com a cabeça.

— Por quê?

Rasbach ignora a pergunta.

— Descreva o restante da noite, por favor.

— Ficamos a maior parte do tempo na sala de jantar, porque tem ar-condicionado e estava muito quente naquela noite. Marco e eu falávamos mais que os outros. Meu marido geralmente é quieto, meio intelectual. Ele e Anne são parecidos nisso. E se dão bem.

— E a senhora e Marco se dão bem?

— Marco e eu somos mais extrovertidos. Eu animo meu marido, Marco anima Anne. Os opostos se atraem, eu acho.

Rasbach deixa o silêncio tomar conta da sala por um instante.

— Quando Anne voltou depois de amamentar a filha às onze, além de parecer que tinha chorado, ela estava diferente de alguma outra forma? — pergunta o detetive.

— Não que eu tenha notado. Só parecia cansada. Mas ela está sempre assim ultimamente.

— Quem foi dar uma olhada na menina depois?

Cynthia pensa.

— Bem, Anne voltou umas onze e meia, acho, por isso Marco não foi até lá. Ela estava indo ver a bebê na hora cheia, e ele, na meia-hora: esse era o acordo. Por isso, Anne foi ver a bebê de novo à meia-noite, e Marco foi à meia-noite e meia.

— Quanto tempo Anne passou fora quando foi ver a filha à meia-noite? — pergunta Rasbach.

— Ah, não demorou muito, não, alguns minutos.

— E depois Marco foi à meia-noite e meia?

— Isso. Eu estava na cozinha, arrumando um pouco as coisas. Ele saiu pela porta dos fundos avisando que daria uma olhada na filha e já voltava. E me deu uma piscadela.

— Uma piscadela?

— É. Ele estava bebendo muito. Todos nós estávamos.

— E quanto tempo ele demorou? — indaga Rasbach.

— Pouco, uns dois ou três minutos. Talvez cinco. — Cynthia muda de posição na poltrona e cruza as pernas mais uma vez. — Quando ele voltou, saímos para fumar no quintal.

— Só vocês dois?

— Só.

— Sobre o que conversaram? — pergunta Rasbach.

O detetive se lembra de que Marco enrubesceu quando mencionou que havia fumado com Cynthia no quintal. Lembra-se também de que Anne tinha ficado furiosa com o clima entre o marido e a mulher que está agora à sua frente.

— Conversamos pouco — responde Cynthia. — Ele acendeu meu cigarro. — Rasbach aguarda, sem dizer nada. — Passou a mão na minha perna. Eu estava com um vestido com uma fenda lateral. — Ela fica sem graça. — Acho que nada disso é relevante, não é? O que isso tem a ver com o rapto da menina?

— Apenas nos conte o que aconteceu.

— Ele passou a mão na minha perna e depois me puxou para o seu colo. E me beijou.

— Continue — pede Rasbach.

— Bem... ele ficou muito excitado. Nós dois nos deixamos levar. Estava escuro, e estávamos bêbados.

— Quanto tempo isso durou?

— Não sei, alguns minutos.

— A senhora não pensou que seu marido ou Anne pudessem sair e encontrar vocês... abraçados?

— Para ser sincera, acho que não estávamos pensando direito. Como eu disse, tínhamos bebido muito.

— Então ninguém apareceu na varanda e viu vocês.

— Não. Depois de um tempo eu o afastei, mas fui delicada. Não foi fácil, porque ele não tirava as mãos de mim. Estava persistente.

— A senhora e Marco têm um caso? — pergunta Rasbach, sem rodeios.

— O quê? Não. Não temos um caso. Achei que era só uma paquera inofensiva. Ele nunca tinha encostado o dedo em mim. Nós bebemos demais.

— O que aconteceu depois que a senhora o afastou?

— Nós nos ajeitamos e voltamos para dentro da casa.

— Que horas eram?

— Quase uma, acho. Anne queria ir embora. Não gostou de Marco ter ficado sozinho no quintal comigo.

Aposto que não, pensa Rasbach.

— A senhora foi para o quintal em algum outro momento durante aquela noite?

— Não. Por quê?

— Eu queria saber se a senhora notou se a lâmpada do sensor de movimento se acendia quando Marco entrava em casa pela porta dos fundos.

— Ah, não sei. Não o vi entrando em casa.

— Além da senhora e do seu marido, e de Marco e Anne, claro, a senhora tem ideia de se outra pessoa sabia que a menina estava sozinha na casa ao lado?

— Não. — Ela dá de ombros. — Quem mais saberia?

— Tem alguma coisa a acrescentar, Sra. Stillwell?

Ela faz que não com a cabeça.

— Acredito que não. Aquela noite me pareceu muito normal. Como poderíamos imaginar que aconteceria algo assim? Antes tivessem trazido a menina...

— Obrigado por nos receber — fala o detetive, ficando de pé. Ao seu lado, Jennings se levanta. Rasbach entrega a ela um cartão de visita. — Se a senhora se lembrar de alguma coisa, qualquer coisa, por favor, me ligue.

— Claro.

Rasbach olha pela janela. Há repórteres ali fora, à sua espera.

— A senhora se importa se sairmos pelos fundos?

— De forma alguma — responde Cynthia. — O portão da garagem está aberto.

Os detetives passam pela porta de correr da cozinha e atravessam o quintal e a garagem da família Stillwell. Chegam à rua. Jennings olha de soslaio para Rasbach e ergue as sobrancelhas.

— Você acredita nela? — pergunta Rasbach.

— Com relação ao que exatamente?

Os dois conversam em voz baixa.

— Os amassos no quintal.

— Não sei. Por que ela mentiria? E ela *é* muito atraente.

— De acordo com minha experiência, as pessoas mentem o tempo todo.

— Você acha que ela estava mentindo?

— Não. Mas tem alguma coisa estranha nela, só não sei o que é. Parecia nervosa, como se estivesse escondendo alguma coisa. A questão é a seguinte: se ela tiver dito a verdade, por que Marco a beijaria pouco depois da meia-noite e meia? Será que fez isso porque não tinha ideia de que a filha estava sendo roubada exatamente àquela hora ou porque havia acabado de entregar a menina a um cúmplice e precisava fingir que estava feliz da vida?

— Talvez ele seja sociopata — sugere Jennings. — Vai ver entregou a filha a um cúmplice e não estava nem aí.

— Acho que não.

Em geral, os sociopatas com que Rasbach se deparava — e, ao longo de décadas na polícia, ele já havia se deparado com alguns — eram seguros de si e tinham até um ar imponente.

E Marco parece prestes a desmoronar.

Capítulo Onze

ANNE E MARCO estão aguardando na sala, junto ao telefone. Se o sequestrador ligar, Rasbach — ou, caso ele não esteja lá, algum outro policial — dará instruções a Marco durante o telefonema. Mas não há nenhuma ligação do sequestrador. Parentes e amigos telefonaram, repórteres, pessoas desequilibradas, mas ninguém que alegasse ter raptado Cora.

É Marco quem atende aos telefonemas. Se o sequestrador ligar, é com ele que vai falar. Anne acha que não conseguiria manter a compostura; todo mundo acha que ela não conseguiria manter a compostura. A polícia não a considera capaz de manter a cabeça no lugar e seguir as instruções. É emotiva demais, e em alguns momentos beira a histeria. Marco é mais racional, embora, sem dúvida, esteja nervoso.

Por volta das dez da noite, o telefone toca. Marco atende. Todos reparam que sua mão está trêmula.

— Alô? — diz ele.

Há silêncio do outro lado da linha, exceto pela respiração de alguém.

— Alô — repete Marco, dessa vez mais alto, olhando para Rasbach. — Quem é?

A pessoa desliga.

— O que eu fiz de errado? — pergunta Marco, desesperado.

Rasbach logo se aproxima dele.

— Você não fez nada errado.

Marco se levanta e começa a andar de um lado para o outro.

— Se for o sequestrador, ele vai ligar de novo — garante Rasbach.

— Ele também está nervoso.

O detetive observa Marco com cautela. Ele está evidentemente agitado, o que é compreensível. Está sob muita pressão. Se isso tudo for uma encenação, pensa Rasbach, ele é um excelente ator. Anne chora baixinho no sofá e volta e meia seca as lágrimas com um lenço.

Após o meticuloso trabalho da polícia, chegou-se à conclusão de que nenhum morador passou de carro pela viela à meia-noite e trinta e cinco da madrugada anterior. Claro que outras pessoas também passam por ali, não só os moradores: a rua tem transversais, e os motoristas a utilizam para escapar dos engarrafamentos. A polícia está desesperadamente tentando localizar o motorista daquele veículo. Paula Dempsey é a única pessoa que viu o carro àquela hora.

Os pais já deveriam ter recebido alguma notícia do sequestrador, se houver algum, pensa Rasbach. Talvez o sequestrador nunca dê um telefonema. Talvez os pais tenham matado a filha e pedido ajuda para se livrar do corpo, e tudo não passe de uma farsa bem-elaborada para que eles não se tornem suspeitos de assassinato. O problema é que Rasbach pediu o registro telefônico da casa da família e dos celulares, e nenhum telefonema foi feito depois das seis da tarde, exceto pela ligação para o serviço de emergência.

Isso significa que, se eles de fato mataram a filha, certamente não foi algo acidental. Talvez já tivessem planejado tudo, combinado com alguém que ficaria aguardando na garagem. Ou quem sabe um deles tenha um celular não registrado, e que, por isso, não pode ser rastreado. A polícia não encontrou nenhum outro aparelho, mas isso não quer dizer que ele não exista. Se os dois receberam ajuda para se livrar do corpo, devem ter ligado para alguém.

O telefone toca várias outras vezes. Pessoas dizendo que são assassinos, ou que eles deveriam parar de brincar com a polícia. Gente sugerindo que eles rezem. Outras oferecendo serviços de clarividência. Mas ninguém alegando ser o sequestrador.

Por fim, Anne e Marco sobem para descansar um pouco. Nenhum dos dois dormiu nas últimas vinte e quatro horas nem no dia anterior. Anne tentou, mas não conseguiu. Ficava pensando em Cora sem acreditar que não podia tocá-la, que não sabia onde a filha estava ou se estava bem.

Eles se deitam juntos na cama, de roupa e tudo, prontos para se levantarem caso o telefone toque. Abraçam-se e conversam em voz baixa.

— Eu queria ver a Dra. Lumsden — confessa Anne.

Marco a puxa para perto. Não sabe o que dizer. A Dra. Lumsden está na Europa, vai passar as próximas duas semanas lá. As consultas de Anne foram canceladas.

— Eu sei — murmura Marco.

— Ela disse que eu poderia marcar uma consulta com o médico que a está substituindo, caso fosse preciso. Talvez seja melhor — sussurra Anne.

Marco reflete. Está preocupado com ela. Tem medo de que a situação se prolongue, de que cause um dano permanente em sua esposa. Ela sempre fica frágil quando submetida ao estresse.

— Não sei, amor — diz ele. — Com todos esses repórteres aí fora, como você iria ao médico?

— Sei lá — sussurra ela com tristeza.

Anne também não quer que os repórteres a sigam até o consultório do psiquiatra. Tem medo de que a imprensa descubra sobre sua depressão pós-parto. Ela viu como reagiram ao equívoco do macacão. Por enquanto, as únicas pessoas que sabem da doença são Marco e a mãe dela, a psiquiatra e o farmacêutico. E a polícia, claro, que vasculhou a casa assim que a bebê desapareceu e encontrou o remédio dela.

Será que, se Anne não estivesse em tratamento, a polícia estaria cercando o casal feito lobos? Talvez não. É culpa dela estarem sob suspeita. A polícia não tem nenhum outro motivo para desconfiar deles. Com exceção de terem deixado a filha sozinha em casa. Isso foi culpa de Marco. Portanto, os dois são culpados.

Anne fica deitada na cama, lembrando como era abraçar a filha, sentir o calor daquele corpinho roliço nos braços, só de fralda, com cheiro de bebê e banho. Lembra-se do lindo sorriso de Cora e do cachinho no meio de sua testa, como a menina de uma antiga cantiga de ninar que eles conheciam. Ela e Marco sempre brincavam com isso.

Por pior que se sinta — *que tipo de mãe fica deprimida depois de receber a dádiva de um bebê perfeito?* —, Anne ama desesperadamente a filha.

Mas a exaustão era esmagadora. Cora era uma bebê agitada, que sentiu muita cólica e demandava mais atenção que a maioria dos bebês. Quando Marco voltou a trabalhar, os dias se tornaram insuportavelmente longos. Anne passava o tempo da melhor maneira que conseguia, mas se sentia sozinha. Todos os dias começaram a parecer iguais. Ela não era capaz de imaginá-los diferentes. Em meio ao atordoamento da falta de sono, não se lembrava da mulher que costumava ser na época em que trabalhava na galeria de arte, não se lembrava da emoção de ajudar os clientes a acrescentar obras a suas coleções ou de descobrir um novo artista promissor Na verdade, não se lembrava de nada antes de ter a filha e ficar em casa cuidando dela.

Não gostava de pedir a ajuda da mãe. Alice tinha as próprias amigas, o country club e os serviços de caridade. Nenhuma das amigas de Anne tinha filhos. Anne se esforçava. Sentia vergonha por não estar lidando bem com a maternidade. Marco sugeriu que contratassem uma babá em tempo integral, mas isso a fez se sentir incapaz.

O único alívio era o grupo de mães, que se reunia durante três horas uma vez por semana, nas manhãs de quarta-feira. Mas ela não se tornou amiga de nenhuma das outras mães a ponto de dividir o que sentia. Todas pareciam genuinamente felizes e competentes na maternidade, embora fossem mães de primeira viagem.

E havia a sessão semanal com a Dra. Lumsden, à noite, enquanto Marco tomava conta de Cora.

Tudo o que Anne quer é voltar vinte e quatro horas no tempo. Dá uma olhada no relógio digital na mesinha de cabeceira: 23:31. Vinte e quatro horas antes, estava deixando Cora no berço para voltar ao jantar. Nada disso tinha acontecido. Estava tudo bem. Se ao menos pudesse voltar no tempo... Se pudesse recuperar a filha, se sentiria tão grata, tão feliz, que nunca mais teria depressão. Aproveitaria cada momento com Cora. Nunca mais reclamaria de nada.

Deitada na cama, Anne faz um acordo com Deus, por mais que não acredite Nele, e chora no travesseiro.

Por fim, Anne pega no sono, mas Marco permanece acordado ao seu lado durante muito tempo. Não consegue silenciar a mente.

Observa a esposa de costas, um sono agitado. É a primeira vez que ela dorme em mais de trinta e seis horas. Ele sabe que ela precisa dormir para enfrentar essa situação.

Ele olha para as costas de Anne e pensa em como ela mudou desde o nascimento da filha. Foi algo totalmente inesperado. Eles desejaram tanto a bebê, decoraram juntos o quarto dela, compraram brinquedinhos, fizeram aulas de preparação para o parto, sentiram a filha chutar a barriga dela. Foram os meses mais felizes de sua vida. Jamais teria imaginado que seria tão complicado depois. Ele não tinha como adivinhar.

O parto foi demorado e difícil, e também não tinham se preparado para isso. Ninguém comenta sobre essa possibilidade nas aulas: de que tudo pode dar errado. No fim, Cora nasceu de uma cesariana de emergência, mas estava bem. Era perfeita. Mãe e filha estavam bem, e eles voltaram para casa, onde começariam uma vida nova.

A recuperação também foi mais demorada e difícil para Anne por causa da cesariana. Ela parecia decepcionada por não ter conseguido realizar o parto normal. Marco tentou animá-la. Também não era o que ele havia imaginado, mas aquilo não lhe parecia grande coisa. Cora era perfeita, Anne estava saudável, e só isso importava.

No começo, Anne teve dificuldades para amamentar. Tiveram que pedir ajuda profissional. A mãe de Anne não ajudou em nada: tinha alimentado a filha apenas com mamadeiras.

Marco sente vontade de acariciar delicadamente as costas da esposa, mas tem medo de que ela acorde. Sempre foi sensível, emotiva. É uma das mulheres mais cultas que ele já conheceu. Adorava visitá-la na galeria. Às vezes, surpreendia-a na hora do almoço ou depois do expediente, só porque queria vê-la. Gostava de observá-la com os clientes, o jeito que se iluminava quando falava de uma tela ou de um novo artista. *Não acredito que ela é minha esposa*, pensava ele.

Sempre que alguma exposição era inaugurada, ela o convidava. Havia champanhe e petiscos, mulheres de vestidos elegantes e homens de ternos bem-cortados. Anne circulava pelo salão, detendo-se para falar com as pessoas que paravam diante das telas: traços desvairados, coloridos e abstratos, ou obras mais sóbrias. Marco não entendia nada daquilo. Para ele, o que havia de mais bonito, de mais impressionante, no salão era sempre Anne. Ele ficava afastado, junto ao bar, comendo queijo e observando-a trabalhar. Ela havia estudado, tinha se formado em história da arte e em arte moderna, e, além disso, tinha intuição para o negócio, paixão. Marco não tinha muito contato com obras de arte, mas isso fazia parte da vida dela, e ele a amava.

Para dar a Anne de presente de casamento, comprou na galeria uma tela que ela queria muito, mas pela qual, segundo ela, eles nunca poderiam pagar: uma obra muito grande, melancólica, abstrata, de um artista novo que ela admirava. Está pendurada acima do consolo da lareira, na sala. Mas Anne já não contempla o quadro.

Marco se vira na cama e fica encarando o teto, os olhos ardendo. Precisa que ela seja forte. A polícia não pode desconfiar dela, nem deles, mais do que já desconfia. Ele ficou desconcertado com o que ela disse sobre a Dra. Lumsden. O medo presente em seus olhos. Será que ela havia comentado algo com a médica sobre fazer mal à filha? As mulheres com depressão pós-parto pensam isso de vez em quando.

Meu Deus. Meu Deus. Que merda.

O computador dele no trabalho. Havia pesquisado "depressão pós-parto" no Google e chegado até "psicose pós-parto". Tinha lido histórias terríveis de mulheres que mataram os próprios filhos. A mulher que estrangulou dois meninos. A mulher que afogou cinco crianças na banheira. A que jogou os filhos num lago. Meu Deus do céu! Se os policiais vasculharem o computador dele no trabalho, vão ver tudo isso.

Marco começa a suar na cama. Sente-se pegajoso, enjoado. O que os policiais imaginariam se descobrissem aquilo? Será que acreditam que Anne matou Cora? Será que acham que ele a ajudou a acobertar o crime? Se vissem o histórico do seu navegador, pensariam que ele está preocupado com Anne há semanas?

Marco permanece deitado de olhos abertos. Deveria contar isso aos policiais antes que eles descubram por conta própria? Não quer passar a impressão de que está escondendo algo. Vão questionar por que ele pesquisou isso no trabalho, em vez de usar o computador de casa.

Ele se levanta com o coração acelerado. Desce até a sala no escuro, deixando Anne ressonando baixinho na cama. O detetive Rasbach está na poltrona que parece ter escolhido como sua preferida, digitando algo no laptop. Marco se pergunta se ele dorme em algum momento e quer saber quando vai embora dali. Ele e Anne não podem expulsá-lo, por mais que queiram.

Rasbach ergue os olhos quando Marco entra na sala.

— Não consigo dormir — murmura Marco.

Ele se senta no sofá e tenta pensar em como começar. Sente os olhos do detetive fixos nele. Deve ou não contar? Será que já passaram em seu escritório? Já vasculharam seu computador? Descobriram que a empresa está afundando? E que ele corre o risco de perdê-la? Se ainda não sabem disso, logo descobrirão. Tem certeza de que desconfiam dele, de que o estão investigando. Mas ter problemas financeiros não torna ninguém um criminoso.

— Eu queria te contar uma coisa — diz, por fim, nervoso.

Rasbach o encara com tranquilidade e deixa o laptop de lado.

— Não quero que me interprete mal — adverte Marco.

— Está bem.

Ele respira fundo antes de começar.

— Alguns meses atrás, quando Anne foi diagnosticada com depressão pós-parto, isso me assustou muito.

Rasbach assente.

— É compreensível.

— Bem, eu não tinha nenhuma experiência com esse tipo de situação. Anne estava ficando muito deprimida, sabe, chorava muito. Estava apática. Fiquei preocupado, mas achei que ela só estava cansada, que fosse temporário. Achei que Anne ia superar isso quando a bebê começasse a dormir a noite inteira. Até sugeri que ela voltasse a trabalhar meio expediente, porque ela adorava o trabalho na galeria de arte e imaginei que isso daria a ela uma folga da maternidade. Mas ela não quis. E ainda me olhou como se eu achasse que ela era um fracasso como mãe. — Marco meneou a cabeça. — Claro que eu não achava isso! Também sugeri que a gente contratasse uma babá durante o dia, para que ela tivesse ajuda e pudesse dormir um pouco, mas Anne não quis nem saber.

Rasbach assente mais uma vez, ouvindo com atenção.

Marco prossegue, sentindo o nervosismo aumentar.

— Quando ela me contou que a psiquiatra a diagnosticou com depressão pós-parto, eu não quis transformar isso em um problema, sabe? Quis dar apoio. Mas fiquei preocupado, e ela não se abria muito comigo. — Ele começa a esfregar as mãos nas pernas. — Por isso fiz pesquisas na internet, mas não aqui em casa, porque não queria que ela soubesse que eu estava preocupado. Então usei o computador do trabalho.

Marco sente o rosto corar. Está saindo tudo errado. É como se suspeitasse de Anne, como se não confiasse nela. Como se os dois guardassem segredos um do outro.

Rasbach olha para ele, impassível. Marco não consegue decifrar o que o detetive está pensando. É enervante.

— Eu só queria que você soubesse, caso investigue o computador do meu trabalho, por que eu pesquisei aqueles sites sobre depressão pós-parto. Eu só queria entender o que ela estava sentindo. Queria ajudar.

— Entendo — diz Rasbach, como se realmente entendesse, mas Marco não sabe o que ele está pensando. — Por que quis me contar que estava pesquisando sobre depressão pós-parto no trabalho? Isso me parece algo natural, dada a sua situação.

Marco sente um calafrio. Será que piorou as coisas? Será que incitou a polícia a vasculhar seu computador do trabalho? Seria melhor explicar sobre os sites com assassinatos de crianças ou deixar para lá? Por um instante, ele fica desesperado, sem saber o que fazer. Chega à conclusão de que já fez besteira suficiente.

— Só achei que deveria te contar — resmunga, levantando-se, irritado consigo mesmo.

— Espere — pede o detetive. — Posso fazer uma pergunta?

Marco volta a se sentar.

— Claro.

Ele cruza os braços.

— É sobre ontem à noite, quando você voltou à casa dos vizinhos depois de dar uma olhada em Cora, à meia-noite e meia.

— O que tem isso?

— Sobre o que você e Cynthia conversaram?

A pergunta deixa Marco desconfortável. Sobre o *que* eles conversaram? Por que o detetive está perguntando isso?

— Por que você quer saber?

— Não lembra?

Marco não lembra. Não se lembra de ter falado muito.

— Sei lá. Coisas bobas. Conversa fiada. Nada importante.

— Ela é uma mulher muito bonita, não acha?

Marco fica em silêncio.

— Não acha? — repete Rasbach.

— Eu diria que sim — admite ele.

— Você disse que não se lembra de ter visto nem escutado nada quando estava no quintal, de meia-noite e meia até pouco antes de uma da manhã, quando vocês voltaram para dentro da casa.

Marco inclina a cabeça, sem olhar para o detetive. Sabe o rumo que a conversa está tomando. E começa a suar.

— Você disse... — O detetive folheia o caderno. — Você disse que "não estava prestando atenção". Por que não estava prestando atenção?

O que ele deve fazer? Sabe aonde o detetive quer chegar. Feito um covarde, não responde nada. Mas sente a têmpora pulsando, e fica na dúvida se Rasbach percebe seu nervosismo.

— Cynthia disse que você a beijou no quintal.

— O quê? Não beijei, não.

Marco encara o detetive, que consulta o caderno novamente e passa algumas páginas.

— Ela disse que você passou a mão na perna dela, que a beijou e a puxou para o seu colo. Falou que você estava afoito, que se deixou levar pelo momento.

— Isso não é verdade!

— Não é verdade? Você não a beijou? Não a puxou para o seu colo?

— Não! Eu não agarrei Cynthia, foi *ela* quem *me* agarrou.

Marco sente o rosto corar e fica furioso consigo mesmo. O detetive não diz nada. Marco atropela as palavras na pressa de se defender, pensando: *aquela vaca mentirosa*.

— Não foi isso que aconteceu. Foi *ela* quem começou. — Ele se retrai, sabendo que está parecendo um adolescente. Respira fundo. — Ela me agarrou. Eu lembro que ela veio para cima de mim e se sentou no meu colo. Falei que ela não deveria fazer isso e tentei afastá-la. Mas ela segurou minha mão e a enfiou debaixo do vestido. Estava usando um vestido longo com uma fenda lateral. — Marco transpira muito, pensando no que o detetive devia estar achando dele. Tenta relaxar. Diz a si mesmo que, por mais que o detetive o considere um canalha, ele não tem motivo para achar que isso tem alguma coisa a ver com Cora. — Foi *ela* quem me beijou. — Marco faz uma pausa e enrubesce novamente. Percebe que Rasbach não acredita em nada do que ele está dizendo. — Eu protestei, falei que a gente não deveria fazer isso, mas ela não saía do meu colo. Depois abriu o zíper da minha calça. Fiquei com medo de que alguém nos visse.

— Você bebeu muito. Suas recordações podem não ser tão confiáveis.

— Eu estava bêbado, mas não *tão* bêbado assim. Sei o que aconteceu. Não fiz nada. Ela praticamente se jogou em cima de mim.

— Por que ela mentiria? — pergunta Rasbach.

Por que ela mentiria? Marco está se fazendo a mesma pergunta. Por que Cynthia o prejudicaria dessa forma? Será que ficou chateada por ele tê-la recusado?

— Talvez esteja furiosa porque não quis ficar com ela. — O detetive comprime os lábios ao observar Marco, que acrescenta, desesperado: — Ela está mentindo!

— Bem, um de vocês está — conclui Rasbach.

— Por que eu mentiria sobre uma coisa dessas? — pergunta Marco. — Você não pode me prender por beijar outra mulher.

— Não — concorda o detetive. Ele aguarda alguns instantes. — Mas me diga a verdade, Marco: você e Cynthia têm um caso?

— Não! De jeito nenhum. Amo minha esposa. Eu não faria isso, juro. — Marco encara o detetive. — Foi isso que Cynthia disse? Que a gente tem um caso? É mentira.

— Não, ela não disse isso.

Sentada na escuridão, no topo da escada, Anne ouve tudo. Seu corpo inteiro fica gélido. Agora sabe que, na noite passada, enquanto sua filha era raptada, o marido estava aos beijos com Cynthia na casa ao lado. Não sabe quem começou: pelo que observou na noite passada, pode ter sido qualquer um dos dois. Os dois tinham culpa. Ela se sente enojada, traída.

— Esse assunto está encerrado? — pergunta Marco.

— Sim, claro — responde o detetive.

Anne se levanta depressa da escada e, descalça, volta correndo para o quarto. Está tremendo. Sobe na cama, enfia-se debaixo do edredom e finge dormir, mas fica com medo de que sua respiração ofegante a denuncie.

Marco entra no quarto com passos arrastados. Senta-se na beirada da cama, de costas para ela, de frente para a parede. Ela entreabre os olhos e vê as costas dele. Imagina-o agarrando Cynthia no quintal enquanto ela estava na sala de jantar com Graham, entediada. E, enquanto ele enfiava a mão dentro da calcinha de Cynthia e Anne fingia que prestava atenção em Graham, alguém sequestrava Cora.

Ela nunca mais vai conseguir confiar nele. Nunca. Vira-se e puxa o edredom, enquanto lágrimas silenciosas escorrem pelo seu rosto, molhando o pescoço.

Na casa ao lado, Cynthia e Graham estão no quarto, numa discussão acalorada. Ainda assim, tomam o cuidado de manter a voz baixa. Não querem ser ouvidos. Há um laptop aberto na cama queen size deles.

— Não — murmura Graham. — A gente devia procurar a polícia.

— E dizer o quê? — pergunta Cynthia. — É um pouco tarde demais para isso, você não acha? Já estiveram aqui e me interrogaram enquanto você estava fora.

— Não é tarde demais. É só a gente dizer que tinha uma câmera no quintal. Nada mais. Eles não precisam saber o motivo de termos colocado a câmera ali.

— Ah, é. E como vamos explicar por que não a mencionamos antes?

— A gente pode dizer que esqueceu.

Graham está recostado na cabeceira, apreensivo. Cynthia ri, mas não há qualquer traço de humor em sua risada.

— Fala sério! A polícia chegou fazendo um estardalhaço na rua porque uma bebê foi sequestrada, e a gente se *esqueceu* de que tinha uma câmera escondida no quintal. — Ela se levanta e começa a tirar os brincos. — Nunca vão acreditar nisso.

— Por que não? Podemos dizer que nunca olhamos as imagens, ou que achamos que a câmera estivesse quebrada, ou que havia acabado a bateria. Podemos dizer que não funcionava de verdade, que era só para afugentar os ladrões.

— Só para afugentar os ladrões? Uma câmera tão bem escondida que nem a polícia viu? — Ela guarda um brinco na caixa de joias espelhada na mesa de cabeceira. Encara o marido, irritada. — Você e essas malditas câmeras.

— Você também gosta de assistir às gravações — protesta Graham.

Cynthia não retruca. Sim, ela também gosta de assistir às gravações. Gosta de se ver transando com outros homens. Gosta de como o marido fica excitado ao vê-la com eles. Porém, o que mais gosta é que isso lhe dá a oportunidade de flertar e transar com outros caras. Homens mais bonitos e mais excitantes que seu marido, que ultimamente vinha se mostrando uma grande decepção. Mas ela não tinha ido muito longe com Marco. Graham havia torcido para que ela fizesse pelo menos um boquete, ou que Marco levantasse o vestido dela e a comesse por trás. Cynthia sabia exatamente onde a câmera estava e tinha se posicionado de forma a oferecer ao marido o melhor ângulo.

A tarefa de Graham é manter a esposa ocupada. Essa sempre é a sua tarefa. Ele acha isso entediante, mas vale a pena.

Só que agora eles têm um problema.

Capítulo Doze

Domingo à tarde. Não há nenhuma pista nova. Ninguém ligou dizendo estar com Cora. O caso parece ter chegado a um impasse, mas a bebê tem que estar em algum lugar. *Onde?*

Anne se aproxima da janela da sala de estar. A cortina está fechada para que ela tenha alguma privacidade, filtrando a luz que entra no cômodo. Ela entreabre a cortina para dar uma olhada lá fora. Há vários repórteres na calçada e também espalhados pela rua.

Ela está morando num aquário, com todo mundo batendo no vidro.

Ao que tudo indica, os Conti não vão se tornar os queridinhos dos jornalistas. Anne e Marco não lidam bem com a imprensa. Claramente consideram os repórteres uma intrusão, um mal necessário. Também não são muito fotogênicos, embora Marco seja bonito e Anne já tenha sido bonita um dia. Mas beleza não basta: é preciso ter carisma, ou pelo menos entusiasmo. No momento, não há nenhum carisma em Marco. Ele parece um fantasma. Os dois parecem culpados, abatidos pela vergonha. Marco foi frio em suas interações com os repórteres. Anne não disse nada. Nenhum deles foi simpático com a mídia, portanto a mídia não está sendo simpática com eles. Esse é certamente um erro tático, pensa Anne, um erro do qual podem se arrepender.

O problema é que não se encontravam em casa, e a informação de que estavam na casa ao lado quando Cora foi sequestrada vazou para a imprensa. Anne ficou horrorizada ao ver as manchetes dos jornais pela manhã. CASAL AUSENTE DURANTE RAPTO. BEBÊ ROUBADA ESTAVA SOZINHA EM CASA. Se eles estivessem dormindo profundamente em casa enquanto a filha era raptada, haveria muito mais compaixão, tanto da imprensa quanto da opinião pública. O fato de estarem numa festa na casa ao lado manchou a imagem deles. E é claro que a depressão pós-parto também veio a público. Anne não sabe como essa informação vazou. Óbvio que não foi ela quem contou aos jornalistas. Desconfia de que Cynthia revelou que Cora estava sozinha em casa, mas não sabe como a imprensa descobriu sobre a depressão. Certamente a polícia não divulgava informações médicas privadas. Ela chegou inclusive a perguntar aos investigadores se foram eles, mas lhe garantiram que não. No entanto, Anne não confia na polícia. Independentemente de quem tenha vazado as informações, isso só piorou sua imagem aos olhos de todos: da imprensa, de seus pais, dos amigos, da população, de todo mundo. Ela foi execrada em público.

Anne olha para a pilha de brinquedos e outros objetos coloridos que não param de se amontoar na calçada, junto aos degraus na entrada de casa. Há buquês de flores murchas, bichinhos de pelúcia de todas as cores e tamanhos — ela vê alguns ursinhos e até uma girafa enorme —, com cartões e bilhetes colados. Uma montanha de clichês. Uma gigantesca demonstração de solidariedade. E ódio.

Mais cedo naquele dia, Marco saiu para buscar alguns brinquedos e bilhetes para ela, a fim de animá-la. Foi um erro que não se repetirá. Muitos bilhetes eram rancorosos, até mesmo assustadores. Ela leu alguns, ficou apavorada, amassou tudo e jogou no chão.

Anne retorce a cortina com os dedos e olha novamente para fora. Dessa vez, sente um calafrio. Reconhece as mulheres que seguem em fila pela calçada, na direção de sua casa, empurrando carrinhos de bebê. São três — não, quatro — mulheres do grupo de mães. Os repórteres abrem caminho para elas, pressentindo o drama iminente. Sem acreditar, Anne apenas observa. Com certeza, pensa, elas não vieram visitá-la *com seus bebês*.

Amalia — mãe do fofíssimo Theo, de olhos castanhos — pega algo na parte de baixo do carrinho. Parece ser uma grande vasilha de comida. As outras mulheres atrás dela fazem o mesmo: freiam os carrinhos e pegam pratos cobertos que estavam acomodados no compartimento embaixo do assento.

Tanta generosidade e tanta crueldade irrefletida! Anne não se contém. Solta um resmungo ao se afastar da janela.

— O que foi? — pergunta Marco, alarmado, aproximando-se dela.

Ele entreabre a cortina e olha para fora.

— *Livre-se delas!* — sussurra Anne. — *Por favor*.

Na manhã de segunda-feira, às nove horas, o detetive Rasbach pede que Marco e Anne o acompanhem à delegacia, para que sejam formalmente interrogados.

— Vocês não estão presos — garante quando os dois ficam olhando para ele, perplexos. — Gostaríamos de colher o depoimento formal de vocês e fazer mais algumas perguntas.

— Por que não podemos fazer isso aqui? — pergunta Anne, nitidamente aflita. — Como temos feito *ultimamente*.

— Por que precisamos ir à delegacia? — ecoa Marco, parecendo assustado.

— É o procedimento padrão. Vocês gostariam de um tempo para se arrumar?

Anne nega com a cabeça, como se não se importasse com sua aparência.

Marco apenas olha para os próprios pés.

— Muito bem, então vamos — diz Rasbach, indo na frente.

Quando abre a porta, há uma agitação lá fora. Os repórteres se amontoam na escada, os flashes disparam.

— Eles estão sendo presos? — pergunta alguém.

Rasbach não responde a nenhuma pergunta, permanecendo em silêncio ao conduzir Marco e Anne pela multidão até a viatura estacionada diante da casa. Abre a porta de trás, e Anne entra primeiro, Marco em seguida. Ninguém diz nada, com exceção dos jornalistas, que os enchem de perguntas. Rasbach se senta no banco do carona, e o carro parte. Os fotógrafos correm atrás deles, tirando fotos.

Anne olha pela janela. Marco tenta segurar sua mão, mas ela a afasta. Observa a cidade que lhe é tão familiar passando pelo vidro do carro: o mercadinho da esquina, o parque onde costuma se sentar à sombra com Cora enrolada em uma manta, vendo as crianças se divertindo na piscina. Eles atravessam a cidade. Já não estão muito longe da galeria de arte onde ela trabalhava, próxima ao rio. Em seguida, passam pelo prédio em estilo art déco onde fica o escritório de Marco, e de repente não estão mais no centro da cidade. Tudo parece muito diferente do banco de trás de uma viatura, a caminho de um interrogatório sobre o desaparecimento da filha.

Quando chegam à delegacia, um prédio moderno de concreto e vidro, o carro para diante da porta e Rasbach os conduz para dentro. Não há nenhum repórter ali: não houve qualquer aviso de que Anne e Marco seriam levados até lá para interrogatório.

Quando entram na delegacia, um policial uniformizado na recepção olha para eles com curiosidade. Rasbach conduz Anne até uma policial.

— Leve-a à sala de interrogatório número três — pede.

Anne olha assustada para Marco.

— Espere. Eu quero ficar com Marco. A gente não pode ir junto? — questiona. — Por que estão nos separando?

— Está tudo bem, Anne. Não se preocupe — diz Marco. — Vai ficar tudo bem. Nós não fizemos nada. Só querem nos fazer algumas perguntas, depois vão nos liberar, não é? — pergunta para Rasbach, com um tom de voz um pouco desafiador.

— Isso mesmo — confirma o detetive com gentileza. — Como eu disse, vocês não estão presos. Vieram aqui de livre e espontânea vontade. Estão livres para sair a qualquer hora.

Marco fica parado observando Anne atravessar o corredor com a policial. Ela olha para trás por um instante. Está apavorada.

— Venha comigo — chama Rasbach.

Ele conduz Marco a uma sala no fim do corredor. Jennings já está ali. Há uma mesa de metal com uma cadeira de um lado e duas cadeiras do lado oposto para os detetives.

Marco não confia em si mesmo para dizer coisa com coisa. Sente que está sendo vencido pela exaustão. Lembra a si mesmo de falar devagar e pensar antes de responder.

Rasbach está usando um terno diferente, uma camisa nova e gravata. Fez a barba. Jennings também. Marco está vestindo uma calça jeans velha e uma camiseta amarrotada que pegou na gaveta de manhã. Não sabia que seria levado à delegacia. Agora se dá conta de que deveria ter aproveitado a oferta do detetive para tomar banho, fazer a barba e trocar de roupa. Estaria se sentindo mais alerta, mais no controle. E não pareceria um criminoso na gravação do interrogatório, pois ele acaba de perceber que a conversa provavelmente será filmada.

Marco se senta e observa, com nervosismo, os dois detetives diante dele, do outro lado da mesa. É diferente de estar em casa. É assustador. Ele sente que o controle da situação mudou de mãos.

— Se você estiver de acordo, gostaríamos de filmar sua declaração — diz Rasbach.

Ele indica a câmera logo abaixo do teto, apontada para a mesa.

Marco não sabe se de fato tem escolha. Hesita por uma fração de segundo e responde:

— Claro, sem problema.

— Aceita um café? — oferece Rasbach.

— Aceito, sim, obrigado — responde Marco.

Ele tenta relaxar. Lembra-se de que está ali para ajudar a polícia a descobrir o que aconteceu com sua filha.

Rasbach e Jennings saem para pegar café, deixando Marco sozinho, corroendo-se de aflição.

Quando os detetives voltam, Rasbach coloca um copo de papel diante de Marco na mesa. Marco nota que ele trouxe dois pacotinhos de açúcar e um pouco de creme: o detetive se lembrou de como ele gosta do café. As mãos dele tremem ao abrir os pacotinhos de açúcar. Todos percebem.

— Por favor, diga seu nome e o dia de hoje — pede Rasbach, e o interrogatório começa.

O detetive o conduz por uma série de perguntas bem diretas, cujas respostas estabelecem a versão de Marco do que aconteceu na noite do sequestro. É uma repetição do que ele já havia dito, sem nenhuma novidade. Marco sente que está relaxando à medida que o interrogatório avança. Por fim, deduz que acabou, que estão prestes a liberá-lo. Sente um alívio imenso, embora tome o cuidado de não deixá-lo transparecer. Pensa por um instante no que deve estar acontecendo na outra sala, com Anne.

— Ótimo, obrigado — diz Rasbach quando terminam de colher seu depoimento. — Agora, se não se importa, tenho mais algumas perguntas.

Marco, que já havia começado a se levantar da cadeira de metal, volta a se sentar.

— Conte sobre sua empresa, a Conti Software Design.

— Por quê? O que minha empresa tem a ver com isso?

Ele encara Rasbach, tentando esconder sua agonia. Mas sabe aonde querem chegar. Andaram investigando, é claro.

— Faz cinco anos que você abriu a empresa? — pergunta Rasbach.

— Isso mesmo. Sou formado em administração e ciência da computação. Sempre quis abrir meu próprio negócio. Vi uma oportunidade em design de softwares, mais especificamente no design de interfaces de usuário para software médico. Então abri minha empresa. Tenho alguns clientes importantes. Uma equipe pequena de profissionais de criação. Na maioria das vezes, visitamos os clientes no local, por isso viajo bastante a trabalho. Tenho um escritório no centro da cidade. Somos bem-sucedidos.

— É, são *mesmo* — concorda Rasbach. — Impressionante. Não deve ter sido fácil. É caro? Montar uma empresa assim?

— Depende. Comecei com um negócio bem pequeno, só eu e dois clientes. No início, eu era o único designer. Trabalhava em casa. Durante muitas horas. O plano era fazer a empresa ir crescendo aos poucos.

— E então?

— A empresa fez sucesso bem rápido. Precisei contratar mais designers para dar conta da demanda e elevar a empresa a outro patamar. Por isso expandi o negócio. Foi o momento certo. Havia mais gastos. Equipamento, funcionários, espaço. É preciso dinheiro para crescer.

— E de onde veio o dinheiro para expandir negócio? — pergunta o detetive.

Marco o encara, irritado.

— Não sei que importância isso tem, mas recebi um empréstimo dos meus sogros, os pais de Anne.

— Entendo.

— Entende o quê? — pergunta Marco, furioso.

Precisa manter a calma. Não pode se exaltar. É provável que Rasbach esteja fazendo isso para irritá-lo.

— Foi só um modo de dizer — afirma o detetive com delicadeza. — Quanto os pais de sua esposa te emprestaram?

— Você quer mesmo saber ou já tem a resposta? — indaga Marco.

— Não sei, *não*. Estou perguntando.

— Quinhentos mil dólares.

— É muito dinheiro.

— É — concorda Marco.

Rasbach está querendo ludibriá-lo. Ele não pode cair nessa.

— E a empresa é lucrativa?

— A maior parte do tempo. Temos anos bons e anos não tão bons, como todo mundo.

— E este ano? Você diria que foi bom ou não tão bom?

— Este ano foi uma merda, se quer saber.
— Sinto muito — lamenta Rasbach.
E aguarda.
— Tivemos alguns contratempos — prossegue Marco, afinal. — Mas estou confiante de que as coisas vão voltar aos eixos. As empresas sempre têm altos e baixos. Não dá para simplesmente jogar a toalha quando há um ano ruim. É preciso ser persistente.
Rasbach assente, pensativo.
— Como você descreveria sua relação com os pais de sua esposa?
Marco sabe que o detetive já o viu com o sogro. Não adianta mentir.
— Não nos damos bem.
— E, ainda assim, eles te emprestaram quinhentos mil dólares?
O detetive franze o cenho.
— O dinheiro é do pai e da mãe de Anne; eles nos emprestaram. Amam a filha. Querem que ela tenha uma vida boa. Meu plano para a empresa era coerente. Foi um investimento empresarial sólido para eles. E um investimento no futuro da filha. Foi um acordo satisfatório para todos os envolvidos.
— Mas sua empresa não está desesperadamente precisando de uma injeção de capital?
— Hoje em dia qualquer empresa gostaria de receber uma injeção de capital — responde Marco, amargurado.
— Você corre o risco de perder a empresa que se esforçou tanto para construir? — insiste Rasbach, inclinando-se para a frente.
— Não, acho que não.
Ele não vai se deixar intimidar.
— Você acha que não?
— Tenho certeza de que não.
Marco se pergunta onde o detetive conseguiu essas informações. A empresa está mesmo em apuros. Mas, pelo que sabe, os policiais não tinham mandado para fazer uma busca em sua empresa ou verificar seus registros bancários. Será que Rasbach está apenas fazendo deduções? Com quem ele conversou?

— Sua esposa sabe dos problemas da empresa?

— Em parte.

Marco se remexe na cadeira.

— Como assim? — pergunta o detetive.

— Ela sabe que a empresa não anda muito bem, mas não a importunei com os detalhes.

— Por quê?

— Pelo amor de Deus, nós acabamos de ter uma filha! — exclama Marco, erguendo o tom de voz. — Anne está com depressão, vocês sabem disso. Por que eu diria que a empresa está mal?

Ele passa a mão pelo cabelo, que volta a cair nos olhos.

— Entendo — diz o detetive. — Você voltou a pedir ajuda aos seus sogros?

Marco se esquiva da pergunta.

— Acho que as coisas vão melhorar.

Rasbach não insiste.

— Vamos falar um pouco de sua esposa — propõe. — Você disse que ela está deprimida, que foi diagnosticada com depressão pós-parto pela médica. Uma psiquiatra. Doutora... — O detetive consulta suas anotações. — Lumsden. — Ele ergue os olhos. — Ela está viajando.

— É, você já sabe disso. Quantas vezes vamos ter que tocar nesse assunto?

— Poderia descrever os sintomas dela para mim?

Desconfortável, Marco se remexe novamente na cadeira de metal. Sente-se como um inseto preso em um quadro.

— Como eu já disse, ela estava triste, chorando muito, apática. Às vezes parecia angustiada. Não dormia o suficiente. Cora é uma bebê agitada. — Ao dizer isso, ele se lembra de que a filha está desaparecida e precisa fazer uma pausa para se recompor. — Eu sugeri que Anne contratasse uma babá, alguém que pudesse ajudá-la e que cuidasse de Cora para ela dormir um pouco durante o dia, mas ela não quis. Acho que Anne acreditou que conseguiria se virar sozinha, sem ajuda.

— Sua esposa tem histórico de doença mental?

Marco o encara, sobressaltado.

— O quê? Não. Tem só histórico de depressão, como milhões de outras pessoas. — Sua voz é firme. — Doença mental, não.

Marco não gosta do que o detetive está sugerindo. Prepara-se para o que está por vir.

— Depressão pós-parto é considerada doença mental, mas não vamos discutir sobre isso. — Rasbach se recosta na cadeira e observa Marco, como se dissesse: *podemos falar francamente?* — Você já teve medo de que Anne fizesse mal à sua filha? Ou a si mesma?

— Não, nunca.

— Mesmo tendo pesquisado sobre psicose pós-parto na internet?

Então eles vasculharam, sim, seu computador. Sabem o que ele viu, as histórias das mulheres que mataram os próprios filhos. Marco sente o suor brotar em minúsculas gotas na testa. Remexe-se mais uma vez na cadeira.

— Não, já falei isso... Quando Anne foi diagnosticada com depressão, eu quis saber mais sobre o assunto, por esse motivo pesquisei sobre a doença. Você sabe como é a internet, uma coisa leva a outra. A gente vai seguindo os links. Só fiquei curioso. Não li histórias sobre mulheres que enlouqueciam e matavam os filhos porque estava preocupado com Anne. De jeito nenhum.

Rasbach o encara, sem dizer nada.

— Olhe, se eu tivesse medo de que Anne fizesse mal à nossa filha, não a deixaria em casa sozinha com a menina o dia todo, não é?

— Não sei. Deixaria?

A civilidade chegou ao fim. Rasbach o observa, aguardando. Marco retribui o olhar.

— Você está nos acusando de alguma coisa?

— Não. Por enquanto, não. Você está liberado.

Marco se levanta devagar, afastando a cadeira. Quer sair correndo dali, mas não vai fazer isso; deve dar a impressão de que está tranquilo, mesmo que não seja verdade.

— Só mais uma coisa — diz Rasbach. — Você conhece alguém que tenha um carro elétrico, ou talvez híbrido?

Marco hesita.

— Acho que não — responde.

— É só isso — conclui o detetive, levantando-se. — Obrigado.

Marco sente vontade de ir até Rasbach e perguntar: *por que você não faz a droga do seu trabalho e encontra nossa filha?* Mas apenas sai da sala, talvez um pouco rápido demais. No corredor, se dá conta de que não sabe onde Anne está. E não pode ir embora sem ela. Rasbach surge logo atrás.

— Se quiser esperar por sua esposa, não devemos demorar muito — diz o detetive, avançando pelo corredor.

Ele abre a porta de outra sala, onde, imagina Marco, sua esposa está aguardando.

Capítulo Treze

ANNE ESTÁ SENTADA na sala de interrogatório gelada, tremendo. Está usando calça jeans e apenas uma camiseta fina. O ar-condicionado está no máximo. Há uma policial junto à porta, observando-a com discrição. Anne foi informada de que está ali de livre e espontânea vontade, de que pode ir embora a hora que quiser, mas sente-se uma prisioneira.

Imagina o que está acontecendo na outra sala, onde Marco é interrogado. Separá-los é uma estratégia. Deixa-a nervosa, insegura. É óbvio que a polícia desconfia deles. Vão tentar jogá-los um contra o outro.

Anne precisa se preparar para o que está por vir, mas não sabe como.

Cogita pedir para falar com um advogado, mas tem medo de que isso a faça parecer culpada. Seus pais poderiam lhe arranjar o melhor advogado criminal da cidade, mas ela tem medo de falar sobre isso com eles. O que pensariam se ela pedisse a eles que contratassem um advogado? E Marco? Será que ele precisaria de outro advogado? Ela fica furiosa, porque sabe que não fizeram mal à filha. A polícia está desperdiçando seu tempo. E, enquanto isso, Cora está sozinha em algum lugar, apavorada, sofrendo ou... Anne sente ânsia de vômito.

Para se controlar, pensa em Marco. Mas novamente o imagina beijando Cynthia, passando a mão em seu corpo, que é muito mais atraente do que o dela. Lembra a si mesma que ele estava bêbado, que Cynthia provavelmente o agarrou, como ele disse, e não o contrário. Ela notou que Cynthia deu em cima dele a noite toda. E, mesmo assim, Marco foi fumar com ela no quintal. Ele também tem culpa. Ambos negaram ter um caso, mas ela não sabe em que acreditar.

A porta se abre, e ela leva um susto. O detetive Rasbach entra, acompanhado do detetive Jennings.

— Onde está Marco? — pergunta Anne com a voz trêmula.

— Esperando-a na recepção — responde Rasbach, abrindo um breve sorriso. — Não vamos demorar — acrescenta com gentileza.
— Fique tranquila.

Ela retribui o sorriso.

Rasbach indica a câmera próxima ao teto.

— Vamos filmar este interrogatório.

Anne olha para a câmera, aflita.

— É mesmo necessário? — pergunta, nervosa, fitando os detetives.

— Gravamos os interrogatórios. Para resguardar todos os envolvidos.

Anne ajeita o cabelo, impaciente. Endireita-se na cadeira. A policial permanece junto à porta, como se temessem que ela fugisse.

— A senhora aceita alguma coisa? — oferece o detetive. — Café? Água?

— Não, obrigada.

— Então vamos começar — anuncia Rasbach. — Por favor, diga seu nome e o dia de hoje.

O detetive a conduz minuciosamente pelos acontecimentos da noite em que a bebê desapareceu.

— Quando viu que ela não estava no berço, o que a senhora fez? — pergunta ele, com um tom de voz gentil e encorajador.

— Eu já falei. Acho que gritei. Vomitei. E liguei para a emergência.

Rasbach assente.

— O que seu marido fez?

— Ficou procurando pela casa enquanto eu estava ao telefone.

O detetive olha fixamente para ela.

— Como ele estava?

— Assustado, apavorado, assim como eu.

— A senhora não encontrou nada fora do lugar, não notou nada de diferente além da ausência de sua filha?

— Não. Vasculhamos a casa toda antes da chegada da polícia, mas não notamos nada. A única coisa diferente ou estranha, além do fato de que ela não estava em casa e a manta tinha desaparecido, era que a porta da frente estava aberta.

— O que a senhora pensou quando encontrou o berço vazio?

— Pensei que alguém a havia raptado — murmura Anne, fitando a mesa.

— A senhora nos contou que deu um soco no espelho do banheiro depois de descobrir que sua filha tinha desaparecido, antes de a polícia chegar. Por que fez isso?

Anne respira fundo antes de responder.

— Eu estava com raiva. Eu estava com raiva por termos deixado Cora sozinha em casa. Era nossa culpa. — Sua voz sai rouca, e seus lábios estão trêmulos. — Na verdade, aceito um pouco de água — diz ela, erguendo os olhos.

— Vou buscar — afirma Jennings, saindo da sala e retornando em seguida com uma garrafa de água, a qual deixa sobre a mesa, diante de Anne.

Ela agradece, abre a tampa e bebe um gole.

Rasbach retoma o interrogatório.

— A senhora disse que bebeu vinho. Também está tomando antidepressivos, e os efeitos desse tipo de medicamento são agravados com a ingestão de álcool. Acha que suas lembranças do que aconteceu naquela noite são confiáveis?

— Acho, sim.

Sua voz é firme. Ela parece ter reanimado com a água.

— A senhora tem certeza da sua versão dos acontecimentos? — insiste Rasbach.

— Tenho.

— Como explica o macacão cor-de-rosa que encontramos debaixo do trocador?

O tom de voz de Rasbach não é mais tão gentil.

Anne sente a tranquilidade se esvair.

— Eu... eu achei que tivesse jogado o macacão no cesto, mas estava muito cansada. De algum modo, deve ter ido parar debaixo do trocador.

— Mas a senhora não sabe explicar como?

Anne sabe aonde ele quer chegar. Como pode confiar em sua versão dos acontecimentos se ela não consegue explicar algo tão simples quanto o fato de um macacão, que ela disse se lembrar de ter jogado no cesto de roupa suja, estar embaixo do trocador?

— Não. Não sei.

Ela começa a retorcer as mãos sob a mesa.

— Existe alguma possibilidade de a senhora ter deixado sua filha cair no chão?

— O quê?

Anne encara o detetive. Os olhos dele a desencorajam: é como se enxergassem dentro dela.

— Existe alguma possibilidade de a senhora ter acidentalmente deixado sua filha cair no chão, de que ela tenha se machucado?

— Não. De jeito nenhum. Eu me lembraria disso.

Rasbach já não está muito simpático. Recosta-se na cadeira e inclina a cabeça, como se não acreditasse nela.

— Talvez a senhora a tenha deixado cair mais cedo. Ela pode ter batido com a cabeça. Ou talvez a senhora a tenha sacudido, e, quando voltou para vê-la, a bebê já não estava respirando...

— Não! Isso não aconteceu — retruca Anne, desesperada. — Ela estava bem quando a deixei à meia-noite. E estava bem quando Marco foi vê-la à meia-noite e meia.

— A senhora não sabe realmente se ela estava bem quando Marco foi vê-la à meia-noite e meia. Não estava lá, no quarto da sua filha. Só tem a palavra do seu marido.

— Ele não mentiria sobre isso — objeta Anne, nervosa, ainda retorcendo as mãos.

Rasbach deixa o silêncio tomar conta da sala. Inclinando-se para a frente, pergunta:

— A senhora confia no seu marido, Sra. Conti?

— Confio. Ele não mentiria sobre isso.

— Não? E se, quando foi dar uma olhada na filha, ele acabou descobrindo que ela não estava respirando? E se deduziu que a senhora a havia machucado por acidente, ou a havia sufocado com um travesseiro? E combinou com alguém de se livrar do corpo para tentar protegê-la?

— Não! Do que você está falando? Que eu a matei? É o que vocês realmente acham?

Ela olha de Rasbach para Jennings e depois para a policial junto à porta.

— Sua vizinha, Cynthia, disse que, quando voltou à festa depois de amamentar sua filha às onze horas, a senhora parecia ter chorado e lavado o rosto.

Anne enrubesce. Esqueceu-se desse detalhe. Havia mesmo chorado. Havia amamentado Cora na poltrona, no escuro, às onze horas, com lágrimas escorrendo pelo rosto. Porque estava deprimida, porque estava gorda, porque não era nada atraente, porque Cynthia provocava seu marido de um modo que ela já não conseguia provocá-lo. E ela se sentiu inútil, fraca. Claro que Cynthia percebeu isso... e contou à polícia.

— A senhora disse que está se tratando com uma psiquiatra. Dra. Lumsden, certo?

Rasbach se endireita na cadeira e pega uma pasta na mesa. Ele a abre e dá uma olhada em seu conteúdo.

— Já contei sobre a Dra. Lumsden — diz Anne, imaginando o que ele estaria lendo. — Eu tenho me consultado com ela por causa de uma depressão pós-parto moderada, como você sabe. Ela me receitou um antidepressivo que não prejudica a amamentação. Nunca pensei em fazer mal à minha filha. Não a sacudi nem a asfixiei, não a machuquei de maneira alguma. Também não a deixei cair por acidente. Eu não estava tão bêbada assim. Chorei enquanto a amamentava porque estava triste, me sentindo gorda e feia, e porque Cynthia, que supostamente é minha amiga, passou a noite toda dando em cima do meu marido. — Ao se lembrar disso, Anne tira forças da raiva que sente. Endireita-se na cadeira e olha nos olhos de Rasbach. — Talvez você devesse se informar um pouco melhor sobre depressão pós-parto, detetive. Depressão pós-parto não é a mesma coisa que psicose pós-parto. Não sou nenhuma psicótica.

— Tudo bem — diz ele. Em seguida, deixa a pasta de lado e pergunta: — A senhora diria que tem um casamento feliz?

— Sim. Temos problemas, como todo casal, mas sempre nos entendemos.

— Que tipo de problemas?

— Isso é mesmo relevante? Como isso vai nos ajudar a encontrar Cora?

Ela se remexe na cadeira.

— Todos os nossos policiais estão trabalhando para encontrar sua filha. Estamos fazendo o possível. — Depois de uma pausa, Rasbach acrescenta: — Talvez a senhora possa nos ajudar.

Ela afunda na cadeira, desanimada.

— Não vejo como.

— Seu casamento tem que tipo de problemas? Dinheiro? Esse é um problema sério para a maioria dos casais.

— Não — responde Anne, cansada. — Não brigamos por causa de dinheiro. Só brigamos por causa dos meus pais.

— Seus pais?

— Eles não se gostam, meus pais e Marco. Meus pais nunca aprovaram nosso casamento. Acham que ele não é bom o bastante para mim. Mas ele é. É perfeito para mim. Meus pais não enxergam nada de bom nele porque não querem. São assim. Nunca gostaram de nenhum namorado meu. Ninguém era bom o bastante para mim. Mas passaram a odiar Marco porque me apaixonei e me casei com ele.

— Eles não devem odiá-lo de verdade — considera Rasbach.

— Às vezes, parece que sim — lamenta Anne, fitando a mesa. — Minha mãe acha que ele não serve para mim basicamente porque não é de família rica, mas meu pai parece odiá-lo de verdade. Vive importunando-o. Não entendo o porquê.

— Eles não têm nenhum motivo específico para não gostar do seu marido?

— Não, nenhum. Marco nunca fez nada de errado. — Anne suspira, desolada. — Meus pais são difíceis de agradar. E são muito controladores. Eles nos deram dinheiro quando começamos nossa vida juntos e agora acham que são nossos donos.

— Eles deram dinheiro a vocês?

— Para comprar a casa.

Anne enrubesce.

— De presente?

Ela confirma com a cabeça.

— É, foi presente de casamento, para a gente comprar a casa. Não conseguiríamos comprar com nosso dinheiro. Uma casa é muito cara, pelo menos nos bairros nobres.

— Entendo.

— Adoro aquela casa — admite Anne. — Mas Marco detesta sentir que tem uma dívida com eles. Não queria aceitar o presente. Preferia ter dado um jeito sozinho: é orgulhoso a esse ponto. Deixou que eles nos ajudassem por minha causa. Sabia que eu queria a casa. Teria ficado feliz se fôssemos morar em um apartamento minúsculo e horrível. Às vezes, acho que cometi um erro. — Ela retorce as mãos no colo. — Talvez devêssemos ter recusado o presente, ter ido morar numa casinha simples, como a maioria dos casais. Talvez ainda estivéssemos lá, mas seríamos felizes. — Desata a chorar. — E agora acham que o desaparecimento de Cora é culpa de Marco, porque foi ideia dele deixá-la sozinha em casa. Não param de me lembrar disso.

Rasbach empurra a caixa de lenços pela mesa, aproximando-a de Anne. Ela enxuga os olhos.

— E o que eu posso dizer? Tento defendê-lo, mas deixá-la em casa foi mesmo ideia dele. Ainda não acredito que concordei com isso. Nunca vou me perdoar.

— O que *você* acha que aconteceu com Cora? — pergunta o detetive Rasbach.

Ela desvia os olhos e fita a parede.

— Não sei. Fico pensando nisso o tempo todo. Estava torcendo para que alguém pedisse um resgate, porque meus pais são ricos, mas ninguém entrou em contato, então... Não sei, é difícil se manter otimista. Foi isso que Marco pensou no início. Mas ele também está perdendo a esperança. — Ela volta a encarar o detetive, inexpressiva. — E se ela estiver morta? E se nossa filha já estiver morta? — Anne desaba, aos prantos. — E se nunca a encontrarmos?

Capítulo Quatorze

RASBACH VASCULHOU O computador do trabalho de Marco. Não era de surpreender que Marco estivesse preocupado com isso. Embora seja compreensível que um homem em sua posição pesquise sobre depressão pós-parto no Google, o histórico do navegador mostra que ele investigou muito a fundo a psicose pós-parto. Leu sobre a mulher que foi considerada culpada de afogar cinco crianças em uma banheira, no Texas. Leu sobre a mãe que matou os filhos jogando o carro num lago, sobre a inglesa que trancou dois meninos em um armário. Leu ainda sobre outras mulheres que afogaram, esfaquearam e estrangularam os próprios filhos. Na opinião do detetive, isso significa que ou Marco estava com medo de que a esposa ficasse psicótica ou ele estava interessado naquelas informações por outro motivo. Rasbach considera a possibilidade de Marco estar tramando para a esposa ser presa e, assim, sair de sua vida. Talvez a filha seja apenas um dano colateral. Será que ele queria simplesmente cair fora do casamento?

Mas essa não é sua teoria preferida. Como Anne destacou, ela não é psicótica. Essas mulheres que mataram os filhos evidentemente estavam enfrentando um surto psicótico. Se Anne matou a filha, é provável que tenha sido um acidente.

Não, sua hipótese preferida é de que Marco orquestrou o rapto para conseguir o dinheiro do resgate: apesar de ele ter dito que espera que as coisas melhorem, sua empresa está claramente enfrentando sérias dificuldades.

Eles não conseguiram descobrir nada sobre o automóvel. Ninguém se apresentou para dizer que passou de carro pela rua à meia-noite e trinta e cinco da madrugada do sequestro. A polícia pediu a ajuda da vizinhança para descobrir informações sobre o veículo misterioso. Considerando toda a cobertura da imprensa, se alguém tivesse passado inocentemente pela área àquela hora, teria se manifestado. Mas ninguém apareceu, certamente porque era cúmplice no crime. O detetive Rasbach acredita que a pessoa que estava naquele carro levou a criança.

Também acredita que, ou a menina foi acidentalmente morta pelos pais e o corpo foi levado por um cúmplice, ou se trata de um falso sequestro, e Marco entregou a filha a alguém que depois ficou com medo e não cumpriu o combinado para receber o dinheiro do resgate e devolver a menina. Se este for o caso, a esposa pode ou não estar envolvida: Rasbach precisa investigá-la. Se suas suspeitas forem verdadeiras, Marco deve estar surtando sem notícias de Cora.

Mas a babá o preocupa. Será que Marco teria orquestrado o rapto mesmo havendo uma babá em casa?

O detetive não vê sentido em deixar um policial na casa da família Conti, à espera de um pedido de resgate que provavelmente nunca será feito. Toma uma decisão estratégica. Vai recuar. Ele vai tirar a polícia da casa e ver o que acontece quando os dois ficarem sozinhos. Se estiver certo e alguma coisa tiver dado errado, Rasbach precisa recuar para descobrir o que aconteceu e dar corda suficiente a Marco para ele se enforcar.

E a menina? Será que Marco sabe se a filha ainda está viva? Rasbach recorda o famoso caso do sequestro do bebê Lindbergh, no qual o menino morreu acidentalmente durante ou logo após o sequestro. Talvez o mesmo tenha acontecido aqui. Quase sente pena de Marco. Quase.

É terça de manhã, quarto dia desde do desaparecimento de Cora. O último policial está indo embora da casa. Anne não acredita que vão ficar sozinhos.

— E se o sequestrador ligar? — argumenta com Rasbach, incrédula.

Marco não diz nada. Para ele parece óbvio que o sequestrador não vai ligar. Também lhe parece óbvio que a polícia não acredita que *haja* um sequestrador.

— Vai ficar tudo bem. Marco dará conta do recado — diz o detetive, e Anne lhe dirige um olhar desconfiado. — Talvez nossa presença aqui esteja intimidando o sequestrador. Talvez, se sairmos, ele ligue. — Rasbach se vira para Marco. — Se alguém telefonar dizendo que está com Cora, mantenha a calma, receba as instruções e converse com a pessoa pelo máximo de tempo possível. Quanto mais ela revelar, melhor. Vamos manter a escuta, por isso o telefonema vai ser gravado. Mas é pouco provável que a gente consiga rastrear a ligação. Hoje em dia, todo mundo usa celular não registrado. Isso dificulta nosso trabalho.

Rasbach vai embora. Marco se sente aliviado ao vê-lo sair.

O casal fica sozinho em casa. A quantidade de repórteres na rua também diminuiu. Sem nenhum novo desdobramento, a imprensa tem pouco a relatar: estão perdendo o interesse. A pilha de flores e ursos de pelúcia não aumentou.

— Os policiais acham que eu a matei — lamenta Anne. — E que você acobertou o crime.

— Eles não podem achar isso — afirma Marco.

Não há muito mais que ele possa dizer. O que poderia falar numa situação dessas? *Ou isso, ou acham que simulei um sequestro para conseguir o dinheiro do resgate.* Mas não quer que ela saiba que a situação financeira deles é péssima.

Então ele sobe para se deitar um pouco. Está exausto. Está sofrendo tanto e se sentindo tão angustiado que mal consegue olhar para a esposa.

Anne anda pela casa, arrumando as coisas, de algum modo aliviada com o fato de a polícia não estar mais ali. Caminha em uma espécie de névoa provocada pela privação de sono, guardando objetos, lavando xícaras de café. O telefone da cozinha toca, e ela se detém. Confere o identificador de chamadas. É sua mãe. Anne hesita, sem ter certeza de que quer falar com ela. Por fim, no terceiro toque, atende.

— Anne — diz a mãe.

Anne imediatamente sente uma imensa tristeza. Por que atendeu? Não quer falar com a mãe agora. Vê Marco descendo depressa a escada, o olhar alerta. Avisa que é a mãe e gesticula para o marido ir se deitar. Ele volta para o andar de cima.

— Oi, mãe.

— Estou tão preocupada com você, Anne! Como você está?

— Como você acha?

Com o telefone na orelha, Anne vai até a janela da cozinha e contempla o quintal.

A mãe fica em silêncio por um instante.

— Eu só queria ajudar.

— Eu sei, mãe.

— Não consigo nem imaginar o que você está passando. Seu pai e eu também estamos sofrendo muito, mas não deve ser nada comparado ao que você está sentindo.

Anne começa a chorar, as lágrimas escorrendo silenciosamente por seu rosto.

— Seu pai continua muito aborrecido porque a polícia a levou para a delegacia.

— Eu sei, você me disse isso ontem — responde Anne, cansada.

— Eu sei, mas ele não para de falar nisso. Acha que a polícia deveria estar concentrada em procurar Cora, em vez de importunar você.

— Só estão fazendo o trabalho deles.

— Não gosto desse detetive — observa a mãe. Anne se senta numa cadeira da cozinha. A mãe continua: — Acho que eu deveria ir até aí. A gente toma um chá e conversa em particular. Só nós duas, sem seu pai. Marco está em casa?

— Não, mãe — recusa Anne, e a ansiedade parece sufocá-la. — Hoje não dá. Estou muito cansada.

A mãe suspira.

— Você sabe que seu pai a protege — comenta. Depois de alguns instantes, acrescenta, hesitante: — Às vezes, eu me pergunto se agimos certo ao não contar nada a ele quando você era mais nova.

Anne fica paralisada.

— Preciso ir.

Ela desliga o telefone e fica muito tempo junto à janela, olhando para o quintal, trêmula.

Rasbach e Jennings estão em uma viatura de polícia, com Jennings ao volante. Está quente no carro, e Rasbach ajusta o ar-condicionado. Logo chegam à St. Mildred's, uma distinta escola particular para meninas no norte da cidade, com turmas do jardim de infância ao ensino médio. Anne Conti estudou ali durante toda a sua vida acadêmica antes de ir para a faculdade, por isso devem ter alguma informação sobre ela.

Para o azar dos detetives, a escola está no meio das férias de verão, mas Rasbach telefonou antes e marcou um horário com a Sra. Beck, a diretora, que aparentemente tem muito trabalho, mesmo no verão.

Jennings para o carro no estacionamento vazio. A escola é um belo prédio de pedra que parece um castelo, cercado de verde. O lugar transpira dinheiro. Rasbach imagina todos os carros de luxo que vão até ali para deixar meninas privilegiadas de uniforme. Mas no momento o local está em completo silêncio, exceto pelo ruído de um cortador de grama.

Rasbach e Jennings sobem a escada de pedra e tocam a campainha. A porta de vidro se abre com um ruído, e os detetives seguem as placas que indicam a secretaria ao longo do corredor largo, os sapatos rangendo no piso lustroso de madeira. Rasbach sente cheiro de cera e verniz.

— Não sinto saudade da escola, você sente? — pergunta Jennings.

— Nenhuma.

Eles chegam à secretaria, onde a Sra. Beck os cumprimenta. Rasbach logo fica desapontado ao ver que ela é relativamente jovem, com 40 e poucos anos. As chances de ter estado na St. Mildred's na época de Anne Conti são remotas, mas ele espera que ainda haja algum funcionário que se lembre dela.

— Como posso ajudá-los, detetives? — indaga a Sra. Beck ao conduzi-los à sua sala espaçosa.

Rasbach e Jennings se sentam nas poltronas confortáveis diante da mesa.

— Queremos informações sobre uma ex-aluna — explica Rasbach.
— Quem?
— Anne Conti. Mas, quando estudava aqui, o nome dela era Anne Dries.

A Sra. Beck assente com discrição.
— Entendo.
— Imagino que a senhora não estava na escola quando ela era aluna.
— Não, foi antes de eu entrar aqui. Coitadinha. Eu a vi na televisão. Quantos anos ela tem?
— Trinta e dois — responde Rasbach. — Parece que estudou na St. Mildred's do jardim de infância até o fim do ensino médio.

A Sra. Beck sorri.
— Muitas meninas entram aqui no jardim de infância e só saem quando passam para uma boa universidade. Nosso índice de retenção de alunas é ótimo.

Rasbach sorriu também.
— Gostaríamos de dar uma olhada na ficha dela, de preferência conversar com algumas pessoas que a conheceram.
— Vou ver o que posso fazer — diz a Sra. Beck, saindo da sala.

Ela volta alguns minutos depois com uma pasta bege.
— Ela estudou aqui, como você disse, do jardim de infância até o fim do ensino médio. Era excelente aluna. Depois entrou na Cornell.

A maior parte do trabalho da Sra. Beck é de relações públicas, imagina Rasbach ao pegar a pasta. Jennings se inclina para também dar uma olhada na ficha. Rasbach tem certeza de que ela adoraria que a agora famosa Anne Conti jamais tivesse pisado nos corredores da St. Mildred's.

Ele e Jennings leem o conteúdo da pasta em silêncio, enquanto a Sra. Beck se remexe na cadeira. Não há muita informação ali além de notas excelentes. Nada lhes salta aos olhos.

— Alguma professora dela ainda dá aula aqui? — indaga Rasbach.

A Sra. Beck reflete. Por fim, responde:

— A maioria já saiu, mas a Sra. Bleeker se aposentou ano passado. Vi que ela foi professora de inglês de Anne nos últimos anos do colégio. Vocês podem falar com ela. Não mora muito longe daqui.

Ela anota o nome e o endereço em um pedaço de papel.

— Muito obrigado por nos receber.

Ele e Jennings voltam para o carro abafado.

— Vamos visitar a Sra. Bleeker. Podemos comer um sanduíche no caminho — sugere Rasbach.

— O que você espera descobrir? — pergunta o outro.

— Nunca espero nada, Jennings.

Capítulo Quinze

Quando chegam à casa da professora aposentada, são recebidos por uma mulher empertigada e de olhos penetrantes. Ela tem exatamente a aparência de uma professora de inglês aposentada de uma escola particular para meninas, pensa Rasbach.

A Sra. Bleeker observa os distintivos com atenção e avalia bem os dois detetives antes de abrir a porta.

— Todo cuidado é pouco — justifica ela.

Jennings olha para Rasbach enquanto ela os conduz pelo corredor estreito, levando-os até a sala.

— Por favor, sentem-se — pede ela.

Rasbach e Jennings obedecem imediatamente, acomodando-se em duas poltronas. Ela se senta devagar no sofá, de frente para eles. Há um livro grosso — uma edição da Penguin Classics de *As torres de Barchester*, de Anthony Trollope — na mesinha de centro, ao lado de um iPad.

— Em que posso ajudá-los? — pergunta ela. Depois de uma pausa, acrescenta: — Acho que sei por que estão aqui.

Rasbach dá um sorriso afável.

— Por que a senhora acha que estamos aqui?

— Vocês querem conversar sobre Anne. Eu a reconheci. Ela está nos jornais. — Rasbach e Jennings trocam um rápido olhar. — Quando dei aula para ela seu nome era Anne Dries.

— Isso mesmo. — confirma Rasbach. — Gostaríamos de conversar com a senhora sobre Anne.

— Um horror. Fiquei muito triste quando vi na televisão. — Ela suspira. — Não sei o que posso dizer sobre o que aconteceu naquela época, porque não sei de nada. Tentei descobrir algo, mas ninguém abriu o bico.

Rasbach sente um formigamento no pescoço.

— Por que não começa do início? — pede, com paciência.

Ela assente.

— Eu gostava de Anne. Era uma ótima aluna de inglês. Não era brilhante, mas esforçada. Séria. Muito quieta. Era difícil saber o que estava pensando. Gostava de desenhar. Eu sabia que as outras meninas implicavam com ela. Tentei dar um basta nisso.

— Implicavam como?

— Essas coisas de sempre de meninas ricas e mimadas. Com mais dinheiro do que cérebro. Diziam que ela era gorda. Claro que não era. As outras meninas eram muito magras. Doentes.

— Quando foi isso?

— Quando ela estava no primeiro ou segundo ano do ensino médio. Três meninas se achavam o máximo. As três mais bonitas da escola. Elas se juntaram e formaram uma panelinha na qual ninguém mais podia entrar.

— A senhora se lembra dos nomes delas?

— Claro. Debbie Renzetti, Janice Foegle e Susan Givens. — Jennings escreve os nomes no caderno. — Eu nunca esqueceria.

— E o que aconteceu?

— Não sei. Um dia, as três estavam importunando Anne, como de costume, e, de repente, uma foi parar no hospital e as outras duas passaram a ficar longe dela. Susan faltou umas duas semanas de aula. Na época disseram que ela caiu de bicicleta e se machucou.

Rasbach se inclina um pouco para a frente.

— Mas a senhora não acredita nisso, não é? O que acha que aconteceu?

— Não sei exatamente. Fizeram algumas reuniões a portas fechadas com os pais. Foi tudo muito sigiloso. Mas aposto que Anne perdeu a paciência.

De volta à delegacia, Rasbach e Jennings pesquisam e descobrem que duas das meninas mencionadas pela professora de inglês aposentada, Debbie Renzetti e Susan Givens, se mudaram com a família para outros estados depois do ensino médio. Janice Foegle, por sorte, ainda mora na cidade. E a sorte não abandona Rasbach quando ele liga para ela: ela está em casa e se diz disposta a ir à delegacia na parte da tarde para conversar com eles.

No horário marcado, Janice Foegle chega à delegacia, e Rasbach é chamado à recepção. Ele vai recebê-la. Sabe o que esperar, mas, ainda assim, surpreende-se com a beleza estonteante da mulher. O detetive imagina como deve ter sido para ela ser tão bonita no ensino médio, enquanto a maioria das meninas tem dificuldade em aceitar a própria aparência. Ele se pergunta a influência que isso exerceu em Janice Foegle. Por um instante, lembra-se de Cynthia Stillwell.

— Sra. Foegle, sou o detetive Rasbach. Esse é o detetive Jennings. Obrigado por ter vindo. Temos algumas perguntas para a senhora, se não se importar.

Ela franze a testa, resignada.

— Para ser sincera, eu estava esperando que alguém me procurasse.

Eles a conduzem a uma das salas de interrogatório.

Ela fica tensa quando mencionam a câmera, mas não faz objeção.

— A senhora estudou no ensino médio com Anne Conti, que na época se chamava Anne Dries? — começa Rasbach, depois de dar algumas informações preliminares.

— Isso mesmo — confirma Janice baixinho.

— Como ela era?

A mulher hesita, como se não soubesse o que dizer.

— Era legal.

— Legal?

Rasbach espera que ela prossiga.

De repente, Janice Foegle começa a chorar. Rasbach empurra gentilmente a caixa de lenços em sua direção e continua aguardando.

— A verdade é que ela era uma menina legal, e eu era uma idiota. Susan, Debbie e eu éramos terríveis. Hoje tenho vergonha disso. Quando eu paro para pensar em como eu era na adolescência, não consigo acreditar. Éramos cruéis com ela, sem qualquer motivo.

— Cruéis como?

Janice desvia o olhar e assoa o nariz com delicadeza. Em seguida, olha para o teto e tenta se recompor.

— Nós fazíamos bullying com ela. Por causa da aparência, das roupas. A gente se achava superior a ela. Na verdade, a todo mundo. — Ela lança um olhar irônico ao detetive. — Tínhamos 15 anos, mas isso não serve de desculpa.

— E o que aconteceu?

— Isso durou meses, e ela aceitava nossa implicância. Era simpática com a gente, fingia que não se incomodava, mas nós a achávamos patética. No fundo, eu achava que era preciso ser muito forte para fingir que não se incomodava com nossos comentários maliciosos todos os dias, quando evidentemente acontecia o contrário, mas eu guardava isso para mim.

Rasbach assente, incentivando-a a prosseguir.

Ela observa o lenço em sua mão, suspira e volta a olhar para o detetive.

— Até que um dia ela simplesmente perdeu a paciência. Nós três, Debbie, Susan e eu, tínhamos ficado na escola depois do horário de saída por algum motivo. Estávamos no banheiro feminino, e Anne entrou. Ficou paralisada assim que nos viu. Depois disse oi, acenou discretamente com a mão e entrou na cabine para fazer

xixi. Isso foi muito corajoso da parte dela, tenho que admitir. — Ela faz uma pausa, então prossegue: — Enfim, começamos a dizer algumas coisas.

Janice Foegle se detém novamente.

— Que tipo de coisas? — pergunta Rasbach.

— Tenho vergonha de dizer. Mas era coisas como: "Que dieta você tem feito? Porque te deixou ainda mais gorda." A gente era muito má com ela. Anne saiu da cabine e se aproximou de Susan. Nenhuma de nós esperava por aquilo. Anne agarrou o pescoço dela e a atirou contra a parede com força. Era uma dessas paredes de cimento, pintada de bege, e Susan bateu com a cabeça e deslizou para o chão. Uma mancha enorme de sangue ficou na parede. — O rosto de Janice se contorce, como se estivesse novamente no banheiro da escola, vendo a amiga caída, a mancha de sangue. — Achei que Anne tivesse matado Susan.

— Continue — encoraja Rasbach.

— Debbie e eu começamos a gritar, mas Anne ficou em completo silêncio. Debbie estava mais perto da porta, por isso saiu para buscar ajuda. Fiquei morrendo de medo, porque fui deixada ali sozinha com Anne, mas ela estava entre mim e a porta, e eu estava assustada demais para me mexer. Anne me encarou, mas os olhos dela estavam inexpressivos. Era como se ela não estivesse realmente ali. Não sei nem se ela estava me vendo. Foi muito estranho. No fim das contas, uma professora chegou, depois veio a diretora. Chamaram uma ambulância.

Janice para de falar.

— Alguém chamou a polícia?

— Você está brincando? — Ela encara o detetive, surpresa. — Não é assim que as coisas funcionam em uma escola particular. A diretora não queria uma repercussão negativa. Sei que chegaram a algum acordo. A mãe de Anne foi chamada à escola, nossos pais também, e tudo se *ajeitou*. Nós fizemos por merecer, e todo mundo sabia disso.

— O que aconteceu depois que chamaram a ambulância? — pergunta Rasbach com delicadeza.

— Quando os médicos chegaram, colocaram Susan na maca e a levaram. Debbie, a professora e eu a acompanhamos até a ambulância. Eu e Debbie choramos muito, ficamos histéricas. A diretora conduziu Anne até sua sala, onde ela ficou esperando a mãe. A ambulância partiu, e Debbie e eu ficamos esperando nossos pais no estacionamento da escola, com a professora.

— A senhora se lembra de mais alguma coisa? — indaga Rasbach.

Ela assente.

— Antes de a diretora levá-la até sua sala, Anne olhou para mim como se estivesse completamente normal e perguntou: "O que aconteceu?"

— O que você pensou quando ela perguntou isso?

— Achei que ela estava louca.

O carteiro está diante da porta da frente, tentando enfiar a correspondência na abertura. Anne o observa da cozinha. Poderia abrir a porta e pegar as cartas, facilitando o trabalho dele, mas não quer fazer isso. Sabe que todas aquelas cartas com palavras de ódio são para ela. O carteiro ergue a cabeça e a vê pela janela. Os dois se entreolham por um instante, e ele volta a enfiar mais envelopes na abertura da porta. Menos de uma semana antes, ela e esse mesmo carteiro costumavam trocar amenidades. Mas tudo mudou. As cartas caíram no chão, formando uma pilha desorganizada. Ele tenta empurrar um envelope grosso pela abertura, mas não passa. Deixa-o enfiado pela metade, volta à calçada e segue para a casa seguinte.

Anne fica observando a pilha de cartas no chão e o envelope grosso preso na abertura da porta. Tenta puxá-lo. É um desses envelopes revestidos por dentro com plástico bolha. Está preso, e ela não consegue soltá-lo. Vai ter que abrir a porta e pegá-lo por fora. Espia pela janela, para saber se tem alguém por perto. Os repórteres que estavam ali mais cedo pela manhã, enquanto a polícia se preparava para ir embora, já se foram. Anne abre a porta e puxa o envelope pela abertura, depois se apressa em voltar para dentro de casa e tranca a porta.

Sem pensar, abre o envelope.

Dentro, há um macacãozinho verde-menta.

Capítulo Dezesseis

ANNE GRITA.

Marco ouve o grito, sai do quarto e desce correndo a escada. Vê a esposa parada junto à porta da frente com uma pilha de cartas fechadas a seus pés e um envelope na mão. Então repara no macacão verde despontando do envelope.

Ela se vira para ele, com o rosto lívido.

— Isso acabou de chegar pelo correio — diz com uma voz estranha e gutural.

Marco se aproxima dela. Anne estende o envelope. Os dois o observam juntos, quase como se tivessem medo de tocar nele. E se for uma brincadeira? E se alguém achou que seria engraçado mandar um macacãozinho verde-menta para o casal horrível que deixou a filha sozinha em casa?

Marco pega o envelope da mão da esposa e abre-o novamente. Tira a roupinha dali de dentro. Parece o mesmo macacão. Vira-o. Há um coelho bordado na frente.

— Meu Deus! — exclama Anne, chorando e cobrindo o rosto com as mãos.

— É dela — constata Marco com a voz rouca. — É da Cora.

Anne assente, mas não consegue falar.

Há um bilhete preso dentro da roupinha. Impresso, em uma fonte pequena.

A menina está bem. O resgate é de cinco milhões de dólares. NÃO digam nada à polícia. Levem o dinheiro na quinta-feira, às 14h. Caso haja qualquer indício de que a polícia vai aparecer, vocês nunca mais a verão.

Há um mapa detalhado no fim do bilhete.

— Vamos recuperá-la, Anne! — grita Marco.

Anne tem a impressão de que vai desmaiar. Depois de tudo o que passaram, é bom demais para ser verdade. Pega o macacãozinho das mãos do marido, leva-o ao rosto e aspira o perfume. Sente o cheiro da filha. *Sente o cheiro dela.* Fica aturdida. Inspira novamente e sente seus joelhos fraquejarem.

— Vamos fazer exatamente o que estão mandando — afirma Marco.

— Não é melhor contarmos à polícia?

— Não! Aqui diz para *não* contarmos a polícia. Não podemos correr o risco de estragar tudo. Você não percebe? É perigoso demais envolvê-la. Se o sequestrador achar que vai ser pego, pode simplesmente matar Cora e se livrar do corpo! Precisamos fazer do jeito que ele quer. Nada de polícia.

Anne assente, mas tem medo de agir por conta própria. No entanto, Marco tem razão. O que a polícia fez por eles? Nada. Só suspeitou dos dois. A polícia não está do lado deles. Terão que recuperar Cora sozinhos.

— Cinco milhões — murmura Marco, com a voz tensa. Olha para a esposa, subitamente apreensivo. — Você acha que seus pais vão aceitar essa quantia?

— Não sei. — Ela morde o lábio, nervosa. — Precisam aceitar.

— Não temos muito tempo. Dois dias — observa Marco. — Precisamos perguntar a seus pais. Eles devem começar os trâmites para ter esse dinheiro em mãos.

— Vou ligar para eles.

Ela se aproxima do telefone da cozinha.

— Use o celular. E, Anne, avise a eles logo de uma vez: nada de polícia. Ninguém pode saber.

Ela assente e pega o celular.

Anne e Marco estão sentados lado a lado no sofá da sala. A mãe de Anne está elegantemente acomodada na poltrona, enquanto o pai anda de um lado para o outro, entre a janela da frente e o sofá. Todos o observam.

— Vocês têm certeza de que é o mesmo macacão? — pergunta ele mais uma vez, parando de andar.

— Temos — garante Anne. — Por que não acredita em mim?

— A gente só precisa ter certeza. Cinco milhões de dólares é muito dinheiro. — Ele está irritado. — Precisamos ter certeza de que estamos lidando com a pessoa que realmente está com Cora. A notícia saiu em todos os jornais. Alguém pode querer tirar proveito da situação.

— É o macacão da Cora — afirma Marco. — Nós o reconhecemos.

— Vocês podem ou não nos dar o dinheiro? — pergunta Anne com a voz estridente.

Ela olha avidamente para a mãe. Justo quando está voltando a ter esperança, tudo pode desandar. Como seu pai é capaz de fazer isso?

— Claro que podemos dar o dinheiro — responde a mãe com firmeza.

— Eu não disse que não podemos dar o dinheiro — argumenta o pai. — Só falei que talvez seja difícil. Mas, se eu tiver que mover montanhas para trazer Cora de volta, não medirei esforços.

Marco observa o sogro, tentando não demonstrar a aversão que sente por ele. Todos sabem que a maior parte do dinheiro pertence à mãe de Anne, mas ele precisa agir como se fosse seu. Como se o houvesse ganhado por conta própria. Que imbecil!

— Dois dias é pouco tempo para juntar essa quantia. Vamos precisar resgatar dinheiro de alguns investimentos — explica Richard, cheio de presunção.

— Isso não é problema — afirma a mãe de Anne, olhando para a filha. — Não se preocupe com isso, Anne.

— Vocês podem fazer isso em sigilo, sem que ninguém saiba? — pergunta Marco.

Richard Dries respira fundo, pensativo.

— Vamos conversar com nosso advogado para saber como agir. Vamos dar um jeito.

— Graças a Deus! — exclama Anne, aliviada.

— Como vai ser exatamente? — pergunta Richard.

— Como diz o bilhete — responde Marco. — Sem interferência da polícia. Eu vou. Eu levo o dinheiro. Entrego-o, e eles me devolvem Cora.

— Talvez eu devesse ir junto, para você não meter os pés pelas mãos — sugere o pai de Anne.

Marco o encara, deixando evidente sua irritação.

— Não. Se virem outra pessoa, podem não cumprir o acordo.

Os dois se entreolham.

— Sou eu que tenho o dinheiro — diz Richard.

— Na verdade, sou *eu* que tenho o dinheiro — intervém Alice, bruscamente.

— Pai, *por favor* — pede Anne, apavorada com a possibilidade de Richard colocar tudo a perder.

Ela está ansiosa, e seu olhar vai da mãe para o pai, do pai para a mãe.

— Não temos prova nem mesmo de que Cora está viva — observa Richard. — Pode ser uma armadilha.

— Se Cora não estiver lá, não vou entregar o dinheiro — garante Marco, observando o sogro, que continua andando de um lado para outro diante da janela.

— Não estou gostando disso — diz Richard. — Deveríamos contar à polícia.

— Não! — protesta Marco.

Os dois se entreolham novamente. Richard desvia o olhar primeiro.

— Não temos escolha — diz Anne com a voz estridente.

— Ainda assim, não estou gostando disso — insiste Richard.

— Vamos fazer exatamente como está escrito no bilhete — decreta a mãe de Anne, lançando um olhar fulminante para o marido.

O pai encara a filha.

— Desculpe, Anne. Você está certa. Não temos escolha. É melhor sua mãe e eu cuidarmos logo do dinheiro.

Marco observa o sogro e a sogra entrarem no Mercedes e irem embora. Ele quase não comeu desde que tudo isso começou. Sua calça jeans está folgada.

Foi terrível presenciar a relutância de Richard em relação ao dinheiro. Mas ele só estava se exibindo. Precisava mostrar a todo mundo que era um homem maravilhoso. Precisava mostrar que era importante.

— Eu sabia que eles não iam nos decepcionar — comenta Anne, aproximando-se de repente do marido.

Como ela sempre consegue dizer a coisa errada? Pelo menos quando se trata dos pais. Por que ela não conseguia enxergar o pai como ele realmente era? Não percebia que ele era um manipulador? Mas Marco fica em silêncio.

— Vai ficar tudo bem — continua Anne, segurando a mão do marido. — Vamos recuperá-la. E então todos vão ver que fomos as vítimas. — Ela aperta a mão dele. — Vamos exigir um pedido de desculpas da polícia.

— Seu pai nunca vai nos deixar esquecer que ele nos ajudou a sair dessa.

— Ele não vai fazer isso! Vai pensar que salvou Cora, tenho certeza! Não vai usar isso contra nós.

Anne era tão ingênua... Marco aperta a mão dela.

— Por que você não vai se deitar e tenta descansar um pouco? Vou dar uma saída.

— Duvido que eu consiga dormir, mas vou tentar. Aonde você vai?

— Vou passar no escritório para cuidar de algumas coisas. Não vou lá desde... desde que levaram Cora.

— Tudo bem.

Marco abraça a esposa.

— Não vejo a hora de ter nossa filha de volta, Anne — murmura ele.

Ela assente com a cabeça, que está apoiada no ombro do marido. Ele a solta.

Marco a observa subir a escada. Depois, pega a chave do carro em cima da mesinha no hall e sai.

Anne pretende se deitar, mas está muito agitada. Tem esperanças de recuperar logo a filha, mas, ao mesmo tempo, tem medo de que tudo dê errado. Como seu pai disse, não há prova nem de que Cora esteja viva.

Mas ela se recusa a acreditar que a filha está morta.

Anne aproxima o macacão verde do rosto e sente o cheiro da filha. Sua saudade é tanta que chega a doer fisicamente. Seus seios estão doloridos. Já no corredor do andar de cima, ela se detém, apoia as costas na parede e desliza até o chão, do lado de fora do quarto da menina. Se fechar os olhos e aproximar o macacão do rosto, pode até mesmo fingir que Cora ainda está ali, em casa. Durante alguns instantes, permite-se fazer isso. Mas logo abre os olhos.

A pessoa que enviou o macacão exigiu cinco milhões de dólares. Independentemente de quem seja, sabe que Cora vale essa quantia para eles e que Anne e Marco têm como consegui-la.

Talvez seja alguém que eles conhecem. Ela se levanta devagar. Talvez seja alguém que eles conhecem muito bem, alguém que *sabe* que eles têm acesso a esse dinheiro.

Quando tudo isso acabar, pensa Anne, depois que resgatarem Cora, ela vai dedicar sua vida a cuidar da filha... E a encontrar quem a raptou. Talvez ela nunca deixe de ficar observando seus conhecidos, imaginando se foi aquela pessoa que levou sua bebê... ou se sabe quem a sequestrou.

De repente, ela se dá conta de que não deveria estar segurando o macacão daquele jeito. Se tudo der errado e eles não recuperarem

Cora, vão precisar entregar o macacão — e o bilhete — à polícia como prova de sua inocência. Com certeza os policiais já não desconfiam deles. Mas qualquer pista que poderia haver no macacão certamente já foi destruída pela maneira como ela o segurou, o cheirou e até mesmo o usou para secar as lágrimas. Anne estende a peça de roupa na cômoda do quarto. Desamparada, fica olhando para ela. Deixa-a ali, com o bilhete preso ao tecido, contendo as instruções. Eles não podem se dar ao luxo de cometer algum erro.

Anne percebe que é a primeira vez que fica sozinha em casa desde a noite em que Cora foi raptada. Ah, se pudesse voltar no tempo... Os últimos dias foram um turbilhão de medo, sofrimento e desespero... e de traição. Ela disse à polícia que confiava em Marco, mas mentiu. Não confia nele com Cynthia. Acha que ele pode guardar outros segredos dela. Afinal, ela também guarda segredos dele.

Afasta-se de sua cômoda e se aproxima da cômoda do marido. Abre a primeira gaveta. Mexe ao acaso em meias e cuecas. Quando termina de vasculhá-la, abre a segunda. Não faz ideia do que está procurando, mas vai saber quando encontrar.

Capítulo Dezessete

MARCO ENTRA NO Audi e dá a partida, mas não vai para o escritório. Em vez disso, pega a primeira saída da cidade. Segue ziguezagueando pelos veículos. O Audi obedece bem a seus comandos. Depois de cerca de vinte minutos, pega uma estrada secundária. Pouco depois chega a um conhecido caminho de terra que o leva a um lago isolado.

Ele segue até um estacionamento com piso de cascalho, de frente para o lago. Há ali uma pequena praia pedregosa, com algumas mesas de piquenique molhadas e velhas, as quais Marco raramente viu alguém usar. O cais comprido se estende pelo lago, porém não há nenhum barco. Faz anos que ele frequenta esse local. Vem sozinho sempre que precisa pensar.

Marco estaciona à sombra de uma árvore e sai do carro. Está quente e ensolarado, mas uma brisa sopra do lago. Ele se senta no capô do veículo e contempla a água. Não há mais ninguém ali. O lugar está deserto.

Diz a si mesmo que vai ficar tudo bem. Cora está bem, só pode estar bem. Os pais de Anne vão arranjar o dinheiro. O sogro dele jamais desperdiçaria a oportunidade de bancar o herói, mesmo que isso lhe custasse uma pequena fortuna. Ainda mais quando isso vai passar a impressão de estar salvando o genro. Eles sequer vão sentir falta do dinheiro, pensa Marco.

Ele respira fundo, tentando se acalmar. Sente cheiro de peixe morto, mas isso não importa. Precisa encher os pulmões de ar. Os últimos dias foram um verdadeiro inferno. Marco não nasceu para isso. Está uma pilha de nervos.

Sente-se um pouco arrependido, mas tudo vai valer a pena. Vai ficar tudo bem quando recuperar Cora e receber o dinheiro. Eles estarão com a filha. E ele vai ter dois milhões e meio de dólares para colocar a empresa de volta nos eixos. Marco sorri ao pensar que está tirando dinheiro do sogro. Ele odeia aquele idiota.

Com essa quantia, ele terá como resolver os problemas de fluxo de caixa e expandir o negócio. Precisará injetar o capital na empresa por meio de um investidor anônimo em Bermudas. Ninguém nunca vai descobrir. Seu cúmplice, Bruce Neeland, vai receber metade do dinheiro e desaparecer.

Marco quase não levou o plano adiante. Quando a babá avisou, em cima da hora, que não iria, ele entrou em pânico. Quase cancelou tudo. Sabia que Katerina sempre dormia com os fones de ouvido enquanto cuidava de Cora. Em duas ocasiões, eles chegaram em casa antes da meia-noite e a flagraram cochilando no sofá da sala. Sabia também que não era fácil acordá-la. Anne não gostava disso. Achava que ela não era boa babá, mas era difícil conseguir alguém para ficar com a bebê, porque havia muitas crianças no bairro.

O plano era Marco sair para fumar à meia-noite e meia, entrar silenciosamente em casa, pegar a filha adormecida e sair com ela pela porta dos fundos enquanto Katerina cochilava. Se a babá acordasse e o visse chegando, ele diria que tinha ido dar uma olhada na menina, afinal, estava na casa ao lado. Se ela acordasse e o visse saindo com a bebê, ele diria que estava levando a filha rapidinho até a casa ao lado só para mostrá-la aos vizinhos. Em qualquer um dos casos, cancelaria o plano.

Se tudo tivesse dado certo, seria a história de uma criança raptada no próprio quarto enquanto a babá estava na sala.

Mas ela não pôde ir. Marco ficou desesperado e teve que improvisar. Convenceu Anne a deixar Cora em casa sob a condição de que os dois dessem uma olhada na filha a cada meia hora. O plano não teria sido viável se o monitor da babá eletrônica ainda estivesse funcionando, mas só com o áudio ele pensou que poderia dar certo. Quando fosse dar uma olhada nela, Marco sairia com Cora pelos fundos da casa e a levaria até o carro que o aguardava. Sabia que Anne e ele seriam criticados por terem deixado a filha sozinha em casa, mas achou que, no fim, tudo ficaria bem.

Se ele achasse que Cora corria algum perigo, nunca teria levado o plano adiante. Por dinheiro nenhum.

Os últimos dias foram muito difíceis, sem ver a filha. Sem poder segurá-la, beijar sua cabecinha, sentir o cheiro de sua pele. Sem poder ligar para saber se ela estava bem.

Sem saber o que estava acontecendo.

Marco repete para si mesmo que Cora está bem. Ele precisa apenas segurar as pontas. Logo tudo vai acabar. Eles terão a filha de volta, *além* do dinheiro. Lamenta sobretudo o mal que isso está fazendo a Anne, mas pensa que ela vai ficar tão feliz em recuperar a filha que talvez o rapto lhe dê uma nova perspectiva sobre a maternidade. Os últimos meses foram terríveis: Marco teve que lidar com os problemas financeiros e ver a esposa se afastando dele, perdida em sua própria ruína.

Foi tudo muito mais difícil do que o esperado. Quando Bruce Neeland não telefonou nas primeiras doze horas, Marco entrou em pânico. Os dois tinham combinado que o primeiro contato ocorreria em menos de doze horas. Na tarde de sábado, ainda sem notícias de Bruce, Marco ficou com medo de que ele tivesse se acovardado. O rapto de Cora havia tido muita repercussão na imprensa. E pior: Bruce não atendia ao celular para o qual Marco deveria ligar em caso de emergência. E não havia nenhuma outra forma de falar com ele.

Marco tinha entregado a filha a um cúmplice que não havia seguido o plano e com o qual não conseguira se comunicar. Estava enlouquecendo de preocupação. *Com certeza Bruce não faria mal a ela...*

Marco cogitou confessar tudo à polícia e contar o que sabia sobre Bruce Neeland, na esperança de que conseguissem localizá-lo e encontrar sua filha. Mas achou que isso seria muito arriscado para Cora. Portanto, decidiu esperar.

Até que o macacão chegou pelo correio. Ele sentiu um alívio inacreditável ao vê-lo. Deduziu que Bruce tinha ficado com medo de ligar para sua casa como planejado, mesmo com o celular não registrado. Devia estar preocupado com a polícia. Por isso encontrou outro jeito.

Em dois dias, tudo chegará ao fim. Marco vai levar o dinheiro ao ponto de encontro — que os dois combinaram previamente — e recuperar Cora. E, quando tudo tiver terminado, vai ligar para a polícia e dar uma descrição falsa de Bruce e seu carro.

Se havia um modo mais fácil de conseguir depressa dois milhões e meio de dólares, ele não conhecia. Deus sabe que tentou.

Os pais de Anne chegam com o dinheiro na manhã de quinta-feira. Cinco milhões de dólares em maços de notas de cem impossíveis de serem rastreadas. Os bancos usaram máquinas para contar tudo. Eles precisaram fazer das tripas coração para ter a quantia em mãos tão depressa. Foi difícil. Richard faz questão de deixar isso bem claro. O dinheiro ocupa um espaço surpreendentemente grande na sala. Richard colocou tudo em três bolsas grandes.

Marco mantém os olhos aflitos fixos na esposa, que está sentada no sofá, protegida sob a asa da mãe. Parece pequena e vulnerável. Marco quer que ela seja forte. Precisa que ela seja forte.

Lembra a si mesmo que ela está sob enorme pressão. Mais do que ele, se é que isso é possível. Ele está quase sofrendo um colapso mental de tanto estresse. E ele *sabe* o que está acontecendo. Ela não. Anne não tem certeza de que vão ter Cora de volta hoje; ela só tem a esperança. Ele, por sua vez, sabe que a filha estará em casa em duas ou três horas. Logo tudo isso vai terminar.

Bruce vai depositar a parte de Marco em uma conta fora do país, como combinado. Eles nunca mais vão se encontrar. Não haverá nada que ligue os dois. Marco vai se livrar de qualquer suspeita. Vai ter a filha de volta e dinheiro de que precisa.

De repente, Anne afasta-se do abraço da mãe e se levanta.

— Quero ir com você — anuncia ela.

Marco a encara, perplexo. Os olhos dela estão vidrados, e seu corpo treme. Está olhando para ele de maneira estranha. Por um instante, ele se pergunta se a esposa descobriu tudo. Impossível.

— Não, Anne — responde ele. — Eu vou sozinho. — Depois acrescenta com firmeza: — Já conversamos sobre isso. Não podemos mudar o plano agora.

Ele precisa que a esposa fique em casa.

— Posso esperar no carro — argumenta ela.

Ele dá um abraço apertado em Anne e murmura em seu ouvido:

— Shhh... Vai ficar tudo bem. Vou trazer Cora de volta, prometo.

— Você não pode prometer isso. Não pode! — A voz de Anne sai alta, estridente.

Marco, Alice e Richard olham para ela, assustados.

Marco a abraça até ela se acalmar, e dessa vez os pais se mantêm afastados, deixando que ele desempenhe o papel de marido. Por fim, ele solta a esposa, olha em seus olhos e diz:

— Anne, tenho que ir agora. Vou levar cerca de uma hora para chegar lá. Ligo assim que estiver com ela, está bem?

Anne, mais calma, assente, o rosto rígido de tensão.

Richard vai com Marco até o carro na garagem para levar o dinheiro. Eles saem pela porta dos fundos e colocam as bolsas no porta-malas do Audi. Em seguida, o trancam.

— Boa sorte — diz Richard, tenso. — Só entregue o dinheiro quando receber Cora. É o único trunfo que temos.

Marco assente e entra no carro. Olha para Richard.

— Não esqueça: nada de polícia até eu ligar.

— Pode deixar.

Marco não confia em Richard. Tem medo de que o sogro ligue para a polícia assim que ele sair. Pediu a Anne que não tirasse os olhos do pai — tinha acabado de sussurrar esse pedido em seu ouvido — e que não o deixasse ligar para a polícia até ele avisar que está com Cora. Quando Marco fizer a ligação, Bruce já estará longe. Mesmo assim, está preocupado. Anne não parece estar em seu juízo perfeito; ele não pode contar com ela. Richard pode ir até a cozinha e fazer a ligação do celular, e talvez ela nem note. Ou ele pode simplesmente telefonar para a polícia na frente dela, imagina Marco, nervoso. Ela não conseguiria impedi-lo.

Marco dá a partida no carro e desce a rua, dando início à longa viagem até o ponto de encontro. Está se aproximando do acesso à rodovia quando fica paralisado.

Foi terrivelmente idiota.

Talvez Richard já tenha contado à polícia. Eles podem estar vigiando tudo. Talvez todos já estejam sabendo, menos ele e Anne. Será que Alice contaria a Anne? Será que Richard contou a ela?

As mãos de Marco começam a suar no volante. Seu coração está acelerado, mas ele tenta pensar com clareza. Richard argumentou que deveriam avisar à polícia. Eles o convenceram do contrário. Quando Richard se deixou convencer de alguma coisa na vida? Ele quer recuperar Cora, mas é um homem precavido. E ele também gostaria de ter a possibilidade de reaver o dinheiro. Marco se sente mal.

O que deveria fazer? Não pode ligar para Bruce. Não tem como, porque Bruce não está atendendo o celular. Provavelmente está arrastando o comparsa para uma armadilha. A camisa de Marco está colada às costas quando ele chega à rodovia.

Capítulo Dezoito

MARCO TENTA SE acalmar e respira fundo, os nós dos dedos brancos ao segurar o volante.

Pode correr o risco e comparecer ao ponto de encontro, conforme o combinado. Talvez Richard não tenha contado à polícia. Assim, ele encontrará Cora no bebê conforto, na garagem abandonada, pegará a filha, deixará o dinheiro e sairá correndo dali.

Mas e se Richard alertou a polícia? Assim que ele pegar Cora, deixar o dinheiro e der o fora dali, Bruce irá até o local para buscar o dinheiro, e a polícia vai detê-lo. E se o comparsa der com a língua nos dentes? Marco vai passar um bom tempo na cadeia.

Ele poderia abortar o plano. Dar meia-volta e torcer para que Bruce mande outro recado pelo correio. Mas como explicaria isso à polícia? Como poderia não comparecer ao local combinado para buscar a própria filha raptada? Ele poderia ter algum problema com o carro, poderia chegar atrasado demais, perdendo assim a oportunidade. Então, se Bruce entrasse novamente em contato, Marco faria mais uma tentativa, sem contar os detalhes a Richard. Mas de jeito nenhum Richard deixaria o dinheiro com ele nesse meio-tempo. Merda. Ele não podia fazer nada sem que o sogro soubesse, porque Alice deixa o dinheiro sob os cuidados dele.

Não, ele precisa buscar Cora hoje. Precisa fazer isso. Não pode deixar que a situação se arraste ainda mais, aconteça o que acontecer.

Com a cabeça a mil, Marco se dá conta de que já se passou meia hora. Ele está na metade do caminho. Tem que tomar uma decisão. Pega a próxima saída na rodovia. Para o carro no acostamento, liga o pisca-alerta e pega o celular com as mãos trêmulas. Disca o número de Anne.

Ela atende ao telefone imediatamente.

— Você está com ela? — pergunta, ansiosa.

— Não, ainda não, ainda não está na hora — responde Marco. — Quero que você pergunte ao seu pai se ele contou algo à polícia.

— Ele não faria isso — retruca Anne.

— Pergunte a ele.

Marco ouve vozes ao fundo, então Anne volta ao telefone.

— Ele disse que não contou a ninguém. Não contou à polícia. Por quê?

Será que ele deveria acreditar em Richard?

— Coloque-o na linha.

— O que está acontecendo? — pergunta Richard ao telefone.

— Preciso confiar em você — diz Marco. — Preciso ter certeza de que você não falou com a polícia.

— Não falei com a polícia. Eu disse que não ia fazer isso.

— Diga a verdade. Se a polícia estiver de tocaia, eu não irei até lá. Não posso correr o risco de o sequestrador pressentir o perigo e matar Cora.

— Juro que não contei à polícia. Vá logo buscá-la, pelo amor de Deus!

Richard parece quase tão desesperado quanto ele.

Marco desliga e segue viagem.

Richard Dries anda de um lado para o outro na sala, o coração acelerado. Fita a esposa e a filha, encolhidas no sofá e, em seguida, desvia os olhos. Está nervoso e extremamente decepcionado com o genro.

Nunca gostou de Marco. E — pelo amor de Deus! — como ele pôde *cogitar* não ir ao local combinado? Estragaria tudo! Mais uma vez, Richard olha com preocupação para a esposa e a filha e continua andando de um lado para o outro.

Ele entende por que Marco acha que ele ligaria para a polícia. Quando o genro insistiu em não contar nada aos policiais, Richard discordou dele: sugeriu que contassem sobre o resgate, mas acabou convencido do contrário. Disse que cinco milhões de dólares é muito dinheiro, até mesmo para eles. Que não tinham certeza de que Cora ainda estava viva. Mas também prometeu não contar nada e cumpriu sua palavra. Não esperava que Marco duvidasse dele na última hora e arriscasse pôr tudo a perder não comparecendo ao local combinado.

Era melhor ele ir, porra. Há muita coisa em jogo para Marco se acovardar.

Meia hora depois, Marco estaciona o carro no local combinado. Para chegar ao ponto de encontro, ele dirigiu pela rodovia principal por uns trinta minutos e, em seguida, rumou para noroeste por uma rodovia secundária até uma estradinha de chão. O local fica no fim da estradinha: uma fazenda abandonada com uma velha garagem. Marco estaciona diante dela. O portão da garagem está fechado. O lugar parece deserto, mas Bruce deve estar por perto, à espreita.

Cora vai estar na garagem. Marco se sente aliviado: o pesadelo está quase no fim.

Ele sai do carro. Deixa o dinheiro no porta-malas e se aproxima do portão da garagem. Toca na maçaneta. Está emperrada, mas ele a puxa com força. O portão se abre com um rangido alto. Está escuro ali dentro, principalmente porque os olhos de Marco estão acostumados à claridade. Ele aguça os ouvidos. Nada. Talvez Cora esteja dormindo. Então vê um bebê conforto em um canto do chão de terra batida, com uma manta branca pendurada na alça. Reconhece a manta de Cora. Ele corre até o bebê conforto e a afasta.

Está vazio. Marco fica apavorado e cambaleia para trás. Tem a sensação de que todo o ar foi sugado de seu corpo. O bebê conforto está ali, a manta está ali, mas Cora não. É alguma brincadeira de mau gosto? Ou traição? O coração de Marco está tão acelerado que ele sente seus ouvidos latejarem. Ele escuta um barulho logo atrás de si e dá meia-volta, mas não é rápido o bastante. Sente uma dor aguda na cabeça e desaba no chão da garagem.

Quando recupera a consciência, alguns minutos depois — não sabe exatamente quantos —, levanta-se devagar. Está tonto, a cabeça dolorida. Sai cambaleando da garagem. O carro ainda está ali, o porta-malas aberto. Ele se aproxima. O dinheiro — cinco milhões de dólares — desapareceu. Claro. Marco foi deixado para trás com um carrinho de bebê e a manta de Cora. Sem Cora. O celular está no carro, no banco da frente, mas ele não suporta nem pensar em ligar para Anne.

Deveria ligar para a polícia, mas também não quer fazer isso.

É um idiota. Ele grita e desaba no chão.

Anne aguarda o telefonema do marido, impaciente. Afasta a mãe, retorcendo as mãos no colo, tamanha sua ansiedade. O que está acontecendo? Por que Marco está demorando tanto? Faz vinte minutos que ele deveria ter ligado. Deve ter alguma coisa errada.

Seus pais também estão agitados.

— O que ele está fazendo? — resmunga Richard. — Se não foi buscá-la porque está com medo de que eu tenha mandado a polícia até lá, vou estrangulá-lo com minhas próprias mãos.

— Será que devemos ligar para o celular dele? — sugere Anne.

— Não sei — responde Richard. — Vamos esperar mais alguns minutos.

Cinco minutos depois, ninguém aguenta mais o suspense.

— Vou ligar para Marco — decide Anne. — Ele devia ter resgatado Cora há meia hora. E se alguma coisa deu errado? Ele telefonaria, se pudesse. E se o mataram?! Alguma coisa horrível aconteceu!

A mãe de Anne se levanta e tenta abraçar a filha, mas Anne se desvencilha quase com violência.

— Vou ligar para ele — repete, digitando o número do marido.

O celular de Marco toca sem parar. Cai na caixa postal. Anne está atordoada demais para fazer qualquer coisa. Ela olha para o nada.

— Ele não atendeu.

Seu corpo está trêmulo.

— Agora precisamos chamar a polícia — sugere Richard. — Marco pode estar correndo perigo.

Ele pega o celular e procura o número do detetive na lista de contatos.

Rasbach atende no segundo toque.

— Aqui é Richard Dries. Meu genro saiu para levar o dinheiro do resgate ao sequestrador. Deveria ter nos ligado há meia hora. E não está atendendo ao celular. Estamos com medo de que alguma coisa tenha dado errado.

— Meu Deus, por que não nos avisaram? — questiona Rasbach.

— Não importa. Me passe as informações.

Richard rapidamente o deixa a par de tudo e revela o ponto de encontro. O bilhete original está com eles. Marco levou uma cópia para se orientar.

— Estou a caminho. Enquanto isso, vou pedir à polícia local que siga para lá o mais depressa possível — garante Rasbach. — Vamos nos falando.

Ele desliga.

— A polícia está indo para o local — informa Richard à filha.

— Só nos resta esperar.

— Não vou esperar — responde Anne. — Nos leve até lá no seu carro.

Marco ainda está sentado no chão de terra, encostado no pneu dianteiro do Audi, quando a viatura da polícia chega. Ele nem ergue a cabeça. Acabou. Cora deve estar morta. Ele foi enganado. Quem quer que esteja com ela pegou o dinheiro: já não há motivo para deixá-la viva.

Como pôde ter sido tão idiota? Por que confiou em Bruce Neeland? Não se lembra mais do motivo de ter confiado nele: sua mente sofreu um apagão, tamanho seu sofrimento e seu medo. Não lhe resta nada a fazer além de confessar. Anne vai odiá-lo. Ele sente muito. Por Cora, por Anne, pelo que fez com elas. As duas pessoas que mais ama no mundo.

Foi ganancioso. Convenceu a si mesmo de que não estava roubando ninguém, pois o dinheiro pertencia aos pais de Anne. Um dia ela herdaria tudo de qualquer forma, mas eles precisavam de uma parte naquele momento. Não era para ninguém se machucar. Quando ele e Bruce planejaram o rapto, ele nunca pensou que Cora pudesse correr perigo. Era para ser um crime sem vítimas.

Mas Cora sumiu. Ele não sabe o que Bruce fez com ela. E não sabe como encontrá-la.

Dois policiais uniformizados saem da viatura. Aproximam-se de Marco, que continua sentado ao lado do Audi.

— Marco Conti? — pergunta um dos policiais.

Ele não responde.

— O senhor está sozinho?

Ele o ignora. O policial fala alguma coisa pelo rádio enquanto seu parceiro se agacha ao lado de Marco e pergunta:

— O senhor está ferido?

Marco está em choque. Chorou muito, obviamente. O policial de pé guarda o rádio, saca o revólver e entra na garagem, temendo o pior. Vê o bebê conforto, a manta branca jogada no chão de terra, mas nenhuma criança. Corre para fora.

Marco continua em silêncio.

Logo aparecem outras viaturas, a sirene ligada. Uma ambulância chega ao local, e os paramédicos vão cuidar de Marco.

Pouco tempo depois, surge o carro do detetive Rasbach. Ele sai do veículo às pressas e conversa com o policial responsável.

— O que houve?

— Não sabemos. Ele não está falando nada. Tem um bebê conforto na garagem, mas não há sinal da criança. O porta-malas está aberto e vazio.

Rasbach assimila a cena.

— Caramba! — murmura ele.

Rasbach acompanha o policial até a garagem e vê o bebê conforto, a manta no chão. Sua reação imediata é sentir uma imensa compaixão pelo homem sentado no chão lá fora, seja ele culpado ou inocente. Era óbvio que esperava recuperar a filha. Se for o culpado, é um amador. Rasbach sai para a luz do sol, agacha-se e tenta olhar nos olhos de Marco, mas ele nem ergue o rosto para fitá-lo.

— Marco — chama o detetive —, o que aconteceu?

Ele sequer parece ouvi-lo.

De qualquer modo, Rasbach já imagina o que aconteceu. Marco saiu do carro, entrou na garagem com a esperança de encontrar a filha, e o sequestrador, que nunca teve a intenção de devolver a menina, o nocauteou e levou o dinheiro, deixando-o sozinho com seu sofrimento.

É provável que a bebê esteja morta.

Rasbach se levanta, pega o celular e, hesitante, liga para Anne.

— Sinto muito — diz. — Seu marido está bem, mas a bebê não está aqui. — Ele ouve o grito abafado dela se transformar num choro histérico. — Encontre-nos na delegacia.

Às vezes ele detesta seu trabalho.

Capítulo Dezenove

MARCO ESTÁ NA delegacia, na mesma sala de interrogatório, na mesma cadeira. Rasbach está sentado diante dele, exatamente como alguns dias atrás, quando Marco prestou seu depoimento. Jennings também está ao seu lado. Eles estão sendo gravados pela câmera, exatamente como da outra vez.

De algum modo, a imprensa já ficou sabendo do que aconteceu. Havia muitos repórteres em frente à delegacia quando trouxeram Marco. Eles tiraram fotos e estenderam seus microfones.

Não o algemaram. Marco ficou surpreso com isso, porque, em sua cabeça, já havia confessado tudo. Sentia-se tão culpado que não entendia como as pessoas não percebiam isso. Achou que não fora algemado por mera cortesia, ou que simplesmente consideravam uma atitude desnecessária. Afinal, claro que não lhe restavam forças para resistir. Era um homem derrotado. Não ia fugir. Para onde iria? Aonde quer que fosse, a culpa e o sofrimento o acompanhariam.

Permitiram que ele visse a esposa antes de ser encaminhado para a sala de interrogatório. Ela e os pais já estavam na delegacia. Marco ficou bastante abalado ao vê-la. O rosto de Anne deixava transparecer que ela havia perdido toda a esperança. Quando o viu, ela o abraçou e chorou em seu ombro como se ele fosse a última coisa no mundo à qual pudesse se agarrar, como se fosse tudo que lhe restasse. Eles ficaram abraçados, chorando. Duas pessoas despedaçadas, mas uma delas era uma mentirosa.

Então conduziram-no à sala de interrogatório para que ele desse seu depoimento.

— Sinto muito — começa Rasbach.

E é verdade.

Contra a própria vontade, Marco ergue a cabeça.

— Levamos o bebê conforto e a manta para a perícia forense. Talvez descubram alguma pista.

Marco permanece em silêncio, curvado na cadeira.

Rasbach se inclina para a frente.

— Marco, por que você não nos conta o que está acontecendo?

Ele encara o detetive, que sempre o deixou irritado. Ao olhar para Rasbach, Marco acaba perdendo toda a vontade de confessar. Endireita-se na cadeira.

— Eu levei o dinheiro. Cora não estava lá. Alguém me atacou quando eu estava na garagem e levou o dinheiro do porta-malas.

O fato de estar sendo interrogado por Rasbach naquela sala e a sensação de estar sendo observado de perto aguçam a mente de Marco. Ele está pensando com mais clareza agora do que quando tudo deu errado, cerca de uma hora antes. Sente a adrenalina em seu corpo. De repente, está pensando em sua sobrevivência. Percebe que, se disser a verdade, isso não vai só destruí-lo, como também vai acabar com Anne. Ela nunca suportaria tamanha deslealdade. Ele precisa insistir na ficção de sua inocência. Os policiais não têm nenhuma prova contra ele. Rasbach evidentemente tem suas suspeitas, mas nada além disso.

— Você viu o homem que o atacou? — pergunta o detetive.

Ele está dando batidinhas com a caneta na mão, um sinal de impaciência que Marco ainda não tinha notado.

— Não. Ele me atacou por trás. Não vi nada.

— Era só uma pessoa?

— Acho que sim. — Marco faz uma pausa. — Não sei.

— Tem mais alguma coisa a dizer? Ele disse algo?

Rasbach está claramente frustrado com Marco.

Marco nega com a cabeça.

— Não, nada.

Rasbach afasta a cadeira e se levanta. Anda pela sala, esfregando a nuca, tenso. Depois se vira e encara Marco.

— Parece que havia outro carro estacionado no mato, atrás da garagem. Você o viu ou ouviu?

Marco faz que não com a cabeça.

Rasbach volta à mesa, apoia as mãos nela, inclina-se para a frente e encara Marco.

— Preciso te dizer uma coisa — murmura. — Acho que sua filha está morta.

Marco abaixa a cabeça. Sente as lágrimas brotarem.

— E acho que você é o responsável.

Marco volta a erguer a cabeça.

— Não tive nada a ver com isso!

Rasbach não diz nada. Aguarda.

— O que faz você pensar que *eu* tive alguma coisa a ver com isso? — indaga Marco. — Minha filha sumiu.

Ele começa a chorar. Não precisa fingir. Seu sofrimento é real.

— É tudo uma questão de cronologia, Marco. Você foi dar uma olhada na sua filha à meia-noite e meia. Todo mundo concorda com isso.

— E daí? — pergunta ele.

— E daí que tenho provas de que um carro desconhecido esteve recentemente em sua garagem. E tenho uma testemunha que viu um carro passando pela rua, vindo da direção da sua garagem, à meia-noite e trinta e cinco.

— Mas por que acha que isso tem alguma coisa a ver comigo? — protesta Marco. — Você nem sabe se esse carro tem alguma relação com o desaparecimento de Cora. O sequestrador pode muito bem ter saído pela porta da frente, à uma da manhã.

Mas Marco sabe que não adiantou deixar a porta da frente entreaberta: isso não enganou o detetive. Se ao menos ele tivesse se lembrado de ajeitar a lâmpada com o sensor de movimento... Rasbach se afasta da mesa e fica de pé. Encara Marco.

— O sensor de movimento na lâmpada nos fundos não estava funcionando. Você foi para casa à meia-noite e meia. Um carro desceu a rua vindo da sua garagem à meia-noite e trinta e cinco. *Com os faróis apagados.*

— E daí? É só isso que vocês têm?

— Não há nenhum indício de que um estranho tenha entrado na casa ou no quintal. Se algum desconhecido tivesse vindo pelo quintal para pegar sua filha, haveria pegadas. Mas não há. Só há pegadas suas lá, Marco. — Ele se debruça novamente na mesa, para dar ênfase às suas palavras. — Acho que você levou a bebê até um carro que aguardava na garagem.

Marco não diz nada.

— Sabemos que sua empresa está enfrentando dificuldades.

— Eu mesmo disse isso! E você acha que isso é motivo suficiente para me fazer sequestrar minha própria filha? — retruca Marco, desesperado.

— Pessoas já foram raptadas por menos que isso — responde o detetive.

— Vou te dizer uma coisa — murmura Marco, inclinando-se para a frente e enfrentando o olhar de Rasbach. — Eu amo minha filha mais do que tudo no mundo. Amo minha esposa e me preocupo muito com o bem-estar das duas. — Ele se recosta na cadeira. Reflete por um instante antes de acrescentar: — E tenho sogros muito ricos que sempre foram muito generosos. Provavelmente nos dariam a quantia que fosse, se Anne pedisse. Então por que eu raptaria minha filha?

Rasbach o observa, semicerrando os olhos.

— Vou interrogar seus sogros. E sua esposa. E todas as pessoas que você conhece.

— Fique à vontade — diz Marco. Sabe que não está se comportando muito bem, mas não consegue se conter. — Estou liberado para ir embora?

— Está, sim — concorda o detetive. — Por enquanto.
— Eu deveria arranjar um advogado? — pergunta Marco.
— Você que sabe.

O detetive Rasbach volta à sua sala para pensar. Caso se trate de um falso sequestro orquestrado por Marco, ele evidentemente se envolveu com criminosos de verdade, que se aproveitaram dele. Rasbach quase sente pena do homem. Sem dúvida, sente pena da esposa, que está completamente atordoada. Se Marco de fato armou tudo isso e foi enganado, sua bebê certamente está morta, o dinheiro foi levado, e a polícia suspeita de que ele seja o sequestrador. É um mistério que ainda esteja segurando as pontas.

Mas o detetive está incomodado. Tem a babá, um problema que continua sem solução para ele. E por que alguém que provavelmente conseguiria dinheiro fácil, bastava pedir, arriscaria tudo com algo tão idiota e perigoso quanto um sequestro?

E ainda há a informação desconcertante que descobriram recentemente sobre Anne, sua propensão à violência. Quanto mais Rasbach se envolve no caso, mais complicado ele parece. O detetive precisa descobrir a verdade.

Está na hora de interrogar os pais de Anne.

E, pela manhã, vai conversar com a própria Anne novamente.

Ele vai descobrir tudo. A verdade está por aí. Sempre está. Basta encontrá-la.

Anne e Marco estão sozinhos em casa. O lugar está vazio, com exceção dos dois, de seus sofrimentos, seu pavor e seus pensamentos sombrios. Seria difícil dizer qual deles parece mais abalado. Eles se sentem atordoados, sem saber o que aconteceu com a filha. Esperam desesperadamente que ela ainda esteja viva, mas pouquíssimos indícios sustentam essa esperança. Tentam fingir um para o outro. E Marco tem motivos extras para isso.

Anne não sabe por que culpa mais a si mesma do que o marido. Assim que tudo aconteceu, assim que a filha foi raptada, ela o culpou, porque foi ele quem a convenceu a deixar Cora sozinha em casa. Se tivessem levado a filha para a casa ao lado, nada disso teria ocorrido. Ela disse a si mesma que nunca iria perdoá-lo se Cora não voltasse ilesa para casa.

No entanto, os dois estão ali. Anne não sabe por que se agarra a ele, mas é o que está fazendo. Talvez porque não tenha mais nada a que se agarrar. Já nem sabe mais se ainda o ama. Nunca vai perdoá-lo por beijar Cynthia.

Talvez esteja se agarrando ao marido porque ninguém além dele sente ou compreende sua dor. Ou talvez porque ele pelo menos acredita em sua inocência. Sabe que a esposa não matou a filha deles. Até sua mãe suspeitava dela antes que o macacão chegasse pelo correio. Anne tem certeza disso.

Os dois vão para a cama e ficam deitados sem dormir por muito tempo. Por fim, Marco adormece, mas é um sono agitado. Anne está inquieta demais para ter sono. Sai da cama, desce a escada e fica andando pela casa com uma agitação crescente.

Começa a vasculhar a casa, mas sem saber o que está procurando e fica cada vez mais transtornada. Fica perambulando, com os pensamentos a mil. Está procurando algo que incrimine seu marido infiel, mas também está procurando a filha. Não consegue distinguir muito bem as coisas.

Sua cabeça continua a mil, e seus pensamentos se tornam menos racionais; sua mente vai longe. Não é que as coisas não façam sentido quando ela está assim: às vezes, fazem *mais* sentido. Fazem sentido da mesma maneira que os sonhos. Só quando o sonho termina é que percebemos como tudo era estranho e que, na verdade, ele não fazia sentido algum.

Anne não encontrou nenhuma carta, nenhum e-mail de Cynthia no laptop de Marco, nenhuma calcinha de outra mulher na casa. Ela não encontrou nenhum recibo de motel nem cartelas de fósforos de algum bar. Por outro lado, achou informações preocupantes sobre a situação financeira deles, mas isso não lhe interessa agora. Ela quer saber o que está acontecendo entre Marco e Cynthia e o que isso tem a ver com o desaparecimento de Cora. *Será que Cynthia raptou Cora?*

Quanto mais pensa nisso, mais a ideia parece fazer sentido em sua mente delirante. Cynthia não gosta de crianças. Cynthia é o tipo de pessoa que faria mal a uma criança. É fria. E não gosta mais de Anne. Quer o seu mal. Quer roubar seu marido e sua filha e ver seu sofrimento, só porque é capaz de fazer isso.

Por fim, exausta, Anne adormece no sofá da sala.

Na manhã seguinte, acorda cedo e toma banho antes que Marco possa perceber que ela passou a noite no sofá. Veste uma legging preta e uma camiseta como se estivesse em transe, assustada.

Fica paralisada ao pensar na polícia, ao pensar em ser interrogada por Rasbach de novo. Ele não faz ideia de onde Cora está, mas pelo visto acha que eles sabem. No dia anterior, depois de colher o depoimento de Marco, o detetive pediu que ela fosse à delegacia pela manhã. Anne não quer ir. Não sabe por que ele quer conversar de novo com ela. O que ele ganha revirando os mesmos fatos do avesso?

Da cama, recostado nos travesseiros, Marco observa, inexpressivo, a esposa se vestindo.

— Tenho mesmo que ir? — pergunta ela.

Se pudesse, ela não iria. Não sabe quais são seus direitos. Será que poderia se recusar a ir até a delegacia?

— Acho que você não é obrigada, não — responde Marco. — Não sei. Talvez esteja na hora de procurarmos um advogado.

— Mas isso vai causar uma má impressão — retruca Anne, preocupada. — Não vai?

— Não sei — admite Marco. — Acho que já causamos uma má impressão.

Anne se aproxima da cama e olha para o marido. Vê-lo desse jeito, tão infeliz, partiria seu coração, caso ele já não estivesse partido.

— Talvez eu devesse conversar com meus pais. Eles arranjariam um bom advogado para a gente. Mas é ridículo pensar que realmente precisamos de um.

— Talvez seja uma boa ideia — concorda Marco, apreensivo. — Como eu te disse ontem à noite, Rasbach continua desconfiado. Acha que planejamos tudo.

— Como ele pode pensar isso depois de ontem? — protesta Anne, com a voz trêmula. — Por quê? Só porque um carro passou pela rua na mesma hora em que você foi dar uma olhada em Cora?

— Parece que essa é a pista principal.

— Eu vou à delegacia — decide Anne, por fim. — Ele marcou às dez horas.

Marco assente, cansado.

— Vou com você.

— Não precisa — retruca Anne, sem convicção. — Posso ligar para minha mãe.

— Claro que vou. Você não pode enfrentar aquela gente sozinha. Deixe só eu me vestir, e então levo você — diz Marco, se levantando.

Anne o observa dirigir-se à cômoda, apenas de cueca. Ele está bem mais magro... Dá para ver o contorno das suas costelas. Ela se sente aliviada por ele acompanhá-la à delegacia. Não quer ligar para a mãe e acha que não consegue fazer isso sozinha. Além do mais, considera importante que ela e Marco sejam vistos juntos, que pareçam unidos.

Depois do fiasco do dia anterior, os repórteres voltaram à casa deles. Anne e Marco precisam afastá-los para chegar ao táxi — a polícia ainda está com o Audi —, e dessa vez não há policiais para ajudá-los. Assim que conseguem entrar no carro, Anne trava as portas. Sente-se encurralada: todos aqueles rostos colados nas janelas. Encolhe-se, mas mantém a cabeça erguida. Marco xinga todos eles em voz baixa.

Anne olha em silêncio pela janela assim que os repórteres ficam para trás. Não entende como podem ser tão cruéis. Será que nenhum deles é pai? Será que não conseguem imaginar, nem por um instante, a dor que é não saber onde está o filho? Passar a noite acordado com saudade do filho, imaginando seu corpinho imóvel, de olhos fechados, sem vida?

Eles seguem beirando o rio até chegar à delegacia. Assim que Anne a vê, sente o corpo enrijecer. Quer fugir. Mas Marco está ao seu lado. Ajuda a esposa a sair do táxi e a acompanha ao prédio, com a mão em seu cotovelo.

Enquanto aguardam na recepção, ele cochicha em seu ouvido:

— Está tudo bem. Eles podem tentar te assustar, mas você sabe que não fizemos nada errado. Vou ficar aqui fora te esperando. — Marco dá um sorrisinho encorajador. Ela assente para o marido, que apoia a mão em seus ombros e olha em seus olhos. — Pode ser que tentem nos jogar um contra o outro, Anne. Talvez falem mal de mim.

— Como assim, talvez falem mal de você?

Ele dá de ombros e desvia o olhar.

— Sei lá, mas tome cuidado. Não se deixe abalar.

Anne assente, mas agora está mais preocupada do que antes. Nesse instante, o detetive Rasbach se aproxima. Não sorri.

— Obrigado por ter vindo. Por aqui, por favor.

Rasbach conduz Anne à mesma sala de interrogatório onde seu marido prestou depoimento. Marco fica sozinho na recepção. Ela se detém na porta da sala de interrogatório e se vira para olhar para o marido. Ele sorri para ela, um sorriso nervoso.

Anne entra.

Capítulo Vinte

ANNE SE SENTA na cadeira que lhe é oferecida. Sente os joelhos fraquejarem. Jennings pergunta se ela aceita uma xícara de café, mas ela recusa, porque tem medo de derramá-lo. Está mais apreensiva agora do que na última vez em que foi interrogada. Não entende por que os policiais estão desconfiando tanto dela e de Marco. Deveriam estar *menos* desconfiados depois que receberam o macacão pelo correio e que o dinheiro foi roubado. É óbvio que a bebê está com outra pessoa.

Os detetives se sentam diante dela.

— Sinto muito por ontem — começa Rasbach.

Ela não diz nada. Sua boca está seca. Entrelaça as mãos no colo.

— Por favor, fique tranquila — pede o detetive com delicadeza.

Anne assente, nervosa, e não consegue relaxar. Não confia em Rasbach.

— Só tenho algumas perguntas sobre o que aconteceu ontem — diz ele.

Anne assente de novo, passando a língua rapidamente pelos lábios.

— Por que não nos ligaram quando receberam o pacote pelo correio? — pergunta o detetive, com um tom de voz cordial.

— Achamos arriscado demais — responde Anne. Ela pigarreia.

— O bilhete dizia que não podíamos falar nada com a polícia.

Anne pega a garrafa d'água que deixaram para ela na mesa. Atrapalha-se ao abri-la. Sua mão treme um pouco ao levá-la aos lábios.

— A senhora achou isso? — pergunta Rasbach. — Ou seu marido?

— Nós dois.

— Por que tocou tanto no macacão? Qualquer evidência que ele poderia ter foi contaminada, infelizmente.

— É, eu sei, desculpe. Eu não estava raciocinando direito. O macacão tinha o cheiro de Cora, por isso o carreguei comigo pela casa, para tê-la perto de mim. — Anne começa a chorar. — O macacão a trouxe de volta. Era como se ela estivesse ali no berço, dormindo. Como se nada disso tivesse acontecido.

— Entendo. Vamos submeter a roupinha e o bilhete a todas as análises possíveis.

— Você acha que ela está morta, não acha? — pergunta Anne, encarando-o.

Rasbach sustenta o olhar.

— Não sei. Pode ser que esteja viva. Não vamos parar de procurá-la.

Anne pega um lenço na caixa em cima da mesa e enxuga os olhos.

— Eu estive pensando na sua babá... — diz Rasbach, recostando-se casualmente na cadeira.

— Na nossa babá? Por quê? — Anne parece surpresa. — Ela nem foi trabalhar naquela noite.

— Eu sei. Só estou curioso. Ela é uma boa babá?

Anne dá de ombros, sem saber aonde essa conversa vai dar.

— Ela é boa com Cora. Obviamente gosta de bebês. E muitas adolescentes não gostam de crianças. Só cuidam delas para ganhar dinheiro. — Ela pensa em Katerina por um instante. — Podemos contar com ela. Não é culpa dela que a avó tenha morrido. Mas... se isso não tivesse acontecido, talvez ainda estivéssemos com Cora.

— Deixe-me perguntar uma coisa: se alguém estivesse precisando de uma babá, a senhora a recomendaria?

Anne morde o lábio.

— Não, acho que não. Ela dorme escutando música nos fones de ouvido. Uma vez, quando chegamos em casa, precisamos acordá-la. Por isso eu não a recomendaria.

Rasbach faz uma anotação. Ergue a cabeça.

— E o seu marido?

— O que tem o meu marido?

— Que tipo de homem ele é?

— Um homem bom — responde Anne com firmeza, endireitando-se na cadeira. — É carinhoso e generoso. É inteligente, atencioso e trabalhador. — Ela se detém, então se apressa a acrescentar: — É a melhor coisa que já aconteceu comigo, além de Cora.

— Ele é um bom provedor?

— Sim.

— Por que a senhora diz isso?

— Porque é verdade.

— Mas também não é verdade que seus pais montaram a empresa do seu marido? E a senhora mesma disse que eles compraram a casa onde vocês moram.

— Calma aí! — protesta Anne. — Meus pais não "montaram a empresa do meu marido", como você disse. Marco é formado em ciência da computação e em administração. Abriu o próprio negócio e conseguiu ser bem-sucedido por conta própria. Meus pais só investiram no negócio depois. Ele já estava indo muito bem. Não se pode culpar Marco por ele ser um ótimo empresário.

Ao dizer isso, Anne se lembra das informações sobre a situação financeira deles que viu no dia anterior no computador de Marco. Não investigou nada a fundo nem perguntou ao marido do que se tratava aquilo. Agora está na dúvida se acabou de mentir para a polícia.

— A senhora acredita que seu marido é sincero?

Anne enrubesce. E sente raiva disso, porque se entregou. Então demora um tempo para responder.

— Acredito que sim... — hesita ela. — Na maior parte do tempo.

— Na maior parte do tempo? Sinceridade deveria ser uma qualidade em tempo integral, não? — pergunta Rasbach, inclinando-se um pouco para a frente.

— Eu ouvi a conversa de vocês — confessa Anne de repente. — Na noite seguinte ao sequestro. Eu estava no topo da escada. Ouvi você confrontando Marco sobre o beijo que ele deu em Cynthia. Ela disse que Marco a agarrou, e ele negou.

— Sinto muito. Não sabia que a senhora estava ouvindo.

— Também sinto muito. Preferia não saber.

Ela olha para as próprias mãos no colo, segurando o lenço amassado.

— A senhora acha que ele deu em cima de Cynthia ou que foi o contrário, como Marco disse?

Anne revira o lenço nas mãos.

— Não sei. Os dois têm culpa. — Ela encara o detetive. — Nunca vou perdoá-los — afirma, com rancor.

— Vamos voltar um pouco. A senhora disse que seu marido é um bom provedor. Ele costuma comentar com a senhora sobre a situação da empresa?

Ela rasga o lenço em pedacinhos.

— Não tenho demonstrado muito interesse pela empresa — confessa ela. — Eu estava focada demais na minha filha.

— Ele não tem comentado sobre o andamento dos negócios?

— Ultimamente não.

— A senhora não acha isso um pouco estranho?

— Nem um pouco — responde Anne, pensando que de fato é estranho. — Eu estava muito ocupada com Cora. — Sua voz falha.

— As marcas de pneu na sua garagem não correspondem aos pneus do Audi — observa o detetive. — Alguém usou a garagem pouco antes do sequestro. A senhora viu a bebê no berço à meia--noite. Marco esteve com ela à meia-noite e meia. Uma testemunha viu um carro passando na rua, vindo da direção da sua garagem, à meia-noite e trinta e cinco. Não há nenhum indício de que outra pessoa tenha entrado na casa ou no quintal. Talvez, à meia-noite e meia, Marco tenha entregado a menina a um cúmplice, que o aguardava em um carro.

— Isso é ridículo! — exclama Anne, erguendo o tom de voz.

— A senhora faz ideia de quem poderia ser esse cúmplice? — insiste Rasbach.

— Você está enganado.

— Estou?

— Está. Marco não raptou Cora.

— Deixe-me dizer uma coisa — murmura Rasbach, inclinando-se para a frente. — A empresa do seu marido está numa situação delicada. Extremamente delicada.

Anne sente o rosto empalidecer.

— Está? — pergunta.

— Infelizmente sim.

— Para ser sincera, detetive, não me importo se a empresa dele está passando por dificuldades. Nossa filha desapareceu. Nós dois não estamos preocupados com dinheiro agora.

— Só que...

Rasbach se detém, como se tivesse mudado de ideia sobre o que ia dizer. Olha para Jennings.

— O que foi? — indaga Anne, nervosa, olhando de um detetive para o outro.

— Só que eu vejo coisas em seu marido que talvez a senhora não veja — conclui Rasbach.

Anne não quer cair nessa, mas o detetive não diz mais nada, deixando o silêncio se prolongar. Ela não tem escolha.

— Como o quê?

— A senhora não acha que é um pouco inescrupuloso da parte dele não falar a verdade sobre a empresa? — pergunta Rasbach.

— Se eu não demonstro interesse, não. Marco provavelmente estava tentando me proteger, por causa da depressão. — Rasbach não diz nada, apenas a encara com seus penetrantes olhos azuis.

— Marco não é inescrupuloso — insiste Anne.

— E a relação dele com seus pais? De Marco com seu pai? — indaga Rasbach.

— Eu já disse, eles não se dão bem. Mas se toleram por minha causa. Isso é culpa dos meus pais. Nada que Marco faz é bom o bastante. Eu poderia ter me casado com qualquer outro homem e seria a mesma coisa.

— Por que você acha que é assim?

— Não sei. Eles são desse jeito. Superprotetores... É difícil agradá-los. Talvez seja assim porque sou filha única. — Ela reduziu o lenço de papel no colo a pedacinhos. — Enfim, a situação da empresa não importa. Meus pais têm muito dinheiro. Sempre poderão nos ajudar, se precisarmos.

— Será que eles ajudariam mesmo?

— Claro que sim. Basta eu pedir. Meus pais nunca me negaram nada. Arranjaram cinco milhões de dólares de uma hora para outra por causa de Cora.

— É verdade. — O detetive faz uma pausa, então acrescenta: — Tentei marcar um encontro com a Dra. Lumsden, mas parece que ela está viajando.

Anne sente o rosto empalidecer, mas se obriga a manter a compostura. Sabe que ele não pode ter falado com a Dra. Lumsden. Mesmo depois que voltar de viagem, a psiquiatra não vai falar nada sobre ela ao detetive.

— Ela não vai dizer nada sobre mim — retruca Anne. — Não pode. É minha médica, e você sabe disso. Por que está brincando assim comigo?

— Tem razão. Não posso obrigar sua psiquiatra a quebrar o sigilo médico-paciente.

Anne se recosta na cadeira e olha, irritada, para o detetive.

— Mas tem alguma coisa que a *senhora* gostaria de me contar? — pergunta Rasbach.

— Por que eu falaria com você sobre minhas sessões de terapia? Não são da sua conta — responde Anne, amargurada. — Tenho depressão pós-parto, como muitas mães de primeira viagem. Isso não quer dizer que machuquei minha filha. Não há nada que eu queira mais do que tê-la de volta.

— Não consigo descartar a possibilidade de que Marco tenha dado um jeito de se livrar de Cora para acobertar a senhora, caso a tenha matado.

— Isso é loucura! E como você explica o macacão que veio pelo correio e o roubo do dinheiro do resgate?

— Marco pode ter simulado o sequestro depois que a menina já estava morta. E o bebê conforto vazio, o golpe na cabeça... talvez seja tudo fachada.

Ela olha para ele, incrédula.

— Que absurdo! Eu não machuquei minha filha, detetive.

Rasbach revira a caneta na mão, observando-a.

— Interrogamos sua mãe mais cedo.

Anne sente a sala girar.

Capítulo Vinte e Um

RASBACH OBSERVA ANNE com atenção, com medo de que ela possa desmaiar. Espera ela pegar a garrafa d'água e seu rosto recuperar um pouco de cor.

Não há nada que ele possa fazer em relação à psiquiatra. Está de mãos atadas. Não arrancou nenhuma informação da mãe, mas Anne obviamente teme que ela tenha dito alguma coisa. Rasbach sabe muito bem do que ela tem tanto medo.

— O que a senhora acha que sua mãe me disse? — pergunta.

— Acho que ela não disse nada — responde Anne bruscamente. — Não há nada a ser dito.

Ele a observa por um instante. Pensa em como é diferente da mãe, uma mulher muito tranquila, envolvida em organizações sociais e instituições de caridade, bem mais esperta do que a filha. E menos emotiva, mais racional. Alice Dries entrou na sala de interrogatório, sorriu com frieza, disse seu nome e anunciou que não tinha nada a declarar. Foi uma conversa breve.

— Ela não me avisou que viria — diz Anne.

— Não?

— O que ela disse?

— A senhora tem razão, ela não disse nada — admite Rasbach.

Anne sorri pela primeira vez durante o interrogatório, mas é um sorriso amargo.

— Mas conversei com uma antiga colega de colégio sua. Janice Foegle.

Anne fica imóvel, como um animal que sente a presença de um predador. Levanta-se abruptamente, arrastando a cadeira e surpreendendo Rasbach e Jennings.

— Não tenho mais nada a declarar.

Ela se junta ao marido na recepção. Marco nota sua aflição e a abraça de modo protetor. Anne sente os olhos de Rasbach fixos neles, observando os dois irem embora. Ela não diz nada ao sair da delegacia. Quando os dois estão na rua, chamando o táxi, ela diz:

— Acho que está na hora de contratarmos um advogado.

Rasbach está pressionando-os, e pelo visto não pretende parar. A situação chegou a tal ponto que, embora Anne e Marco não tenham sido oficialmente acusados, sabem que estão sendo tratados como suspeitos.

Marco está ansioso para saber o que aconteceu durante o interrogatório de Anne. Ela estava em pânico ao sair da sala. Alguma coisa a assustou a ponto de ela querer um advogado o mais depressa possível. Marco tentou descobrir o que foi, mas ela foi vaga, evasiva. *O que ela está escondendo?* Isso o deixa ainda mais nervoso.

Quando os dois chegam em casa e passam pela multidão de repórteres, Anne sugere chamar os pais para que discutam a contratação de um advogado.

— Por que precisamos chamar seus pais? — questiona Marco. — Podemos encontrar um advogado sem a ajuda deles.

— Um bom advogado custa caro — argumenta Anne.

Marco dá de ombros, e Anne liga para os pais.

Richard e Alice chegam pouco depois. A notícia de que eles já estão sondando os melhores advogados que o dinheiro pode pagar não é recebida com surpresa.

— Sinto muito que a situação tenha chegado a esse ponto, Anne — lamenta o pai.

Os quatro estão sentados à mesa da cozinha, o sol vespertino entrando pela janela, iluminando a mesa de madeira. Anne fez café.

— Também achamos que é uma boa ideia contratar um advogado — observa Alice. — Vocês não podem confiar na polícia.

Anne a encara.

— Por que você não me contou que foi interrogada hoje de manhã?

— Não havia necessidade, e eu não queria preocupar você — responde Alice, acariciando a mão da filha. — Só falei meu nome e disse que não tinha nada a declarar. Não vou deixá-los me intimidar. Só fiquei lá uns cinco minutos.

— Também me interrogaram — comenta Richard. — E também não arrancaram nada de mim. — Ele se vira para Marco. — Afinal, o que eu poderia dizer?

Marco sente uma pontada de medo. Não confia em Richard. Mas será que o sogro é capaz de dizer alguma coisa à polícia que possa prejudicá-lo?

Richard se volta para Anne.

— Não a acusaram de nada, e acho que não vão fazer isso: não vejo como. Mas concordo com sua mãe. Se você estiver sendo representada por um excelente advogado, vão parar de chamá-la o tempo todo para ser interrogada e vão se concentrar em quem realmente raptou Cora.

Durante toda a conversa em torno da mesa da cozinha, Richard se comporta com mais frieza do que o normal em relação a Marco. Mal olha para o genro. Todos notam. Mas ninguém percebe isso com tanta clareza quanto Marco. *Como ele está sendo estoico com o fato de eu ter perdido seus cinco milhões de dólares*, pensa. *Não mencionou isso nem uma vez. Não precisa.* Mas Marco sabe o que Richard está pensando: *Meu genro inútil estragou tudo de novo.* Imagina o sogro sentado no salão do country club, tomando uma bebida cara, contando aos amigos ricos o que aconteceu. Comentando com eles que seu genro é um imbecil e que, por causa dele, perdeu cinco milhões de dólares suados e a única neta. E o pior de tudo é que Marco admite que, dessa vez, é verdade.

— Para ser sincero, hoje de manhã tomamos a liberdade de contratá-lo — continua Richard.

— Quem? — pergunta Anne.

— Aubrey West.

Marco o encara, nada satisfeito.

— Sério?

— Ele é um dos melhores advogados criminalistas do país — observa Richard, aumentando um pouco o tom de voz. — E nós é que vamos pagar os honorários. Algum problema?

Anne olha para o marido, implorando em silêncio que ele aceite o presente.

— Talvez — responde Marco.

— O que há de errado em termos o melhor advogado? — pergunta Anne. — Não se preocupe com dinheiro, Marco.

— Não é com isso que estou preocupado. Só que me parece exagero. Como se fôssemos culpados e precisássemos de um advogado muito famoso por atuar em grandes casos de assassinato. Isso não nos iguala a seus outros clientes? Não passa uma má impressão?

Faz-se silêncio em torno da mesa enquanto todos pensam por um instante no comentário feito por Marco. Anne está preocupada. Não tinha considerado essa possibilidade.

— Ele limpa a barra de muita gente culpada... E daí? É o trabalho dele — argumenta Richard.

— O que você quer dizer com isso? — pergunta Marco, com um tom de voz ligeiramente ameaçador. Anne parece prestes a passar mal. — Você acha que fomos *nós*?

— Não seja ridículo — objeta Richard, enrubescendo. — Só estou sendo prático. Vocês devem ter o melhor advogado. A polícia quer incriminar vocês.

— Claro que não achamos que vocês têm alguma coisa a ver com o desaparecimento de Cora — intervém Alice, olhando para o marido, em vez de olhar para o casal. — Mas vocês estão sendo atacados pela imprensa. Talvez esse advogado consiga dar um basta nisso. E acho que vocês também estão sendo perseguidos pela polícia, que não fez nenhuma acusação formal, mas fica exigindo que compareçam à delegacia sob o pretexto de prestarem depoimentos. Isso precisa parar. É perseguição.

— A polícia não tem nada que possa ser usado contra vocês, então talvez logo desista — acrescenta Richard. — Mas o advogado está lá, caso vocês precisem dele.

Anne se vira para Marco.

— Acho que devíamos aceitar a oferta.

— Tudo bem — diz Marco. — Tanto faz.

Faz dias que Cynthia e Graham não param de discutir. O fatídico jantar aconteceu há uma semana, e eles continuam discutindo. Graham prefere fingir que o vídeo não existe ou, melhor, quer destruí-lo. É o mais seguro a fazer. Mas fica aflito, porque sabe que o correto seria mostrá-lo à polícia. Porém, não é legal do ponto de vista jurídico filmar pessoas fazendo sexo sem o consentimento delas, e é isso que eles têm feito. O vídeo mostra Cynthia no colo de Marco, os dois se divertindo. Se Graham e Cynthia forem indiciados, vai ser catastrófico para a carreira de Graham. Ele é tesoureiro de uma grande empresa muito conservadora. Se isso virar notícia, será seu fim.

Cynthia não está interessada em fazer o que é certo. Para ela, o que importa é que o vídeo mostra Marco entrando em casa à meia-noite e trinta e um na madrugada do sequestro e saindo à meia-noite e trinta e três pela porta dos fundos com a filha no colo. Ele passa um minuto na garagem e surge novamente no quintal dos Stillwell. Pouco tempo depois, começa o pornô soft.

Graham ficou perplexo com o fato de o vizinho ter raptado a própria filha, mas está indeciso, confuso. Queria fazer a coisa certa, mas não quer se meter em confusão. E agora é tarde demais para procurar a polícia. Os detetives perguntariam por que eles demoraram tanto a agir. Ele e Cynthia se meteriam numa encrenca ainda maior do que se tivessem usado a câmera escondida apenas para filmar atos sexuais: poderiam ser acusados de terem ocultado provas ou algo parecido. Por isso Graham quer fingir que o vídeo não existe. Quer destruí-lo.

Cynthia tem seus próprios motivos para não mostrar o vídeo à polícia. Ela tem em mãos algo que incrimina Marco, e isso deve valer alguma coisa.

Vai contar a ele sobre o vídeo. Tem certeza de que o vizinho vai pagar uma fortuna por isso. Não há necessidade de dizer nada a Graham.

É crueldade, mas que tipo de homem sequestra a própria filha? Ele fez por merecer.

Capítulo Vinte e Dois

MARCO E ANNE estão sentados à mesa da cozinha, tentando tomar o café da manhã. A torrada está praticamente intocada. Os dois estão vivendo à base de café e desespero.

Marco está lendo as notícias do dia em silêncio. Anne observa o quintal pela janela, com o olhar vazio. Alguns dias ela não suporta o jornal e pergunta ao marido como ele consegue lê-lo. Outros, folheia-o da primeira à última página em busca de alguma reportagem sobre o sequestro. E acaba lendo tudo. Não consegue evitar. É uma ferida que ela não para de cutucar.

É muito estranho, pensa Anne, ler sobre si mesma no jornal.

Marco se sobressalta.

— O que foi? — pergunta ela.

Ele não responde.

Ela perde o interesse. É um daqueles dias em que odeia o jornal. Anne não quer saber. Levanta-se e joga o café na pia.

Marco prende a respiração ao ler a reportagem, que não é sobre o sequestro... Mas, na verdade, é. Ele é a única pessoa que sabe que, sim, aquela matéria tem relação com o sequestro de Cora. Marco pensa por um instante, tentando chegar a uma conclusão sobre o que fazer.

Observa a foto no jornal. É ele. Não há dúvida. Bruce Neeland, seu cúmplice, foi encontrado morto — brutalmente assassinado — num chalé nas Montanhas Catskill. A matéria não dá muitos detalhes, mas suspeitam de roubo seguido de morte. Bruce sofreu vários golpes na cabeça. Se não fosse pela foto do homem morto, Marco nunca teria notado a matéria e as informações valiosas que ela traz. O jornal diz que o nome dele é Derek Honig.

O coração de Marco bate acelerado enquanto ele tenta assimilar os fatos. Bruce — cujo verdadeiro nome não é Bruce — está morto. A matéria não diz quando ele teria sido assassinado. Isso deve explicar por que ele não entrou em contato, por que não atendia ao celular. Mas quem matou seu comparsa? E onde está Cora? Desesperado, Marco percebe que a pessoa que o matou certamente levou Cora consigo. E também pegou o dinheiro. Precisa contar isso à polícia. Mas como fazer isso sem revelar seu terrível papel no sequestro?

Ele começa a suar. Olha para a esposa, que está de costas para ele, junto à pia da cozinha. Seus ombros curvados denotam uma tristeza silenciosa.

Ele precisa ir à polícia.

Ou está sendo idiota? Quais são as chances de Cora ainda estar viva? Pegaram o dinheiro. A essa altura, já mataram a menina.

Ou talvez vão pedir mais dinheiro. Se houver a menor chance de que ela ainda esteja viva, ele precisa informar Rasbach. Mas como? Como ele pode fazer isso sem se incriminar?

Tenta pensar numa solução. Bruce está morto, portanto, não pode contar nada a ninguém. E era o único que sabia de tudo. Se a polícia encontrar o assassino ou os assassinos de Bruce, mesmo que o comparsa tenha revelado o envolvimento de Marco, isso não é uma prova. Não há nenhuma prova de que Marco tirou a filha do berço e a entregou a Bruce na garagem.

Talvez seja até bom que ele esteja morto.

Marco precisa contar a Rasbach... mas como? Ao olhar para a foto do homem morto, ele tem uma ideia. Vai dizer ao detetive que viu a foto no jornal e reconheceu o homem, porque já o tinha visto várias vezes perto de casa. Havia se esquecido desse detalhe até se deparar com a foto. Talvez não acreditem nele, mas só consegue pensar nessa solução.

Tem quase certeza de que ninguém o viu com Bruce. Acha que ninguém tem como estabelecer uma relação entre os dois.

Não se perdoaria se não fizesse o possível para encontrar Cora.

Primeiro precisa falar com a esposa. Pensa mais um pouco e, hesitante, diz:

— Anne.
— O quê?
— Olhe isso.

Ela se aproxima e olha para a matéria que ele está apontando no jornal. Observa a foto.

— O que é que tem? — pergunta Anne.
— Você reconhece ele?

Ela olha novamente.

— Acho que não. Quem é?
— Tenho certeza de que já o vi por aqui.
— Onde?
— Não sei, mas ele me parece familiar. Tenho certeza de que o vi há pouco tempo, na nossa rua... Perto de casa.

Anne observa a foto com mais atenção.

— Sabe, acho que já o vi, mas não sei onde.

Excelente, pensa Marco.

Antes de ir à delegacia, abre o laptop e procura mais informações sobre o assassinato de Derek Honig, recorrendo a todos os jornais on-line. Não quer ter nenhuma surpresa.

Não há muitas informações. O caso despertou pouco interesse da imprensa. Derek Honig havia tirado licença do trabalho para passar um tempo no chalé. Foi encontrado pela faxineira que ia até o local uma vez por mês. Morava sozinho. Era divorciado e não tinha filhos. Marco sente um calafrio ao ler isso. O homem que conhecia como Bruce havia dito que tinha três filhos e sabia cuidar de um bebê, e Marco acreditou nele. Suas próprias atitudes o deixavam chocado. Ele entregou a filha a um completo desconhecido, confiou-a a seus cuidados. Como pôde ter feito isso?

Anne e Marco aparecem na delegacia sem avisar. O Audi foi devolvido a eles na tarde do dia anterior. Com o jornal na mão, Marco pede na recepção para falar com Rasbach. O detetive está lá, embora seja sábado.

— Você tem um minuto? — pergunta Marco.

— Claro — responde o detetive, levando-os à já conhecida sala de interrogatório.

Jennings, logo atrás, puxa uma cadeira. Os quatro se sentam.

Marco coloca o jornal na mesa e aponta para a foto do homem morto.

Rasbach olha a foto e dá uma lida na matéria. Em seguida, olha para Marco.

— O que tem isso?

— Reconheço esse homem — afirma Marco. Ele sabe que seu nervosismo é visível, por mais que esteja se esforçando para escondê-lo. Encara o detetive. — Acho que o vi nas últimas semanas, antes de raptarem Cora.

— Onde? — pergunta Rasbach.

— Pois é... — diz Marco. — Não sei direito. Mas, no instante em que bati os olhos nessa foto, me dei conta de que o tinha visto há pouco tempo. E mais de uma vez. Acho que foi perto da nossa casa, no nosso bairro, na nossa rua.

Rasbach o encara, comprimindo os lábios.

— Anne também o reconheceu — acrescenta Marco, fazendo um gesto na direção da esposa.

Rasbach volta a atenção para ela.

Anne assente.

— Já o vi, sim, só não sei onde.

— Tem certeza?

Ela assente de novo.

— Esperem um instante — pede Rasbach, e ele e Jennings se retiram da sala.

Anne e Marco aguardam em silêncio. Não querem conversar diante da câmera. Marco precisa conter sua inquietação. Quer se levantar e andar de um lado para o outro, mas se força a permanecer sentado.

Por fim, Rasbach retorna.

— Vou lá pessoalmente hoje. Se houver alguma coisa relevante para o caso, entro em contato.

— Quanto tempo você acha que vai demorar? — pergunta Marco.

— Não sei. Ligo assim que puder.

Não há nada que Marco e Anne possam fazer além de voltar para casa e esperar.

Capítulo Vinte e Três

MARCO ESTÁ AGITADO. Anda de um lado para o outro da casa. Anne está ficando irritada. Estão prestes a discutir.

— Acho que vou para o escritório — diz ele de forma abrupta. — Preciso colocar a cabeça no lugar e dar um retorno a alguns clientes. Antes que eu fique sem cliente nenhum.

— Boa ideia — concorda Anne, querendo que ele saia.

Adoraria ter uma longa conversa com a Dra. Lumsden. Ela ligou pouco tempo depois do recado urgente que Anne deixou em sua caixa postal, e, embora tenha parecido genuinamente solidária e compreensiva, só essa conversa não foi suficiente. A Dra. Lumsden insistiu que Anne procurasse o médico que está atendendo seus pacientes durante sua ausência, mas Anne não quer conversar com um psiquiatra que não conhece.

Pensa em confrontar Cynthia. Não acredita mais que a vizinha tenha roubado sua filha, mas gostaria de saber o que está acontecendo entre ela e seu marido. Talvez esteja concentrada em pensar no que está acontecendo entre Marco e Cynthia porque é menos doloroso do que pensar no que aconteceu com a filha.

Anne sabe que Cynthia está em casa. De vez em quando ouve-a do outro lado da parede. Sabe que Graham viajou de novo: pela janela do quarto, viu quando ele entrou com as malas em um táxi preto do aeroporto de manhã bem cedo. Anne podia ir até lá e partir para a grosseira, exigindo que Cynthia fique longe de seu marido. Mas ela se detém por um instante e olha fixamente para a parede da sala, tentando decidir o que fazer. Cynthia está do outro lado.

Mas Anne não tem coragem. Está transtornada demais. Disse ao detetive o que ouviu, mas ainda não confrontou Marco. E o marido não lhe disse nada a respeito. Os dois parecem ter criado um novo hábito: não abordar assuntos difíceis. Antes, dividiam tudo. Bem, quase tudo. Desde o nascimento de Cora, as coisas mudaram.

Sua depressão a fez perder o interesse em tudo. No começo, Marco lhe trazia flores, chocolates, fazia pequenos gestos para melhorar o humor dela, mas nada funcionou. Ele parou de contar sobre o seu dia, sobre a situação da empresa. Ela não tinha como falar do trabalho, porque não estava trabalhando. Os dois não tinham muito assunto, com exceção da filha. Talvez Marco estivesse certo. Talvez ela devesse ter voltado a trabalhar.

Anne precisa conversar com o marido, precisa fazê-lo prometer que não vai ter mais nada com Cynthia. Ela não é de confiança. A amizade deles com os Stillwell acabou. Se Anne confrontar Marco, se disser a ele o que ouviu no topo da escada, ele vai se sentir péssimo. Ele já está se sentindo péssimo. Ela tem certeza de que o marido vai manter distância de Cynthia. Não há nada com que se preocupar nesse ponto.

Se eles conseguirem sobreviver a isso, ela vai ter que conversar com Marco sobre Cynthia e também sobre a empresa. Os dois vão ter que passar a ser mais sinceros um com o outro.

Anne sente necessidade de limpar algo, mas a casa já está impecável. Sente uma energia estranha bem no meio da tarde, uma ansiedade. Quando ainda tinha Cora, passava o dia todo se arrastando. A essa hora, estaria rezando para a filha dormir. Ela chora.

Precisa se manter ocupada. Começa pela sala, limpando a velha grade que cobre o duto de ventilação. Os arabescos de ferro estão muito empoeirados e precisam ser esfregados. Ela pega um balde d'água morna e um pano e se senta no chão, diante da porta de entrada, concentrada na faxina. Isso a acalma.

Enquanto está sentada ali, a correspondência chega e é empurrada pela abertura da porta, assustando-a. Anne olha para a pilha de cartas no chão e fica paralisada. O correio não costuma fazer entrega aos sábados. Ela percebe que estava prendendo a respiração e solta o ar.

Anne não abre mais as correspondências. Gostaria de jogar todas as cartas fora, mas Marco a fez prometer que guardaria tudo. Ele dá uma olhada nelas todos os dias, para o caso de os sequestradores tentarem entrar em contato mais uma vez. Mas não conta para a esposa o conteúdo das cartas.

Anne pega o balde e o pano e sobe a escada para limpar as grades do andar de cima. Começa pelo escritório, no fim do corredor. Quando tira a intrincada grade para limpá-la mais facilmente, vê algo pequeno e escuro dentro do duto de ventilação. Sobressaltada, olha com mais atenção, com medo de que seja um camundongo morto. Mas não é. É um celular.

Anne se senta e põe a cabeça entre os joelhos. Concentra-se em não desmaiar. Parece estar sofrendo um ataque de pânico; tem a sensação de que o sangue se esvai de seu corpo. Só enxerga pontos escuros à sua frente. Depois de alguns instantes, a vertigem passa, e ela ergue a cabeça. Olha para o celular dentro do duto de ventilação. Tem vontade de recolocar a grade no lugar, descer para tomar uma xícara de café e fingir que nunca viu aquilo, mas estende a mão para pegá-lo. O celular está preso na lateral do duto. Ela o puxa com força, e o aparelho se solta. Estava preso com fita adesiva

Ela observa o celular. Nunca o viu. Não é de Marco. Ela conhece o celular do marido. Está sempre com ele. Mas não pode enganar a si mesma. Alguém escondeu esse telefone em sua casa, e não foi ela.

Será que Marco tem outro celular? Por quê?

Seu primeiro pensamento é Cynthia. Será que eles estão mesmo tendo um caso? Ou é com outra pessoa? Às vezes, ele chega tarde em casa. Ela está gorda, deprimida. Mas, até aquela noite com Cynthia, nunca tinha achado que ele poderia ser infiel. Talvez estivesse totalmente distraída. Talvez seja uma completa idiota. A esposa é sempre a última a saber, não?

O celular parece novo. Ela liga o aparelho, e a tela acende. Portanto, Marco o mantém carregado. Mas precisa digitar a senha para desbloqueá-lo. Não faz ideia de qual seja. Não sabe nem desbloquear o celular *usual* do marido. Faz algumas tentativas e para depois de um tempo.

Pense, diz a si mesma, mas não consegue. Fica sentada, entorpecida, segurando o telefone, paralisada.

Muitas coisas passam pela cabeça do detetive Rasbach no trajeto até as Montanhas Catskill. Ele pensa na conversa que teve mais cedo com Marco e Anne Conti.

Desconfia de que essa foi a maneira que Marco encontrou de lhe dizer que o homem morto era seu cúmplice e de lhe pedir ajuda para recuperar a filha. Os dois estão cientes de que talvez seja tarde demais para isso. Marco sabe que Rasbach acredita que ele raptou Cora e foi enganado. É óbvio que o homem morto tem alguma relação com o sequestro. Deve ser o sujeito misterioso que passou de carro pela rua à meia-noite e trinta e cinco. E que lugar melhor do que um chalé distante para esconder um bebê?

A menina devia estar viva quando saiu da casa da família Conti, pensa Rasbach, ou Marco não o teria procurado. Marco está se arriscando muito, mas claramente parece desesperado. Se Rasbach estiver certo, a mãe não tem culpa: ela não matou a própria filha.

Ele está ansioso para ver o que vai descobrir no local do assassinato.

Enquanto isso, Jennings procura uma ligação entre Marco e o homem morto, Derek Honig. Talvez eles encontrem alguma relação, por mais tênue que seja, entre os dois. Rasbach acha pouco provável, ou Marco não o teria procurado. Mas Derek Honig está morto: talvez Marco ache que esse é um risco que vale a pena correr diante da esperança de recuperar Cora.

Rasbach tem certeza de que Marco ama a filha, de que nunca teve a intenção de fazer mal a ela. Quase sente pena dele. Mas então pensa na bebê, que provavelmente está morta, e na mãe dela, que está arrasada, e sua compaixão passa.

— Vire aqui — diz ao policial que está dirigindo a viatura.

Eles saem da rodovia e percorrem uma estradinha de terra. Por fim, pegam a saída. A viatura chacoalha na trilha esburacada e com vegetação alta até parar diante de um chalé de madeira simples, cercado pela fita amarela de isolamento da polícia. Há outra viatura no local, evidentemente esperando por eles.

Eles estacionam e saem do carro. Rasbach fica feliz por poder esticar as pernas.

— Detetive Rasbach — apresenta-se ao policial local.

— Watt, senhor. Por aqui.

Rasbach dá uma olhada ao redor, sem deixar nada passar despercebido. Depois do chalé, há um pequeno lago deserto. Não há nenhum outro chalé por perto. O lugar perfeito para esconder uma criança por alguns dias, pensa.

O detetive entra. É uma construção da década de 1970, com um piso de linóleo muito feio na cozinha, mesa de fórmica, armários antiquados.

— Onde estava o corpo? — pergunta.

— Ali — responde o policial, fazendo um gesto com a cabeça na direção da sala, com móveis velhos.

Não há dúvida de onde estava o corpo. Há uma mancha de sangue no carpete bege, velho e sujo.

Rasbach se agacha para vê-la melhor.

— A arma do crime?

— Encaminhamos para análise. Ele foi golpeado na cabeça. Várias vezes.

— O rosto continua reconhecível? — pergunta Rasbach, virando-se para o outro policial.

— Foi bastante maltratado, mas ainda é reconhecível.

Rasbach se levanta e cogita levar Marco ao necrotério para que ele veja o corpo. *Foi nisso que você se meteu.*

— Qual é a hipótese?

— À primeira vista? Estamos considerando um roubo, mas, cá entre nós, não tem nada nessa casa para ser roubado. Claro que não sabemos se *havia* alguma coisa aqui. É um lugar muito isolado. Talvez algo tenha dado errado em uma venda de drogas.

— Ou talvez em um sequestro.

— Pode ser. — E o policial acrescenta: — A forma como ele foi golpeado tantas vezes com a pá... Parece haver algo pessoal no crime. Quer dizer, ele estava mortinho.

— Nenhum sinal de coisas de bebê? Fralda, mamadeira, nada disso? — indaga Rasbach, olhando ao redor.

— Não. Se havia um bebê aqui, quem o levou limpou tudo direitinho.

— O que ele fazia com o lixo?

— Deduzimos que queimasse na lareira, por isso demos uma olhada, e há restos de uma fogueira lá fora. Mas não há lixo nenhum. Também não há nada nem na lareira nem na fogueira. Então, ou o cara tinha acabado de ir ao depósito de lixo ou alguém fez uma limpa na casa. Tem um depósito de lixo a trinta quilômetros daqui, mas eles anotam a placa dos carros, e ele não esteve lá na última semana.

— Então ele não foi roubado. Ninguém rouba uma casa, mata o dono e joga o lixo fora.

— Não.

— Onde está o carro dele?

— No laboratório.

— Qual é a marca?

— Um híbrido. Prius V. Preto.

Bingo, pensa Rasbach. Ele desconfia de que os pneus vão corresponder às marcas na garagem da família Conti. E, por mais que tenham limpado o chalé, se a bebê passou alguns dias aqui, haverá indícios de DNA. Ao que tudo indica, deram o primeiro grande passo na investigação do sequestro da menina Cora.

Finalmente eles podem estar chegando a alguma pista.

Capítulo Vinte e Quatro

Marco olha para o nada pela janela do escritório. Não há mais ninguém ali. Nenhum de seus funcionários está no local. Como é sábado, o restante do prédio fica silencioso, e ele acha isso ótimo.

Pensa na conversa que ele e Anne tiveram com Rasbach. O detetive sabe de tudo, Marco tem certeza disso. Os olhos dele parecem enxergar sua alma. Era como se Marco tivesse lhe dito com todas as letras: *esse é o homem com quem tramei o sequestro de Cora. Ele ia negociar o dinheiro do resgate, mas agora está morto. Perdi o controle da situação. Preciso da sua ajuda.*

Eles agora têm um advogado. Um sujeito famoso por absolver culpados. Marco se dá conta de que isso é bom. Não haverá mais interrogatórios sem a presença do advogado. Ele já não se preocupa com sua reputação: seus objetivos são livrar-se da cadeia e garantir que Anne não descubra nada.

O celular de Marco toca. Ele olha para a tela. É Cynthia. Aquela vaca. Por que está ligando? Ele hesita, se perguntando se deve atender a ligação ou deixar cair na caixa postal, mas acaba atendendo.

— Alô?

Sua voz é fria. Ele nunca vai perdoá-la por ter mentido para a polícia.

— Marco — diz Cynthia, melosa, como se nada tivesse acontecido nos últimos dias, como se a filha dele não tivesse desaparecido e tudo continuasse como antes.

Ele gostaria que isso fosse verdade.

— Tudo bem? — pergunta, sem querer estender a conversa.

— Preciso conversar com você sobre uma coisa — diz ela, mais séria. — Você pode passar na minha casa?

— Por quê? Você quer se desculpar?

— Me desculpar?

Ela parece surpresa.

— Por ter mentido para a polícia. Por ter dito a eles que eu agarrei você quando nós dois sabemos que foi *você* quem me agarrou.

— Ah, desculpe. Eu menti, sim — admite ela, num tom de brincadeira.

— Porra! Você está pedindo desculpas? Você faz ideia da confusão em que me meteu?

— Podemos conversar?

Seu tom de voz não é mais de brincadeira.

— Por que precisamos conversar?

— Explico quando você chegar aqui — diz Cynthia, desligando abruptamente.

Marco passa mais cinco minutos sentado à escrivaninha, tamborilando os dedos na mesa, tentando decidir o que fazer. Por fim, levanta-se, fecha a cortina, sai do escritório e tranca a porta. Está com medo de ignorá-la. Cynthia não é o tipo de mulher que pode ser ignorada. É melhor descobrir o que ela tem a dizer.

Quando chega à rua onde mora, Marco conclui que é melhor que Anne não saiba de sua visita à casa de Cynthia, mesmo que seja breve. E ele quer evitar os repórteres. Por isso prefere não estacionar na frente de casa. Se estacionar na garagem, poderá entrar pelos fundos da casa de Cynthia para falar com ela primeiro e ir para casa em seguida.

Estaciona o Audi na garagem de casa, atravessa o quintal e bate na porta de Cynthia. Sente-se culpado, como se estivesse enganando a esposa. Mas não está: só quer saber o que Cynthia tem a dizer e dar o fora dali. Não quer enganar Anne. Enquanto espera Cynthia atender à porta, seu olhar vaga pela varanda. Era ali que estava sentado quando ela se jogou em seu colo.

Cynthia abre a porta. Parece surpresa.

— Eu esperava que você fosse entrar pela porta da *frente*.

Ela parece insinuar alguma coisa, mas não está tão provocante como de costume. Marco logo percebe que Cynthia não está a fim de joguinhos de sedução. Bom, nem ele.

Marco entra na cozinha.

— O que foi? — pergunta. — Preciso ir para casa.

— Só tomarei uns minutinhos do seu tempo — responde Cynthia, encostando-se na bancada da cozinha, os braços cruzados.

— Por que você mentiu para a polícia? — indaga Marco de repente.

— Foi só uma *mentirinha*.

— Não foi, não.

— Eu gosto de mentir. Assim como você.

— Do que você está falando? — pergunta Marco, irritado.

— Você está *vivendo* uma mentira, não?

Marco sente um calafrio. Ela não pode saber. Ela não pode saber de nada. Como saberia?

— Do que você está falando?

Ele meneia a cabeça, como se não fizesse ideia de onde ela quer chegar.

Cynthia lança um olhar frio e demorado para ele.

— Sinto muito por ter que dizer isso, Marco, mas Graham tem uma câmera escondida no quintal. — Marco permanece em silêncio, mas fica paralisado. — E a câmera estava ligada na noite em que vocês estiveram aqui, na noite em que sua filha *desapareceu*.

Ela sabe, pensa Marco. *Merda. Merda*. Ele começa a suar. Observa o belo rosto de Cynthia, que agora parece tão feio. Ela é uma vaca manipuladora. Talvez esteja blefando. Bom, ele também pode blefar.

— A câmera estava ligada? Filmou alguma coisa do sequestro? — pergunta, como se fosse uma boa notícia.

— Ah, sim. Claro que filmou.

Marco sabe que está arruinado. Ele aparece na gravação. Dá para saber pela expressão dela.

— Foi *você*.

— Mentira! — exclama Marco, tentando agir como se não acreditasse nela, mas ciente de que não vai adiantar nada.

— Você quer ver?

Ele quer torcer o pescoço dela.

— Quero — responde.

— Venha comigo — convida, virando-se para subir as escadas.

Ele a segue até o quarto dela e de Graham. Pensa em como Cynthia é tola de convidar para sua casa um homem que ela sabe ser capaz de sequestrar alguém. Ela não parece estar com medo. Tem tudo sob controle. E é disso que ela gosta: de estar no comando, de brincar com os outros como se fossem marionetes. Também gosta do perigo. Obviamente vai chantageá-lo. Ele não sabe se vai ceder.

Há um laptop aberto na cama. Ela dá alguns cliques, e um vídeo começa, com data e hora. Marco pisca depressa ao ver a gravação. Ele surge na tela afrouxando a lâmpada, entrando em casa. Sai alguns minutos depois com Cora nos braços, envolta na manta branca. É ele, sem sombra de dúvida. Olha ao redor para verificar se está sendo observado por alguém. Em seguida, olha quase diretamente para a câmera, embora não saiba de sua existência. Entra depressa na garagem e sai um minuto depois. Atravessa o quintal sem a filha e esquece de endireitar a lâmpada. Ao ver as imagens, depois de tudo que aconteceu, sente um arrependimento esmagador, além de culpa e vergonha.

E raiva por ter sido pego em flagrante. Por Cynthia. Ela vai mostrar à polícia. Vai mostrar a Anne. Ele está arruinado.

— Quem mais viu isso? — pergunta.

Fica surpreso com a tranquilidade em sua própria voz.

Ela ignora a pergunta.

— Você a matou? — indaga, com aquele tom de brincadeira.

Ele sente nojo dela, com sua curiosidade mórbida, insensível. Não responde. Seria interessante fazê-la pensar que ele é capaz de matar?

— Quem mais viu isso? — insiste Marco, encarando-a.

— Ninguém — mente ela.

— Graham?

— Não, ele não viu a gravação. Eu disse que a bateria da câmera tinha acabado. Ele não questionou. Não sabe de nada. Você conhece Graham. Ele não se interessa muito pelas coisas.

— Então por que você está me mostrando isso? Por que não foi direto à delegacia?

— Por que eu faria isso? Nós somos amigos, não somos?

Ela dá um sorriso afetado.

— Não venha com essa, Cynthia.

— Tudo bem. — O sorriso dela desaparece. — Se você quiser que eu guarde segredo, haverá um preço.

— Isso é um problema — responde Marco, com um tom de voz firme —, porque não tenho dinheiro.

— Ah, qual é? Deve ter algum.

— Estou quebrado — diz ele, com frieza. — Por que você acha que raptei minha própria filha? Para me divertir?

Ela exibe uma expressão decepcionada enquanto repensa o plano.

— Você pode hipotecar a casa.

— Já está hipotecada.

— Dá um jeito.

Desgraçada.

— Não posso. Sem Anne saber, não tem como.

— Então talvez devêssemos mostrar o vídeo a ela também.

Marco se aproxima de Cynthia. Não precisa representar o papel do homem desesperado: *é* um homem desesperado. Poderia asfixiá-la com as próprias mãos agora mesmo, se quisesse. Mas ela não parece estar com medo; está excitada. Seus olhos brilham.

Ele nota seu peito subindo e descendo por causa da respiração acelerada. Talvez, mais do que qualquer outra coisa, ela deseje o perigo. A emoção. Talvez queira que ele a atire na cama. Por um instante, ele considera a possibilidade. Será que ela desistiria da chantagem? Pouco provável.

— Você não vai mostrar o vídeo a ninguém.

Ela demora a responder. Olha nos olhos dele. A poucos centímetros de seu rosto.

— Eu *prefiro* não mostrar a ninguém, Marco. Eu gostaria que isso ficasse só entre nós. Mas você precisa me ajudar. Precisa arranjar dinheiro.

Marco tenta pensar, apesar da raiva. Ele *não* tem dinheiro. E não sabe como arranjá-lo. Precisa ganhar tempo.

— Olhe, me dê algum tempo para descobrir um jeito. Você sabe que minha vida está um caos.

— As coisas não saíram como você planejou, não é? Imagino que você pretendia recuperar Cora.

Ele quer dar um tapa na cara dela, mas se contém.

Cynthia o encara, achando graça.

— Tudo bem. Vou te dar um tempo. Não vou mostrar o vídeo a ninguém... por enquanto.

— De quanto estamos falando?

— Duzentos mil.

É menos do que ele esperava. Esperava que ela pedisse mais, uma quantia que combinasse com seus gostos extravagantes. Mas, se ele ceder à chantagem, ela vai exigir cada vez mais dinheiro: é assim que funciona com os chantagistas. Nunca nos livramos deles. Portanto, o valor que ela está pedindo agora é irrelevante. Mesmo se Marco pagar e ela destruir o vídeo na sua frente, ele nunca vai saber se há cópias. Sua vida está totalmente arruinada.

— Acho que é uma quantia justa — observa ela.

— Agora vou embora. Fique longe de Anne.

— Pode deixar. Mas, se eu perder a paciência e não tiver notícias suas, pode ser que eu ligue para ela.

Marco passa por Cynthia, sai do quarto, desce a escada e abre a porta de correr de vidro da cozinha sem olhar para trás. Está tão furioso que não consegue pensar direito. Furioso e assustado. Existe uma prova. Uma prova de que ele raptou a filha. Isso muda tudo. Anne vai descobrir que ele é o culpado. E Marco pode passar uma eternidade na cadeia.

A essa altura, ele acha que as coisas não podem piorar. Entra no quintal de casa pelo portão que há na cerca que divide as duas propriedades. Anne está ali fora, regando as plantas.

Seus olhares se encontram.

Capítulo Vinte e Cinco

Anne arregala os olhos ao ver Marco vindo do quintal de Cynthia. Ela fica paralisada, com o regador na mão. Marco estava na casa de Cynthia. Por quê? Só há um motivo para isso. Mesmo assim, Anne pergunta ao marido, com frieza:

— O que você estava fazendo lá?

Marco assume a expressão de quem foi pego em flagrante e não sabe o que fazer. Ele nunca foi bom de improviso. Anne só não sente pena do marido porque só consegue sentir ódio por ele. Deixa o regador cair no chão e passa correndo por Marco, seguindo para a porta dos fundos da casa.

Ele vai atrás dela, gritando, desesperado:

— Anne! Espere!

Mas ela não espera. Sobe correndo a escada. Está chorando muito. Marco a segue pela escada, implorando para que ela fale com ele, para que o deixe explicar.

Mas não faz ideia de como pode se explicar. Como pode explicar o fato de ter ido à casa de Cynthia sem revelar a existência do vídeo?

Ele espera que Anne vá para o quarto e desabe na cama, chorando, que é o que geralmente faz quando está aborrecida. Talvez ela bata a porta na cara dele e se tranque lá. Já fez isso antes. Em algum momento, vai sair dali, e isso dará a ele tempo para pensar.

Mas ela não corre para o quarto nem se joga aos prantos na cama. Não tranca nenhuma porta. Entra no escritório. Ele está logo atrás dela e vê a esposa se ajoelhar diante da grade do duto de ventilação.

Ah, não. Meu Deus, não.

Anne tira a grade, enfia a mão dentro do duto e pega um celular. Ele começa a se sentir mal. Com lágrimas escorrendo pelo rosto, ela estende o telefone para ele.

— O que é *isso*, Marco?

Ele fica imóvel. Não consegue acreditar que isso está acontecendo. De repente, precisa conter a vontade de rir. A situação toda é hilariante, na verdade. O vídeo de Cynthia. Isso. *O que ele vai dizer à esposa?*

— É assim que você fala com Cynthia, não é? — acusa Anne.

Marco a encara, desconcertado por um instante. Estava prestes a retrucar: *por que eu usaria um celular para falar com Cynthia se ela mora na casa ao lado?* Contudo, ele se detém. Sua hesitação sugere outra coisa a Anne.

— Ou é outra mulher?

Marco não pode dizer a verdade: que o celular que ela está segurando era a única maneira que ele tinha de se comunicar com o cúmplice do sequestro da filha. Com o homem que agora está morto. Era com aquele celular não registrado que Marco podia entrar em contato com seu parceiro naquele crime imperdoável. Anne acha que ele está tendo um caso com Cynthia ou com outra mulher. O instinto imediato de Marco é mantê-la longe de Cynthia. Por isso, vai inventar alguma coisa.

— Desculpe — começa. — Não é Cynthia, eu juro.

Ela grita e atira o telefone nele. O aparelho bate em sua testa e cai no chão. Ele sente uma dor aguda acima do olho direito.

— Já acabou, Anne. Não significou nada. Foram só algumas semanas — mente, em tom de súplica. — Depois que Cora nasceu, você estava sempre cansada... Foi um erro. Eu não quis me envolver... Simplesmente aconteceu.

Ele usa todas as desculpas em que consegue pensar.

Ela o encara com nojo e fúria, as lágrimas banhando o rosto, o nariz escorrendo, o cabelo desgrenhado.

— Você pode dormir no sofá — diz ela com amargura, a voz denunciando seu sofrimento. — Até eu decidir o que fazer.

Anne passa por ele, segue para o quarto e bate a porta. Ele ouve o som da porta sendo trancada. Marco pega o celular no chão sem nenhuma pressa. Toca o ponto na testa onde o telefone o atingiu, e seus dedos ficam cheios de sangue. Distraído, liga o aparelho e digita a senha para desbloqueá-lo. Percorre o histórico de ligações, todas para o mesmo número.

Ele tenta pensar com clareza, apesar do medo e da confusão. Quem poderia saber que Bruce estava com Cora? Será que Bruce contou a mais alguém sobre o plano, alguém que depois se virou contra ele? É pouco provável. Ou será que ele foi descuidado? Alguém viu Cora e a reconheceu? Também é pouco provável.

Feito um idiota, Marco continua olhando para o celular e, com um sobressalto, nota um símbolo diferente ao lado do número no último registro. Chamada perdida. Não estava ali na última vez em que ele conferiu as ligações. O aparelho está no modo silencioso, claro. Quem poderia ter ligado para ele do celular de Bruce? Bruce está morto. Marco aperta DISCAR, com o coração acelerado. Ouve o telefone chamar. Uma, duas vezes.

Então escuta uma voz familiar:

— Eu estava me perguntando quando você ia ligar.

Anne chora até dormir. Quando acorda, está escuro lá fora. Continua deitada na cama, os ouvidos atentos para escutar com atenção qualquer ruído na casa. Mas não ouve nada. Imagina onde Marco está. Será que vai conseguir olhar para ele outra vez? Deveria expulsá-lo de casa? Abraça o travesseiro e fica pensando.

Não seria bom para a imagem deles se o expulsasse de casa. A imprensa os cercaria como um bando de animais. Pareceriam mais culpados do que nunca. Se fossem inocentes, por que se separariam? A polícia poderia prendê-los. Mas ela se importa?

Apesar de tudo, Anne sabe que Marco é bom pai e ama a filha: está sofrendo tanto quanto ela com o sequestro. Sabe que ele não teve nada a ver com o desaparecimento de Cora, apesar do que a polícia lhe disse e das perguntas maliciosas e hipotéticas. Não pode expulsá-lo de casa, pelo menos por enquanto, ainda que ela se sinta enojada só de imaginá-lo com outra mulher.

Fecha os olhos e tenta se lembrar daquela noite. É a primeira vez que tenta se lembrar do quarto da filha na noite em que ela desapareceu. Estava evitando isso. Mas agora tudo volta à memória, e ela se recorda da última vez em que viu a bebê. A menina estava no berço. O quarto estava escuro. Cora estava deitada de costas, os bracinhos roliços voltados para cima, ao lado da cabeça, o cabelo louro formando um cachinho grudado na testa por causa do calor. O ventilador de teto girava bem devagar. A janela do quarto tinha ficado aberta, mas ainda assim estava abafado.

Anne se lembra da cena. Ao lado do berço, ela contemplava as mãozinhas minúsculas da filha, as perninhas nuas dobradas. Estava quente demais para pôr um cobertor. Ela resistiu ao ímpeto de fazer carinho na testa da filha, com medo de acordá-la. Queria pegar Cora nos braços, esconder o rosto no pescoço dela e chorar, mas se conteve. Estava imersa em um misto de sentimentos, sobretudo amor e ternura, mas também desespero, sensação de incompetência, vergonha.

Parada junto ao berço, tentou não se culpar, mas era difícil. Sentia-se culpada por não estar feliz com a maternidade. Por estar deprimida. Mas a filha... a filha era perfeita. Sua filhinha preciosa. Não era culpa da bebê. Nada daquilo era culpa de Cora.

Ela queria ficar no quarto da filha, sentar-se na poltrona confortável onde a amamentava e dormir. Em vez disso, saiu do quarto na ponta dos pés e voltou ao jantar na casa ao lado.

Não se lembra de nada dessa última visita à meia-noite. Não sacudiu a filha nem a deixou cair. Pelo menos não dessa vez. Sequer a pegou no colo. Anne se lembra com muita clareza de que não a pegou no colo nem tocou nela quando passou rapidamente em casa à meia-noite, porque estava com medo de acordá-la. Na visita das onze horas, Cora havia acordado e tinha ficado agitada. Anne a amamentou, mas a menina não se aquietava. Caminhou um pouco com ela, cantou para ela. Talvez tenha lhe dado um tapa. Sim, tinha dado um tapa na filha. Sente-se terrivelmente envergonhada ao se lembrar disso.

Anne se sentia cansada, frustrada, aborrecida com o que estava acontecendo entre Marco e Cynthia na festa. Chorou. Mas não se lembra de ter deixado a filha cair ou de ter sacudido a menina. Tampouco se lembra de ter trocado o macacão. Por que não se lembra disso? Se não se lembra de ter trocado o macacão, o que mais ela havia esquecido? O que fez depois de dar um tapa na filha?

Quando a polícia a confrontou por causa do macacão cor-de-rosa, ela disse o que imaginava ser verdade: que havia trocado a roupa. Muitas vezes trocava a roupa de Cora antes da última mamada do dia, depois da troca de fralda. Portanto, deduziu que havia feito isso. Sabe que deve ter feito isso. Mas não consegue lembrar.

Sente um calafrio. Fica se perguntando se fez alguma coisa com a filha enquanto a amamentava às onze horas. Deu um tapa nela, mas não se lembra de nada depois disso. Será que fez algo ainda pior? Será que matou a menina? Marco encontrou Cora morta à meia-noite e meia, deduziu o pior e acobertou seu crime? Ligou para alguém e se livrou do corpo? Será que foi por isso que ele quis ficar mais na casa de Graham e Cynthia, para que a pessoa tivesse tempo de buscá-la? Anne tenta desesperadamente lembrar se Cora estava respirando à meia-noite. Não consegue. Não tem certeza. É dominada pelo medo e pelo remorso.

Será que ousaria perguntar a Marco? Será que ela quer mesmo saber?

Capítulo Vinte e Seis

AO OUVIR A voz do sogro, Marco se senta no chão. Confuso e incrédulo, não consegue falar.

— Marco? — diz Richard.

— Estou aqui.

Sua voz parece sem vida até mesmo aos seus ouvidos.

— Eu sei o que você fez.

— O que eu fiz... — repete Marco com um tom de voz monótono.

Ele ainda está tentando juntar as peças do quebra-cabeça. *Por que o pai de Anne está com o celular de Derek Honig? Será que a polícia encontrou o aparelho no local do assassinato e o entregou a ele? Isso é uma armadilha?*

— Raptar a própria filha para ficar com o resgate. Roubar dinheiro dos pais da sua mulher. Como se já não tivéssemos dado o bastante a você.

— Do que você está falando? — pergunta Marco, desesperado, procurando ganhar tempo, tentando encontrar um jeito de enfrentar essa situação bizarra.

Ele refreia a vontade desesperada de desligar. Precisa negar, negar, negar. Não há nenhuma prova de nada. Então se lembra do vídeo de Cynthia. E agora esse telefonema. Quais são exatamente as implicações desse telefonema? Se a polícia encontrou o celular de Derek, se está ouvindo essa conversa, eles agora têm a prova de que precisam de que ele e Marco eram cúmplices.

Mas talvez a polícia não saiba nada sobre o celular. E *isso* seria ainda mais assustador. Marco fica paralisado.

— Ah, fala sério! — exclama Richard. — Seja homem pelo menos uma vez na vida.

— Como conseguiu esse celular? — pergunta Marco. Se não foi a polícia que encontrou o aparelho e o entregou a Richard para que ele aumentasse a pressão sobre o genro, seu sogro certamente pegou o telefone de Derek. Será que Richard matou Derek? — *Você está com Cora, seu filho da puta?* — sussurra.

— Não. Ainda não. Mas vou resgatá-la. — Amargurado, o sogro acrescenta: — Não com a sua ajuda.

— O quê? Ela está viva? — dispara Marco, incrédulo.

— Acho que sim.

Marco suspira. Cora está viva! Nada mais importa. Tudo o que importa é eles recuperarem a filha.

— Como você sabe? Tem certeza?

— O máximo de certeza que posso ter sem segurá-la no colo.

— Como você sabe? — repete Marco novamente.

— Os sequestradores entraram em contato. Ficaram sabendo pelos jornais que pagamos o primeiro resgate. Querem mais. Vamos pagar o que pedirem. Amamos Cora, você sabe disso.

— Vocês não contaram nada a Anne? — indaga Marco, ainda tentando entender os últimos desdobramentos.

— Óbvio que não. Sabemos que está sendo difícil para ela, mas provavelmente é melhor assim, até termos certeza do que vai acontecer.

— Entendo.

— A verdade é que precisamos proteger nossas meninas de você, Marco — afirma Richard, com a voz fria. — Precisamos proteger Cora. E precisamos proteger Anne. Você é perigoso, Marco, com seus planos e suas artimanhas.

— Não sou nada perigoso, seu imbecil — retruca Marco, com rancor. — Como você conseguiu esse número?

— Os sequestradores mandaram o telefone para nós, assim como mandaram o macacão para vocês. Com um bilhete... sobre você. Provavelmente para nos impedir de procurar a polícia. Mas quer saber? Fico feliz por terem feito isso. Porque agora sabemos o que você fez e podemos provar, se quisermos. Mas cada coisa a seu tempo. Primeiro temos que recuperar Cora. — Ele abaixa a voz, em tom de ameaça. — Agora sou eu que estou no comando, Marco. E não se atreva a estragar tudo. Não diga nada à polícia. E não conte nada a Anne... Não quero que ela se encha de esperança de novo e alguma coisa dê errado.

— Tudo bem — concorda Marco, a cabeça girando.

Ele vai fazer qualquer coisa para recuperar Cora. Não sabe em que acreditar, mas quer acreditar que ela está viva.

Precisa destruir o celular.

— E não quero que você fale com Alice. Ela não quer falar com você. Está furiosa com o que você fez.

— Tudo bem.

— Ainda não terminamos nossa conversa, Marco — diz Richard, desligando abruptamente o telefone.

Marco permanece sentado no chão por bastante tempo, tomado de esperança e desespero.

Anne se levanta da cama. Anda em silêncio até a porta do quarto e a destranca. Enfia a cabeça pela fresta e olha o corredor. A luz do escritório está acesa. Será que Marco passou esse tempo todo lá? O que está fazendo?

Anne segue lentamente pelo corredor e empurra a porta do escritório. Marco está sentado no chão, com o celular na mão. Está terrivelmente pálido. Há um machucado feio acima do olho, onde ela o acertou com o celular. Ele ergue a cabeça quando ela entra. Os dois se entreolham por bastante tempo; não sabem o que dizer.

Por fim, Anne pergunta:

— Você está bem, Marco?

Ele toca a ferida ensanguentada na testa, percebe que está com uma dor de cabeça lancinante e assente.

Quer desesperadamente dizer que talvez Cora esteja viva, no fim das contas. Que há esperança. Que o pai dela está no comando de tudo, e ele nunca falha. Em nada. Ao contrário de seu marido idiota. Quer dizer a ela que tudo vai ficar bem.

Mas *nada* vai ficar bem. Talvez recuperem Cora — ele reza a Deus que seja assim —, mas o pai de Anne vai fazer de tudo para que Marco seja preso pelo sequestro, para que ele apodreça na cadeia. Marco não sabe se Anne, com seu frágil estado emocional, vai suportar essa chocante traição.

Por um instante de frivolidade, pensa na decepção de Cynthia com o rumo dos acontecimentos.

— Marco, diga alguma coisa — pede Anne, aflita.

— Estou bem — murmura ele.

Sua boca está seca. Está surpreso com o fato de ela estar falando com ele. Fica imaginando o motivo da mudança repentina. Poucas horas antes, Anne disse que ele ia dormir no sofá enquanto ela decidia o que fazer. Marco deduziu que ela o expulsaria de casa. Agora ela parece quase arrependida.

Aproxima-se e senta-se ao lado dele no chão. De repente, Marco fica com medo de que o sogro ligue novamente para o celular. Como explicaria isso? Furtivamente, desliga o aparelho.

— Marco, preciso dizer uma coisa — começa Anne, hesitante.

— O que foi, meu amor? — pergunta Marco.

Ele afasta uma mecha de cabelo do rosto dela. Anne não recua. Esse gesto de carinho, uma lembrança de dias mais felizes, faz lágrimas surgirem em seus olhos.

Ela baixa o olhar.

— Você tem que ser sincero comigo, Marco.

Ele assente, mas não diz nada. Fica imaginando se ela desconfia de algo. Pensa no que dizer se ela o confrontar.

— Na noite do sequestro, quando você foi dar uma olhada em Cora pela última vez... — Ela se vira para ele, que fica tenso, com medo do que está por vir. — Ela estava viva?

Marco leva um susto. Não esperava por essa pergunta.

— Claro que estava viva. Por que você está me perguntando isso?

Ele olha preocupado para ela, que parece confusa.

— Porque eu não me lembro de nada — sussurra Anne. — Quando eu a vi à meia-noite, não lembro se ela estava respirando. Você tem *certeza* de que ela estava respirando?

— Claro, tenho certeza absoluta.

Marco não pode dizer que sabe que ela estava viva porque sentiu o coraçãozinho da filha batendo em seu peito enquanto a levava para fora de casa.

— Como você sabe? — insiste Anne, encarando-o, como se tentasse ler sua mente. — Você viu mesmo se ela estava viva? Ou só deu uma olhada nela?

— Vi o peito dela subindo e descendo no berço — mente Marco.

— Tem certeza? Você mentiria para mim? — pergunta Anne, angustiada.

— Não, Anne, por que está me perguntando isso? Por que acha que ela não estava respirando? Aquele detetive idiota disse alguma bobagem?

Anne baixa o olhar novamente.

— Porque não sei se ela estava respirando quando vim vê-la à meia-noite. Não a peguei no colo. Eu não queria acordá-la. Não me lembro de ter notado se ela estava mesmo respirando.

— Só isso?

— Não. — Anne faz uma pausa, hesitante. Por fim, encara o marido. — Quando vim às onze horas... me deu um branco. Não me lembro de nada do que aconteceu.

A expressão dela o assusta. Marco tem a sensação de que Anne está prestes a lhe contar algo terrível, algo que de algum modo ele já esperava. Não quer ouvir, mas não consegue se mover.

— Não lembro o que eu fiz — murmura Anne. — Às vezes isso acontece: eu tenho um apagão. Faço coisas que não me lembro de ter feito.

— Como assim? — pergunta Marco, a voz estranhamente fria.

Ela o encara com um olhar suplicante.

— Não foi por causa do vinho. Eu nunca contei isso, mas, quando eu era mais nova, fiquei doente. Quando eu te conheci, achei que já estivesse curada.

— Doente como? — indaga Marco, assustado.

Anne começa a chorar.

— É como se minha mente apagasse por um instante. Depois, quando recobro a consciência, não me lembro de nada.

Ele a observa, perplexo.

— E você nunca pensou em me contar isso?

— Desculpe! Eu devia ter contado. Achei que... — Ela não termina a frase. — Menti para a polícia sobre o macacão. Não me lembro de ter trocado a roupa de Cora. Só deduzi que tinha feito isso, mas na verdade não lembro. Minha memória é... um vazio.

Ela está ficando histérica.

— Shhh — diz Marco. — Ela estava bem, Anne. Eu tenho certeza disso.

— A polícia acha que eu a machuquei. Acha que talvez eu tenha matado minha filha, sufocado ela com um travesseiro ou estrangulado, e você se livrou do corpo para me proteger!

— Isso é um absurdo! — exclama Marco, irritado com os detetives por terem sugerido uma coisa dessas a ela.

Todos sabem que ele é o culpado. Por que precisam deixá-la à beira de um colapso?

— É um absurdo mesmo? — pergunta Anne, lançando um olhar desnorteado para ele. — Eu bati nela. Estava irritada e bati nela.

— O quê? Quando? Quando você bateu nela?

— Quando vim amamentá-la, às onze horas. Ela estava agitada. Eu... meio que dei um tapa nela. Às vezes... eu perdia o controle... e dava um tapa nela quando ela não parava de chorar. Quando você estava no trabalho e ela não parava de chorar.

Marco a encara, abismado.

— Não, Anne, tenho certeza de que você não fazia isso — garante ele, desejando que tudo o que a esposa tinha acabado de contar não fosse verdade.

Isso é perturbador, tão perturbador quanto a confissão de Anne de que tinha uma doença que a deixava desorientada, sem saber o que havia feito.

— Mas eu não sei, entende? — grita Anne. — Não consigo lembrar! Talvez eu tenha machucado Cora. Você está me acobertando, Marco? Diga a verdade!

Ele leva as mãos ao rosto.

— Anne, ela estava bem. Estava viva e respirando à meia-noite e meia. Não é culpa sua. Nada disso é culpa sua.

Ele a abraça, e ela desata a chorar.

Ele pensa: *é tudo culpa minha.*

Capítulo Vinte e Sete

DEPOIS QUE ANNE finalmente cai num sono agitado, Marco fica acordado ao seu lado na cama por bastante tempo, tentando assimilar as informações. Gostaria de poder conversar com ela sobre toda essa confusão. Sente falta das conversas que tinham antes sobre tudo, dos planos que faziam. Mas ele não pode contar nada à esposa agora. Quando dorme, afinal, os sonhos são terríveis: Marco acorda às quatro da manhã com um sobressalto, o coração acelerado, suando, o lençol úmido.

O que ele sabe é o seguinte: Richard está negociando com os sequestradores. Ele e Alice vão pagar o que for necessário para recuperar Cora. Marco só pode torcer e rezar para que o sogro tenha o êxito que ele não teve. Richard está com o celular de Derek, e ele já *sabia* que era Marco do outro lado da linha. Richard e Alice sabem que Marco e Derek eram cúmplices, que ele sequestrou a própria filha por dinheiro. A primeira hipótese de Marco — de que Richard teria assassinado Derek e pegado o celular — agora lhe parece absurda. Como Richard poderia saber sobre Derek? O sogro seria capaz de golpear com uma pá a cabeça de outro homem? Embora odeie o desgraçado, Marco acha que não.

Se for verdade que os sequestradores mandaram o celular para Richard, isso é bom. Significa que a polícia não sabe de nada...

pelo menos, por enquanto. Mas Richard o ameaçou. O que foi que ele disse? Marco não lembra. Precisa conversar com o sogro e convencê-lo a não contar à polícia qual foi seu papel no sequestro — nem a Anne. Como vai conseguir isso? Terá que convencê-lo de que Anne não suportaria o choque, de que tornar público o envolvimento de Marco no sequestro de Cora a deixaria arrasada.

Os sogros sempre usariam isso contra ele, mas talvez ele, Anne e Cora pudessem ser uma família de novo. Se recuperassem a filha, Anne ficaria feliz. Marco poderia recomeçar, trabalhar duro para sustentá-las. Talvez Richard não queira denunciar o genro. Seria um constrangimento social para eles, mancharia sua reputação nos negócios. Talvez ele só queira ter alguns segredos sórdidos para usar contra Marco pelo resto da vida. Isso era a cara de Richard. Marco começa a respirar com mais facilidade.

Precisa se livrar do telefone. E se Anne apertar DISCAR e se deparar com a voz do pai? Ele se lembra de que ela não sabe a senha, mas, ainda assim, precisa se livrar do celular. O aparelho é uma prova de seu envolvimento com o rapto de Cora. A polícia não pode colocar as mãos nele.

Ainda há o problema de Cynthia e o vídeo. Ele não tem ideia do que fazer em relação a isso. Ela vai continuar em silêncio enquanto ele conseguir convencê-la de que vai arranjar o dinheiro.

Meu Deus, que confusão!

Marco se levanta no escuro e anda pelo quarto acarpetado, tomando o cuidado de não acordar a esposa. Veste-se às pressas com a mesma calça jeans e a mesma camiseta que usou no dia anterior. Desce até o escritório e pega o celular na gaveta onde o deixou na noite passada. Liga o aparelho e dá uma olhada nele pela última vez. Não há nenhuma novidade. Não há necessidade alguma de guardar o telefone. Se precisar falar com Richard, fará isso pessoalmente. O celular é a única prova física, além do vídeo de Cynthia, que existe contra ele.

Uma coisa de cada vez. Primeiro, precisa se livrar do telefone.

Pega a chave do carro na mesa junto à porta da frente. Cogita deixar um bilhete para Anne, mas deduz que vai voltar antes de ela acordar, por isso desiste. Sai sem fazer barulho pela porta dos fundos, atravessa o quintal e entra na garagem, onde está o Audi.

Está frio, prestes a amanhecer. Ele ainda não tomou uma decisão consciente sobre o que fazer com o telefone, mas segue para o lago. Está escuro. Ao dirigir sozinho na rodovia deserta, pensa em Cynthia. Nem todo mundo é capaz de chantagear uma pessoa. Fica imaginando o que mais ela já fez. Será que Marco conseguiria descobrir algo sobre ela que fosse tão comprometedor quanto as evidências que ela tem? Para equilibrar a situação. Se não encontrar nada de útil, talvez ele possa incriminá-la de algum modo. Precisaria de ajuda para isso. Sente um calafrio. Ele não tem jeito para o crime; no entanto, parece afundar cada vez mais naquilo.

Agarra-se à possibilidade de recuperar sua vida anterior: se Cora voltar ilesa, se Richard guardar segredo, se ele descobrir alguma coisa sobre Cynthia para fazê-la voltar atrás... De jeito nenhum ele vai ceder à chantagem. Não pode ficar na mão de Cynthia.

Mas, mesmo que consiga todas essas coisas, jamais terá paz de espírito. Sabe disso. Vai viver para Cora e Anne. Vai garantir que as duas sejam muito felizes. Deve isso a elas. Não importa se ele vai ser feliz ou não: perdeu qualquer direito à felicidade.

Estaciona em seu local preferido: sob a copa da árvore, de frente para o lago. Fica sentado no carro por alguns minutos, lembrando-se da última vez em que esteve ali. Tanta coisa aconteceu desde então! Na última vez em que esteve ali, apenas alguns dias antes, tinha certeza de que ia recuperar Cora. Se tudo tivesse acontecido de acordo com seus planos, ele estaria com a filha e o dinheiro, e ninguém saberia de nada.

Mas tudo se transformou em uma catástrofe.

Por fim, ele sai do carro. Faz frio no lago a essa hora da manhã. O céu começa a clarear. O celular está no bolso. Ele anda em direção à praia. Vai até o fim do cais para jogar o aparelho na água, onde ninguém nunca vai encontrá-lo. Uma coisa a menos com a qual se preocupar.

Ele fica um tempo parado no cais, dominado pelo remorso. Então tira o celular do bolso. Por via das dúvidas, limpa o aparelho com o casaco para apagar as impressões digitais. Na adolescência, era um bom jogador de futebol americano. Arremessa o celular no lago com força. O aparelho faz barulho ao atingir a água. Círculos crescentes irradiam do ponto onde ele caiu. Isso faz Marco se lembrar da época em que jogava pedras no lago, ainda criança. Como isso parece distante agora!

Sente-se aliviado por ter se livrado do telefone. Vira-se para voltar para o carro. Já amanheceu. Com um sobressalto, ele nota que há outro veículo no estacionamento, que não estava ali. Não sabe há quanto tempo chegou. Como não notou os faróis se aproximando? Talvez o carro tenha acabado de chegar e estava com os faróis apagados.

Não importa, diz a si mesmo, embora sinta um embrulho no estômago. Não tem problema se alguém o viu jogando algo no lago de manhã cedo. Está longe demais para ser reconhecido.

Mas seu carro está ali, com a placa à vista. Marco fica nervoso. Ao se aproximar, vê melhor o veículo. É uma viatura da polícia, sem dúvida. Reconhece-a de longe. Marco sente o estômago revirar. Por que há uma viatura ali? Ele foi seguido? A polícia o viu jogar algo no lago? Marco começa a suar frio, sente o coração pulsar. Tenta andar normalmente até o carro, mantendo a maior distância possível da viatura sem parecer que está tentando evitá-la. A janela se abre. Merda!

— Está tudo bem? — pergunta o policial, colocando a cabeça para fora, observando-o com atenção.

Marco para de andar e fica imóvel. Não reconhece o policial: não é Rasbach nem algum de seus investigadores. Em um instante de insanidade, imaginou o detetive colocando a cabeça para fora da janela aberta.

— Tudo bem. Eu estava com insônia — diz Marco.

O policial assente, fecha a janela e vai embora.

Marco entra no carro, tremendo descontroladamente. Precisa de alguns minutos para se recompor antes de começar a dirigir.

Durante o café da manhã, Anne e Marco não falam muito. Ele está pálido e distante depois do que aconteceu no lago. Ela está frágil, com saudade da filha, pensando no dia anterior. Ainda não acredita no que Marco disse sobre Cynthia. Por que ele estava na casa dela ontem? Se mentiu a esse respeito, sobre o que mais mentiu? Ela não confia nele, mas os dois estabeleceram uma trégua. Precisam um do outro. Talvez ainda gostem um do outro, apesar de tudo.

— Preciso passar no escritório hoje de manhã — diz Marco com a voz um pouco trêmula. Ele pigarreia alto.

— É domingo — retruca ela.

— Eu sei, mas é melhor eu ir e adiantar alguns projetos que estão atrasados.

Ele toma outro gole de café.

Ela assente. Acha que vai ser bom para o marido, afinal, ele está péssimo. Isso vai distraí-lo, mesmo que por pouco tempo. Anne sente inveja. Não pode se dar ao luxo de se concentrar no trabalho para esquecer, nem por um instante. Tudo em casa a remete à filha, ao que eles perderam. A cadeirinha de alimentação, que está vazia na cozinha. Os brinquedos coloridos de plástico guardados numa caixa na sala. O tapete de atividades onde ela deixava Cora; a filha adorava esticar as mãozinhas para tocar nos brinquedos pendurados ali. Não importa em que parte da casa ela fique, Cora está em todos os lugares. Para Anne não há fuga, por mais temporária que seja.

Percebe que Marco está preocupado com ela.

— O que você vai fazer enquanto eu estiver fora? — pergunta ele.

Ela dá de ombros.

— Não sei.

— Talvez você devesse deixar um recado para o médico que está substituindo a Dra. Lumsden. Tentar marcar uma consulta para o começo da semana.

— Tudo bem — diz ela, indiferente.

Mas, quando Marco sai, ela não liga para o consultório do psiquiatra. Fica andando pela casa, pensando em Cora. Imagina a menina morta, em algum depósito de lixo, cheia de larvas. Imagina a menina numa cova rasa na mata, desenterrada e devorada por animais. Lembra-se de histórias que leu no jornal sobre crianças desaparecidas. Não consegue se livrar das imagens horrorosas que surgem em sua mente. Está em pânico. Olha para si mesma no espelho, seus olhos estão fundos.

Talvez seja melhor não saber o que aconteceu com a filha. Mas ela *precisa* saber. Pelo resto da vida, ideias terríveis vão surgir em sua mente atormentada e talvez sejam até pior do que a verdade. Talvez a morte de Cora tenha sido rápida. Anne reza para que tenha sido assim. Mas provavelmente nunca vai saber.

Desde o nascimento da filha, sempre soube onde Cora estava em cada minuto de sua breve vida, mas agora não faz ideia de onde ela se encontra. Porque é péssima mãe. É uma mãe horrível e emocionalmente instável que não amou a filha o suficiente. Deixou-a sozinha em casa. Batia nela. Não é nenhuma surpresa que ela tenha desaparecido. Existe um motivo para tudo, e o motivo de Cora ter sumido é que Anne não a merece.

Ela já não está simplesmente perambulando pela casa; sua agitação é crescente. A cabeça está a mil, os pensamentos se atropelam. Sente uma culpa imensa pela filha. Não sabe se deve acreditar em Marco quando ele diz que Cora estava viva à meia-noite e meia. Não pode acreditar em nada do que ele diz: é um mentiroso. Ela deve ter machucado Cora. Deve ter matado a própria filha. É a única possibilidade.

Seria terrível, um fardo impossível de suportar. Precisa contar isso a alguém. Tentou contar a Marco, mas ele não lhe deu ouvidos. Prefere fingir que não aconteceu, pensa que ela é incapaz de machucar a própria filha. Anne se lembra do jeito que o marido a olhou quando ela disse que batia em Cora, lembra-se da incredulidade dele.

Talvez Marco pensasse de outra forma se tivesse visto o tapa que ela deu em Cora.

Talvez Marco pensasse de outra forma se soubesse de sua história.

Mas não sabe, porque ela nunca contou a ele.

Houve um incidente na St. Mildred's do qual ela não se lembra. Lembra-se apenas do que veio depois: o sangue na parede do banheiro feminino, Susan caída no chão como se estivesse morta, e todos — Janice, Debbie, a professora de ciências e a diretora — encarando-a, horrorizados. Ela não fazia ideia do que havia acontecido.

Depois do incidente, a mãe a levou a um psiquiatra, que diagnosticou um transtorno dissociativo. Anne se lembra da ida ao consultório: ela ficou imóvel na cadeira, a mãe sentada ao seu lado, ansiosa. Ficou apavorada com o diagnóstico, apavorada e envergonhada.

— Não estou entendendo — murmurou a mãe para o médico.
— Não estou entendendo.
— Eu sei que parece assustador, só que é mais comum do que a senhora imagina — respondeu o psiquiatra com delicadeza. — Considere isso um mecanismo de enfrentamento, mas é um mecanismo imperfeito. A pessoa se desconecta da realidade por um instante. — O médico se virou para Anne, que se recusava a olhar para ele. — Você pode se sentir um pouco aérea, como se as coisas estivessem acontecendo com outra pessoa. Pode achar que estão distorcidas ou que são irreais. Ou talvez haja uma fuga dissociativa, como o que aconteceu com você: um breve período de amnésia.

— Isso vai se repetir? — perguntou Alice ao psiquiatra.
— Não sei. Já aconteceu antes?

Sim, já havia acontecido, mas nunca com tanta intensidade.

— Algumas vezes, quando era pequena, ela fazia coisas das quais não se lembrava — admitiu Alice, hesitante. — No começo, eu... eu achei que ela estava mentindo para se livrar do castigo. Mas depois percebi ela não tinha controle sobre aquilo. — Alice fez uma pausa. — Mas nunca aconteceu nada parecido com isso.

O psiquiatra entrelaçou as mãos e lançou um olhar penetrante para Anne. Em seguida, perguntou à mãe dela:

— Anne teve algum trauma na vida?

— Trauma? — repetiu Alice. — Claro que não.

O médico a observou, cético.

— O transtorno dissociativo em geral é consequência de algum trauma reprimido.

— Meu Deus! — exclamou Alice.

O médico ergueu as sobrancelhas e aguardou.

— O pai dela — confessou Alice de repente.

— O pai dela?

— Ela viu o pai morrer. Foi horrível. Ela o adorava.

Anne continuava imóvel e mantinha os olhos fixos na parede à sua frente.

— Como ele morreu? — perguntou o médico.

— Eu fui fazer compras e ele ficou em casa, brincando com ela. E sofreu um ataque cardíaco. Deve ter morrido imediatamente. Ela viu tudo. Quando voltei, era tarde demais. Ela estava chorando, apertando as teclas do telefone, sem saber quais números deveria apertar. De qualquer forma, não importava: ninguém poderia ter salvado ele. Ela só tinha 4 anos.

O médico assentiu, solidário.

— Entendo — disse, e depois ficou quieto.

— Durante muito tempo, ela teve pesadelos com isso — falou Alice. — Eu não a deixava falar sobre o que havia acontecido; talvez tenha sido um erro meu, mas ela ficava muito transtornada, e eu achava que estava tentando ajudar. Sempre que ela abordava o assunto, eu tentava distraí-la. Ela parecia se culpar por não ter sabido o que fazer, mas não foi culpa dela. Era muito pequenininha.

E os médicos disseram que nada poderia ter sido feito para salvá-lo, mesmo que a ambulância já estivesse ali, em frente a nossa casa.

— Para qualquer criança seria muito difícil lidar com isso — observou o médico. Ele se virou para Anne, que continuava ignorando-o. — O estresse pode piorar temporariamente os sintomas do transtorno. Sugiro que você venha aqui com certa frequência, para que a gente aprenda a lidar com essa ansiedade.

Anne chorou no carro durante todo o caminho para casa. Quando chegaram, antes de entrar, a mãe a abraçou e disse:

— Vai ficar tudo bem, Anne. — Mas a menina não acreditou. — Vamos dizer ao seu pai que você vai fazer terapia para tratar sua ansiedade. Ele não precisa saber de nada. Não compreenderia.

As duas não contaram a ele sobre o incidente na escola. A mãe de Anne foi sozinha às reuniões com os pais das outras três garotas da St. Mildred's.

Desde então, houve outros "episódios", sobretudo inofensivos, em que Anne "apagava" durante alguns minutos ou, às vezes, algumas horas, e depois não se lembrava do que tinha feito. Esses episódios eram provocados pelo estresse. Ela ia parar em algum lugar desconhecido, sem fazer ideia de como tinha chegado ali, e ligava para a mãe, que ia buscá-la. Mas isso não acontecia desde o primeiro ano de faculdade. Fazia tanto tempo que ela achava que esse problema tinha ficado para trás.

Mas é claro que ela se lembrou imediatamente de tudo isso depois do sequestro. E se a polícia descobrir sobre a doença? E se Marco descobrir tudo e começar a vê-la de outro jeito? Até que o macacão chegou pelo correio, e a mãe deixou de olhar para Anne como se estivesse com medo de que ela tivesse matado a própria filha e Marco tivesse acobertado a esposa.

Agora os detetives sabem que ela atacou Susan. Acham que ela é violenta. Durante todo esse tempo, Anne teve medo de que a polícia achasse que ela é culpada, mesmo que isso não fosse verdade. Mas existem coisas piores do que ser acusada injustamente.

O maior medo de Anne é ser *de fato* culpada.

Os dias que se seguiram ao desaparecimento de Cora — quando Anne tinha certeza de que a menina havia sido raptada por um desconhecido — foram difíceis: ter que suportar a desconfiança da polícia, do público e de sua mãe. Ela e Marco resistiram porque sabiam que eram inocentes. Cometeram um único erro: ter deixado a filha sozinha em casa. Mas não haviam abandonado Cora.

No entanto, na noite em que adormeceu no sofá, Anne confundiu a busca por indícios da traição de Marco com a busca por Cora. A realidade ficou distorcida. Ela se lembra de ter pensado que Cynthia havia roubado sua filha.

A doença voltou. Quando exatamente?

Anne acha que sabe. Voltou na noite do sequestro, depois que bateu em Cora. Sua mente sofreu um apagão. Ela não sabe o que aconteceu.

Agora é quase um alívio se dar conta de que foi ela. É melhor Cora ter sido morta rapidamente pela própria mãe, em seu quarto, sob os olhares de seus carneirinhos de pelúcia, do que ter sido levada por algum monstro que poderia molestá-la, torturá-la, amedrontá-la.

Anne deveria ligar para a mãe. Ela saberia o que fazer. Mas não quer fazer isso. Alice tentaria protegê-la, fingiria que aquilo nunca aconteceu. Assim como Marco. Todos estão tentando acobertar o que ela fez.

Ela não quer mais isso. Precisa contar à polícia. E tem que fazer isso nesse exato momento, antes que alguém a impeça. Quer deixar tudo às claras. Não suporta nem mais um minuto de segredos, de mentiras. Precisa saber onde sua filha está. Precisa tê-la em seus braços pela última vez.

Observa a rua pela janela do quarto. Não vê nenhum repórter lá fora. Veste-se depressa e chama um táxi para levá-la à delegacia.

O táxi parece demorar uma eternidade, mas finalmente chega. Ela entra rapidamente no veículo e se acomoda no banco traseiro, sentindo-se estranha, mas decidida. Precisa dar um basta nisso. Vai contar à polícia o que aconteceu. Ela matou Cora. Marco deve ter dado um jeito de se livrar do corpo e sugerido que eles oferecessem dinheiro para o resgate a fim de despistar a polícia. Mas agora Marco vai ter que parar de protegê-la. Vai ter que parar de mentir para ela. Vai ter que contar à polícia onde escondeu o corpo de Cora, e então ela vai saber. Precisa saber onde a filha está. Não aguenta mais continuar nessa tensão.

Anne tem certeza de que ninguém vai dizer a verdade se ela não tomar a iniciativa de contar tudo à polícia.

Quando chega à delegacia, a policial na recepção olha para ela com uma preocupação evidente.

— A senhora está bem? — pergunta.

— Estou — responde Anne depressa. — Quero ver o detetive Rasbach. — Sua voz soa estranha até mesmo aos seus ouvidos.

— Ele não está aqui. É domingo — afirma a policial. — Vou ver se consigo falar com ele. — Ela tem uma breve conversa ao telefone, depois desliga e anuncia: — Ele está vindo. Chega em meia hora.

Anne aguarda com impaciência, a cabeça a mil.

Quando Rasbach chega, menos de meia hora depois, está usando roupas casuais: calça cáqui e camisa de manga curta. Está muito diferente. Anne está acostumada a vê-lo de terno, portanto acha essa mudança desconcertante.

— Anne. — Ele a cumprimenta, encarando-a com aqueles olhos que não deixam nada escapar. — Como posso ajudá-la?

— Preciso falar com você — murmura ela.

— Onde está seu advogado? — pergunta Rasbach. — Fui informado de que você não falaria mais com a gente sem a presença do seu advogado.

— Não quero meu advogado.

— Tem certeza? Talvez você devesse ligar para ele. Posso esperar. O advogado ia impedi-la de dizer o que ela precisa revelar.

— Não! Tenho certeza. Não preciso de advogado. Não quero. E não chame meu marido.

— Tudo bem, então — diz Rasbach, virando-se para conduzi-la à sala de interrogatório.

Anne o acompanha. Começa a falar antes mesmo de se sentar. Ele pede para ela esperar.

— Por favor, apenas para que fique registrado, diga seu nome e o dia de hoje. E deixe claro que foi aconselhada a chamar seu advogado, mas recusou.

Depois de Anne fazer isso, eles começam.

— Por que a senhora veio aqui hoje? — pergunta o detetive.

— Vim confessar.

Capítulo Vinte e Oito

RASBACH OBSERVA ANNE com atenção. Obviamente ela está agitada, retorcendo as mãos. As pupilas estão dilatadas; o rosto, pálido. Ele não sabe direito o que fazer. Anne abriu mão da presença de seu advogado — isso foi registrado na gravação —, mas ele está inseguro quanto ao seu estado mental, não sabe se ela está apta a tomar essa decisão. No entanto, quer ouvir o que ela tem a dizer. Sempre podem desconsiderar a confissão depois, e provavelmente vão fazer isso, mas Rasbach precisa ouvi-la. Quer saber do que se trata.

— Eu matei minha filha — afirma Anne.

Ela está aflita, mas parece sensata, não está fora de si. Sabe quem é, onde está e o que está fazendo.

— Conte o que aconteceu, Anne — pede ele, sentado diante dela.

— Eu fui ver como ela estava às onze horas — começa. — Tentei dar mamadeira a ela, porque eu estava bebendo no jantar, não queria amamentá-la. Mas ela estava agitada e queria mamar do peito. Não estava aceitando a mamadeira.

Anne para de falar e fica olhando para a parede, como se revisse tudo num filme projetado ali.

— Continue — pede o detetive.

— Então pensei "foda-se" e dei o peito a ela. Eu me senti mal, mas Cora rejeitava a mamadeira e estava com fome. Ela chorava muito. Foi a primeira vez que ela teve problema com a mamadeira... até então nunca tinha recusado. Como eu podia imaginar que ela ia recusar logo na noite em que bebi algumas taças de vinho?

Rasbach permanece em silêncio. Não quer falar e interromper o fluxo de pensamentos. Ela parece estar num transe, ainda olha fixamente para a parede.

— Eu não sabia mais o que fazer. Por isso a amamentei. — Ela desvia os olhos da parede e encara o detetive. — Menti quando disse que me lembro de ter trocado o macacão cor-de-rosa dela. Não lembro. Deduzi que tinha feito isso, mas, na verdade, não me lembro de nada.

— De que a senhora lembra?

— Eu me lembro de ter amamentado Cora. Ela mamou um pouco, mas logo ficou agitada de novo. — Os olhos de Anne se voltam para a tela imaginária na parede. — Andei um pouco com ela pela casa, cantei para ela, mas Cora só chorava, cada vez mais alto. Eu também comecei a chorar. — Ela o encara. — E dei um tapa nela. — Os olhos de Anne se enchem de lágrimas. — Depois disso, não me lembro de mais nada. Ela estava vestindo o macacão cor-de-rosa quando bati nela, disso eu me lembro, mas não me lembro de mais nada do que aconteceu depois. Devo ter trocado a fralda e a roupa dela. Talvez a tenha deixado cair no chão ou a tenha sacudido, não sei. Talvez eu a tenha sufocado com um travesseiro, para fazer com que ela parasse de chorar, como você disse, e ela deve ter morrido... — Anne começa a chorar histericamente. — Quando fui vê-la à meia-noite, ela estava no berço, mas não a peguei no colo. Não sei se estava respirando.

Rasbach deixa Anne chorar. Por fim, pergunta:

— Anne, se não se lembra de nada, por que acha que matou Cora?

— Porque ela sumiu! Porque eu não *lembro*. Às vezes, quando estou sob muito estresse, eu tenho apagões e me desconecto da realidade. E depois descubro que fiz algo de que não me lembro. Isso já aconteceu.

— Fale sobre isso.

— Você sabe de tudo. Já conversou com Janice Foegle.
— Quero ouvir sua versão. Conte o que aconteceu.
— Não quero falar sobre isso.
Ela pega vários lenços na caixa e seca as lágrimas.
— Por quê?
— Não quero falar sobre isso.
Rasbach se recosta na cadeira.
— Anne, acho que você não matou Cora.
— Acha, sim. Você já disse isso.
Ela amassa os lenços com as mãos.
— Não acho mais. Se fui eu quem colocou essa ideia na sua cabeça, peço sinceras desculpas.
— Eu devo ter matado Cora. E Marco deve ter pedido para alguém se livrar do corpo, para me proteger. Para que eu não descobrisse o que tinha feito.
— Então onde ela está?
— Não sei! Marco não me diz! Já implorei, mas ele não diz nada. Ele nega. Não quer que eu saiba que matei minha filha. Está me protegendo. Deve ser muito difícil para ele... Achei que, se eu viesse aqui e contasse a você o que aconteceu, ele não teria mais que fingir e poderia nos contar onde ela está. Assim eu ficaria sabendo e estaria tudo acabado.
Ela afunda na cadeira, a cabeça baixa.
É verdade que, no começo, Rasbach suspeitou de que algo assim pudesse ter acontecido. Que a mãe poderia ter surtado, matado a filha, e ela e o marido se livraram do corpo. Era uma explicação plausível. Mas não como ela está dizendo. Porque, se ela tivesse matado a filha às onze horas, ou mesmo à meia-noite, e Marco só tivesse descoberto à meia-noite e meia, como Derek Honig poderia já estar no carro, esperando para se livrar do corpo? Não, ela não matou a filha. Simplesmente não faz sentido.
— Anne, tem certeza de que eram onze horas quando amamentou Cora, quando ela estava chorando? Pode ter sido mais cedo? Às dez, por exemplo?

Se esse fosse o caso, Marco teria descoberto tudo antes, quando foi vê-la às dez e meia.

— Não, eram onze horas. Sempre dou a última mamada às onze, e depois ela geralmente dorme até as cinco da manhã. Essa foi a única vez em que fiquei mais de cinco minutos fora da festa. Pode perguntar aos outros.

— É, Marco e Cynthia já disseram que a senhora ficou mais tempo ausente por volta das onze, que só voltou às onze e meia e depois foi ver a bebê de novo à meia-noite — confirma Rasbach. — Quando voltou ao jantar, a senhora contou ao seu marido que achava possível ter machucado Cora?

— Não, eu... Só ontem à noite me dei conta de que poderia ter feito isso!

— Anne, o que você está sugerindo é impossível — argumenta Rasbach, com delicadeza. — Como Marco pode ter ido para casa à meia-noite e meia sem saber que a filha estava morta e já ter pedido para alguém esperá-lo na garagem para levar a bebê poucos minutos depois?

Anne fica paralisada. Não está mexendo mais as mãos. Parece confusa.

Tem outra coisa que o detetive precisa lhe dizer.

— Parece que o homem que foi morto no chalé, Derek Honig, é a pessoa que estava no carro que estacionou na sua garagem e levou Cora. Logo vamos saber se os pneus correspondem às marcas encontradas em sua casa. Achamos que Cora foi levada para o chalé dele, nas Montanhas Catskill. Algum tempo depois, assassinaram Honig com uma pá.

Anne parece ter dificuldade de assimilar as informações.

Rasbach está preocupado com ela.

— Posso chamar alguém para levar a senhora para casa? Onde está Marco?

— No trabalho.

— Em pleno domingo?

Ela não responde.

— Posso chamar sua mãe? Uma amiga?

— Não! Estou bem. Vou para casa sozinha. Sério, estou bem — diz Anne. Ela se levanta de súbito. — Por favor, não conte a ninguém que estive aqui hoje.

— Pelo menos me deixe chamar um táxi — insiste ele.

Pouco antes de o táxi chegar, ela se vira de repente para o detetive.

— Mas... daria tempo de ele ter chamado alguém entre meia-noite e meia e a hora em que chegamos em casa. Se eu a matei, ele a encontrou à meia-noite e meia e então ligou para alguém. Só chegamos em casa quase à uma e meia, e Marco não queria ir embora. Você não tem certeza de que Cora estava no carro que passou pela rua à meia-noite e trinta e cinco. Pode ter sido mais tarde.

— Mas não tem como Marco ter ligado para alguém sem nosso conhecimento — retruca Rasbach. — Temos todos os registros telefônicos dele. Ele não ligou para ninguém. Se Marco pediu a alguém que levasse a menina, só pode ter sido algo previamente combinado, planejado. *E isso significa que a senhora não matou sua filha.*

Anne lança um olhar assustado para ele, como se estivesse prestes a dizer algo, mas o táxi chega, e ela não diz nada.

Com pena, Rasbach a observa ir embora.

Anne retorna à casa vazia. Deita-se no sofá da sala, completamente exausta, e relembra o que aconteceu na delegacia.

Rasbach quase a convenceu de que ela não poderia ter matado Cora. Mas ele não sabe sobre o celular escondido no duto de ventilação. Marco poderia, *sim*, ter ligado para alguém à meia-noite e meia. Não sabe por que não disse nada sobre o celular. Talvez não quisesse que Rasbach soubesse que Marco tinha uma amante. Estava envergonhada demais.

Ou foi isso ou aquele homem do chalé raptou Cora, viva, em algum momento depois de Marco ter dado uma olhada na filha à meia-noite e meia. Ela não sabe por que o detetive Rasbach tem tanta certeza de que o carro que passou pela rua à meia-noite e trinta e cinco tem alguma relação com o desaparecimento de Cora.

Anne se lembra de como ficava ali deitada com a filha aninhada ao seu peito. Parece que foi há muito tempo... Anne ficava tão cansada que precisava se deitar com a menina. As duas se acomodavam no sofá, numa hora tranquila do dia, como aquela, e às vezes adormeciam juntas. Lágrimas escorrem pelas suas bochechas.

Ela ouve barulho do outro lado da parede. Cynthia está em casa, andando pela sala, ouvindo música. Anne a despreza. Detesta tudo nela: o fato de não ter filhos, o ar de superioridade e poder, o corpo, as roupas provocantes. Detesta-a por ter dado em cima do seu marido, por ter tentado destruir o relacionamento deles. Não sabe se algum dia vai conseguir perdoá-la pelo que ela fez. Acima de tudo, detesta-a porque as duas eram amigas.

Detesta o fato de Cynthia morar do outro lado da parede. De repente acha que eles poderiam se mudar. Colocar a casa à venda. Ela e Marco se tornaram *personae non gratae* ali: a correspondência se acumula, dia após dia, e a casa que ela tanto amava se tornou uma tumba. Ela se sente enterrada viva.

Eles não podem continuar morando ali por muito mais tempo, com Cynthia do outro lado, perto de Marco.

Aliás, o que Marco estava fazendo na casa de Cynthia no dia anterior, parecendo tão culpado? Ele nega veementemente que está tendo um caso com ela, mas Anne não é idiota. Não consegue arrancar a verdade do marido e está cansada das mentiras dele.

Ela mesma vai confrontar Cynthia. Vai arrancar a verdade dela, mas se depara com o mesmo problema: como vai saber o que é verdade e o que é mentira?

Levanta-se e vai até a porta dos fundos. Entra na garagem para pegar suas luvas de jardinagem. Lá, detém-se por um instante a fim de deixar os olhos se acostumarem com a escuridão. Sente o cheiro familiar da garagem: gasolina, madeira velha e panos mofados. Fica ali parada, imaginando o que deve ter acontecido. Está muito confusa. Se não matou Cora, se Marco não pediu para alguém se livrar do corpo, alguém — provavelmente o homem que está morto — raptou Cora do seu berço em algum momento depois da meia-noite e meia, enquanto ela e Marco estavam na casa ao lado, sem saber de nada.

Ela fica feliz por ele estar morto. Espera que tenha sofrido bastante.

Sai para o quintal e começa a arrancar as ervas daninhas do jardim até suas costas doerem e suas mãos ficarem cheias de bolhas.

Capítulo Vinte e Nove

MARCO ESTÁ SENTADO à mesa, olhando pela janela, sem prestar atenção em nada. A porta está fechada. Ele olha para o tampo da mesa de mogno sofisticada que escolheu com tanto cuidado quando decidiu expandir a empresa e alugar aquela sala comercial.

Chega a se sentir enojado ao recordar a inocência e o otimismo daquela época. Dá uma olhada ao redor da sala, que transmite com tanta perfeição a imagem de um empresário bem-sucedido. A mesa impressionante, a vista da cidade e do rio, as poltronas de couro elegantes, as telas de arte moderna. Anne o ajudou com a decoração, ela entende do assunto.

Ele se lembra de como os dois se divertiram comprando as peças, organizando tudo. Quando terminaram, ele trancou a porta, abriu uma garrafa de champanhe e fez amor com a esposa no chão do escritório.

Ele sofria certa pressão na época, precisava estar à altura da expectativa de todos: de Anne, dos pais dela, de si mesmo. Se houvesse se casado com outra mulher, talvez tivesse se contentado em subir na vida aos poucos, montando a empresa mais devagar, com garra, talento e muitas horas de trabalho. Mas teve a oportunidade de acelerar as coisas e aceitou isso. Era ambicioso. Ofereceram dinheiro a ele numa bandeja de prata. E evidentemente esperavam que ele tivesse sucesso imediato. Como poderia não crescer, depois de receber uma ajuda tão magnífica? Havia muita pressão. Richard, sobretudo, tinha muito interesse em saber como estava a empresa, afinal ele tinha feito um investimento nela.

Parecia bom demais para ser verdade. E era.

Ele arranjou clientes grandes antes de estar pronto para atendê-los. Cometeu o clássico erro de principiante de crescer rápido demais. Se não tivesse se casado com Anne... Não, se não tivesse aceitado a casa como presente de casamento e, anos depois, o empréstimo dos sogros, eles poderiam ter alugado um apartamento, ele teria um escritório simples em algum lugar longe do centro e não dirigiria um Audi, mas estaria trabalhando duro e correndo atrás do sucesso à sua maneira. Ele e Anne seriam felizes.

Cora estaria em casa.

Mas veja o que aconteceu. Ele é dono de uma empresa grande demais, à beira da falência. É um sequestrador. Um criminoso. Um mentiroso. Considerado suspeito pela polícia. Está nas mãos de um sogro egocêntrico que sabe o que ele fez e de uma chantagista impiedosa que nunca vai parar de exigir dinheiro. A empresa está arruinada, por mais que ele tenha recebido dinheiro e contatos por meio dos amigos de Richard do country club.

O investimento que Alice e Richard fizeram na empresa está perdido. Assim como os cinco milhões de dólares que pagaram por Cora. E é Richard quem está negociando com os sequestradores: vão pagar ainda mais para recuperar a neta. Marco não faz ideia do quanto.

Os pais de Anne devem odiá-lo muito... Pela primeira vez, Marco pensa sob o ponto de vista deles. Entende a decepção. Ele decepcionou todo mundo. No fim, a empresa foi um tremendo fiasco, mesmo com toda a ajuda. Marco ainda acredita que, se tivesse trabalhado por conta própria, seria bem-sucedido. Tudo viria aos poucos. Mas Richard o forçou a fechar contratos que ele não conseguiu honrar. E Marco ficou desesperado.

Quando as coisas começaram a desandar de verdade, alguns meses antes, ele passou a beber num bar na esquina antes de voltar para casa, onde se sentia impotente diante da depressão da esposa. Em geral, o bar estava tranquilo às cinco da tarde, quando ele chegava. Sentava-se junto ao balcão, pedia uma bebida e ficava observando o líquido amarelado, pensando no que poderia fazer.

Depois saía do bar e ia caminhar à beira do rio, ainda sem vontade de voltar para casa. Sentava-se num banco e ficava contemplando a água.

Certo dia, um homem mais velho apareceu e se sentou ao lado dele. Irritado, Marco fez menção de se levantar, sentindo que seu espaço tinha sido invadido. Mas, antes que pudesse fazer isso, o homem puxou assunto, todo simpático.

— Você parece meio triste — observou, solidário.

Marco foi curto e grosso.

— Pode-se dizer que sim.

— Perdeu a namorada?

— Antes fosse.

— Ah, então deve ser problema no trabalho — arriscou o homem, sorrindo. — É *bem* pior. — Ele estendeu a mão. — Bruce Neeland.

Marco apertou a mão dele.

— Marco Conti.

Marco passou a ficar ansioso para encontrar Bruce. Sentia alívio em ter alguém com quem pudesse falar de seus problemas, alguém que não o conhecia, que não o julgava. Não podia falar para Anne o que estava acontecendo, por causa da depressão dela e de sua expectativa com o êxito da empresa. Não havia contado a ela que os negócios andavam mal e, por isso, não podia dizer de repente que eles estavam quase falidos.

Bruce parecia entender. Era um sujeito afável, receptivo e sincero. Era corretor. Já tivera bons e maus momentos. Era preciso ser forte, enfrentar as marés ruins.

— Nem sempre é fácil — murmurava ele, sentado ao seu lado, vestindo um terno bem-cortado.

— Com certeza.

Certo dia, Marco bebeu demais no bar. Mais tarde, à beira do rio, contou a Bruce mais do que deveria. Simplesmente deixou escapar seu problema com os sogros. Bruce era bom ouvinte.

— Devo muito dinheiro a eles — confessou Marco.

— São seus sogros. Não vão colocar a corda no seu pescoço se você não puder pagá-los — respondeu Bruce, olhando para o rio.

— Talvez fosse melhor assim — comentou Marco, amargurado.

Ele mencionou o quanto os pais de Anne exerciam controle sobre sua vida: a empresa, a casa, até as tentativas de colocar a esposa contra ele.

— Pelo visto eles mantêm você na rédea curta — avaliou Bruce, comprimindo os lábios.

— Ahã.

Marco tirou o paletó e o pendurou no encosto do banco. Era verão, as noites estavam quentes.

— O que você vai fazer?

— Não sei.

— Você poderia pedir outro empréstimo a eles, para se manter até os negócios melhorarem — sugeriu Bruce. — Fodido, fodido e meio.

— Acho que não.

Bruce o encarou.

— Por que não? Não seja bobo. Basta pedir o dinheiro e sair do buraco. Continue na luta. De qualquer jeito, eles vão querer proteger o investimento que fizeram. Pelo menos dê essa opção a eles.

Marco considerou a sugestão. Por mais que detestasse a ideia, fazia sentido ser sincero com Richard, dizer que a empresa estava enfrentando dificuldades. Poderia pedir a ele que guardasse segredo e não incomodasse Anne e Alice com aquilo. Afinal de contas, empresas vão à falência todos os dias. Era culpa da economia. As coisas estavam muito mais difíceis do que quando Richard havia começado. Claro que Richard jamais concordaria com isso. Ou, pelo menos, jamais admitiria.

— Peça ao seu sogro — aconselhou Bruce. — Não vá ao banco.

Marco não contou a Bruce, mas já havia procurado o banco e hipotecado a casa alguns meses antes. Dissera a Anne que era para expandir ainda mais a empresa, que estavam em um momento de grandes possibilidades, e ela não o havia questionado. Ele tinha pedido a ela que não contasse aos pais. Argumentou que os dois já se intrometiam demais na vida deles.

— Pode ser — considerou Marco.

Ele passou dois dias pensando no assunto. Dormindo mal. Por fim, decidiu falar com o sogro. Sempre resolvia com Richard qualquer questão financeira. Richard gostava que fosse assim. Marco reuniu coragem e ligou para o sogro, perguntando se eles podiam se encontrar para beber alguma coisa. Richard ficou surpreso, mas sugeriu o bar do country club. Claro. Tinha que ser na zona de conforto dele.

Quando chegou, Marco estava nervoso e tomou depressa a bebida. Quando percebeu que quase só restavam cubos de gelo, tentou beber mais devagar

Richard o encarou.

— O que aconteceu, Marco? — perguntou.

Ele hesitou.

— A empresa não está tão bem quanto eu gostaria.

No mesmo instante, Richard ficou desconfiado.

— A coisa é séria?

Era isso que Marco detestava no sogro. Sempre havia a humilhação. Ele não podia tratar Marco com respeito. Não podia ser generoso.

— Bastante — admitiu Marco. — Perdi alguns clientes. Outros não me pagaram. Estou com um problema grave de fluxo de caixa.

— Sei... — disse Richard, tomando um gole da bebida.

Houve um longo silêncio. Ele não ofereceria ajuda, notou Marco. Obrigaria o genro a pedir. Ele ergueu os olhos da bebida e encarou o rosto sério do sogro.

— Será que você poderia me dar outro empréstimo para eu superar essa fase delicada? Podemos tratá-lo como um empréstimo de verdade. Quero pagar juros dessa vez.

Marco não considerou a possibilidade de que o sogro fosse recusar. Achava que Richard não ousaria fazer isso, porque, afinal, o que aconteceria com sua filha? Marco queria apenas evitar a humilhação, o momento de ter que pedir ajuda, de ficar na mão de Richard.

O sogro fixou seus olhos gélidos nele.

— Não — respondeu.

Marco não entendeu. Achou que Richard estivesse se recusando a receber os juros.

— Não, sério. Quero pagar juros. Cem mil dólares está de bom tamanho.

Richard se inclinou para a frente, debruçando-se sobre a mesinha que os separava.

— Eu disse *não*.

Marco sentiu um calor subir pelo pescoço, sentiu o rosto corar. Não disse nada. Não conseguia acreditar que o sogro estivesse falando sério.

— Não vamos mais te dar dinheiro, Marco — anunciou Richard. — E também não vamos mais te dar *empréstimos*. Você está por conta própria. — Ele se recostou na confortável poltrona do clube. — Farejo de longe um investimento ruim.

Marco não sabia o que responder. Não ia implorar. Quando Richard tomava uma decisão, não tinha volta. E obviamente ele estava decidido.

— Alice e eu concordamos: já tínhamos decidido parar de te ajudar — acrescentou Richard.

E sua filha?, Marco queria perguntar, mas ficou mudo. Então se deu conta de que já sabia a resposta.

Richard ia contar para Anne. Diria à filha que Marco havia sido uma péssima escolha. Richard e Alice nunca gostaram dele. Esperaram pacientemente por esse dia. *Queriam* que Anne o deixasse. Que pegasse Cora e o abandonasse. Claro que era isso que eles queriam.

Marco não podia deixar que isso acontecesse.

Levantou-se de súbito, batendo o joelho na mesinha.
— Tudo bem. Vou dar um jeito.

Deu meia-volta e saiu do bar, cego de fúria e vergonha. Ele mesmo ia contar a Anne. Diria que o pai dela era um imbecil.

Era fim de tarde. Hora de tomar mais uma bebida antes de voltar para casa. Ele foi até o bar que frequentava e saiu para dar uma caminhada. Bruce já estava lá, no banco. *Esse* foi o momento. O ponto do qual não houve mais volta.

Capítulo Trinta

— Você ESTÁ péssimo — comentou Bruce quando Marco se sentou ao seu lado no banco.

Marco estava estarrecido. Tinha reunido coragem para pedir o empréstimo, mas não havia considerado a possibilidade de Richard recusar. A empresa tinha salvação, Marco tinha certeza disso. Havia algumas dívidas altas, clientes que não tinham pagado. Mas também havia um novo negócio em andamento: os envolvidos só estavam demorando a tomar uma decisão. Tudo ainda podia dar certo se tivesse um pouco de dinheiro. Ele continuava ambicioso. Ainda acreditava em si mesmo. Só precisava de tempo. Precisava de dinheiro.

— Preciso de grana — Marco disse a Bruce. — Você conhece algum agiota?

Ele estava meio que brincando. Sabia que devia estar parecendo desesperado.

Bruce levou a pergunta a sério. Virou-se para ele, olhando-o de soslaio.

— Não, não conheço nenhum agiota. E, de qualquer forma, você não vai querer se envolver com eles.

— Porra, não sei mais o que fazer — resmungou Marco, passando a mão no cabelo, olhando com raiva para o rio.

— Pode decretar falência e recomeçar — sugeriu Bruce, depois de pensar um pouco. — Muita gente faz isso.

— Não posso — murmurou Marco, inflexível.

— Por que não? — insistiu Bruce.

— Porque isso acabaria com minha esposa. Ela está... frágil. Desde que deu à luz. Você sabe.

Marco se inclinou para a frente, apoiando os cotovelos nos joelhos e enterrando o rosto nas mãos.

— Você tem filhos? — perguntou Bruce, surpreso.

— Tenho — respondeu Marco, erguendo os olhos. — Uma menininha.

Bruce se recostou e encarou Marco.

— O que foi?

— Nada — respondeu Bruce, depressa.

— Não, você ia falar alguma coisa — insistiu Marco, endireitando-se no banco.

Obviamente Bruce havia tido uma ideia.

— Os pais da sua esposa gostam da neta?

— Adoram. É a única neta deles. Já sei o que você está pensando... Eles vão dar dinheiro para a educação dela, provavelmente guardar alguma quantia para quando ela chegar à maioridade, mas vão colocar tudo numa poupança da qual não vou poder nem chegar perto. Não adianta nada.

— Mas se você for um pouco criativo... — disse Bruce, inclinando a cabeça.

Marco o encarou.

— Como assim?

Bruce se aproximou dele, baixando o tom de voz.

— Você está disposto a correr riscos?

— Do que você está falando?

Marco deu uma olhada ao redor para verificar se havia alguém por perto que pudesse ouvi-los, mas eles estavam sozinhos.

— Eles não vão dar dinheiro a *você*, mas aposto que pagariam uma bela quantia para recuperar a neta.

— O que você está sugerindo? — sussurrou Marco.

Mas ele já sabia.

Os dois se entreolharam. Se Marco já não tivesse bebido um pouco — e, principalmente, se não tivesse tido aquele terrível encontro com o sogro —, certamente teria recusado a ideia, voltado para casa e contado a verdade a Anne, como era sua intenção inicial. Decretaria falência e começaria do zero. Eles ainda tinham a casa. Tinham um ao outro e Cora. Contudo, Marco havia passado em uma loja de bebidas a caminho dali. Tinha trazido consigo uma garrafa em um saco de papel. Estava abrindo-a. Ofereceu um pouco ao amigo e tomou um grande gole no gargalo. O álcool anuviava um pouco as coisas, deixava tudo menos impossível.

Bruce baixou o tom de voz.

— Simule um sequestro. Não um sequestro de verdade, um falso. Ninguém vai se machucar.

Marco o encarou. Aproximou-se dele e murmurou:

— Como? Não seria um falso sequestro para a polícia.

— Não, mas se você fizer tudo certinho, é o crime perfeito. Os pais da sua esposa pagam o resgate, você recupera sua filha e tudo acaba em poucos dias. Quando a criança volta para casa, a polícia perde o interesse no caso.

Marco ficou pensando. A bebida fazia tudo parecer menos insensato.

— Não sei... — disse, apreensivo.

— Você tem alguma ideia melhor? — insistiu Bruce, entregando-lhe o saco de papel com a garrafa aberta.

Os dois discutiram os detalhes, a princípio hipoteticamente: ele poderia forjar o sequestro da própria filha, entregando-a para Bruce, que ficaria alguns dias com ela em seu chalé nas Montanhas Catskill. Bruce tinha três filhos já adultos, mas sabia cuidar de criança pequena. Eles comprariam celulares não registrados para se comunicar. Marco teria que esconder o telefone em algum lugar.

— Eu precisaria de cem mil dólares — murmurou, olhando para o rio, observando os pássaros que traçavam círculos no céu.

Bruce zombou dele.

— Está louco?

— Por quê? — perguntou Marco.

— Se você for pego, vai ter a mesma sentença se tiver pedido cem mil ou cem milhões de dólares. Não vale a pena fazer isso por uma ninharia.

Eles se revezavam com a garrafa enquanto Marco considerava a possibilidade. Até onde sabia, a fortuna de Richard e Alice Dries era estimada em quinze milhões de dólares. Eles tinham dinheiro. Se recebesse um milhão, Marco poderia salvar a empresa e pagar a hipoteca, sem pedir mais nenhuma ajuda para os pais de Anne. Pelo menos diretamente. Seria maravilhoso arrancar alguns milhões do imbecil do Richard.

Eles chegaram à conclusão de que o resgate seria de dois milhões de dólares. Dividido meio a meio.

— Nada mal para dois dias de trabalho — comentou Bruce.

Marco decidiu que o sequestro precisaria ser logo. Se esperasse muito, perderia a coragem.

— Amanhã à noite nós vamos sair. Temos uma festa na casa dos vizinhos. Chamamos uma babá, mas ela sempre dorme no sofá com os fones de ouvido.

— Você poderia sair para fumar, dar uma passada em casa e me entregar sua filha — sugeriu Bruce.

Marco considerou a proposta. Podia dar certo. Os dois discutiram o plano mais detalhadamente.

Agora, se pudesse escolher um momento para voltar no tempo e mudar tudo, seria o dia em que conheceu Bruce. Se ele não tivesse ido caminhar à beira do rio, se não tivesse se sentado no banco, se Bruce não tivesse aparecido... Se tivesse se levantado e ido embora no dia em que Bruce se sentou ao seu lado, se não tivesse começado aquela amizade... Tudo seria muito diferente agora.

Marco pensa por um instante que a polícia não conseguiria descobrir alguém que soubesse de sua relação com Bruce. Seus encontros eram esporádicos, imprevisíveis. As únicas pessoas que os viam ali eram aquelas que praticavam corrida no local ou andavam de patins. Ele não tinha se preocupado muito com isso na época, porque ninguém jamais veria Bruce de novo. O amigo iria se aposentar: pegaria seu milhão de dólares e desapareceria.

Mas ele morreu.

E Marco está completamente fodido.

Precisa ligar para Richard: foi por isso que veio ao escritório, para ter uma conversa particular com o sogro. Precisa saber o que está acontecendo com Cora, se Richard fez algum novo acordo com os sequestradores.

Ele hesita. Não vai suportar receber mais notícias ruins. Aconteça o que acontecer, eles precisam recuperar Cora. Marco precisa confiar que Richard vai resolver a situação. Pode lidar com o restante depois.

Pega o telefone e disca o número do sogro. Cai direto na caixa postal. *Merda*. Ele deixa um recado breve:

— É Marco. Me ligue. Quero saber o que está acontecendo.

Levanta-se e começa a andar pela sala, como se já tivesse sido trancado em uma cela.

Anne tem a impressão de ter escutado a filha chorar. Cora deve ter acabado de acordar da soneca. Ela tira as luvas de jardinagem, entra depressa em casa e lava as mãos na pia da cozinha. Ouve Cora lá em cima, no berço, aos prantos para chamar a atenção da mãe.

— Só um instante, meu amorzinho — grita. — Já estou indo.

Ela está feliz.

Sobe correndo a escada para pegar a filha, cantarolando. Entra no quarto da bebê. Tudo continua igual, mas o berço está vazio. De repente, ela se lembra de tudo e tem a sensação de estar sendo arrastada para o oceano. Desaba na poltrona de amamentação.

Anne não está bem, sabe que não. Deveria ligar para alguém. Para a mãe. Mas não faz isso. Fica se balançando para a frente e para trás na poltrona.

Queria culpar Cynthia por todos os seus problemas, mas sabe que a vizinha não está com Cora.

Cynthia só tentou roubar seu marido, o marido com quem ela nem sabe mais se quer ficar. Alguns dias pensa que Marco e Cynthia se merecem. Ouve a vizinha do outro lado da parede e sente a raiva aumentar. Porque, se não tivessem ido à festa naquela noite, se Cynthia não houvesse vetado a presença de Cora, nada disso teria acontecido. Anne ainda estaria com a filha.

Anne avalia sua imagem no espelho quebrado do banheiro do segundo andar, que eles ainda não trocaram, sua fisionomia partida em centenas de pedacinhos. Mal reconhece a pessoa que retribui seu olhar. Lava o rosto e escova o cabelo. Vai para o quarto, veste uma camiseta limpa e uma calça jeans. Olha pela janela: não há repórteres na frente da casa. Ela anda até a casa ao lado e toca a campainha.

Cynthia atende a porta, claramente surpresa ao se deparar com Anne.

— Posso entrar? — pergunta Anne.

Mesmo que vá passar o dia em casa, Cynthia está impecavelmente vestida: calça capri e uma linda blusa de seda.

Olha para Anne com desconfiança. Abre mais a porta e responde:

— Está bem.

Anne entra.

— Quer café? Posso fazer — oferece Cynthia. — Graham viajou. Só volta amanhã, tarde da noite.

— Quero, sim — aceita Anne, acompanhando-a à cozinha.

Agora que está ali, ela se pergunta como começar a conversa Quer saber a verdade. Deve ser simpática? Ou partir para a acusação? Na última vez em que esteve nessa casa, tudo ainda era normal. Parece que foi há muito tempo. Uma eternidade.

Na cozinha, Anne olha para a porta de vidro que dá para o quintal. Vê as cadeiras lá fora. Imagina Cynthia no colo de Marco, em uma daquelas cadeiras, enquanto o homem que foi encontrado morto nas montanhas levava sua filha embora de carro. Está morrendo de raiva, mas toma o cuidado de não deixar que ela transpareça. Tem muita prática em sentir raiva sem demonstrá-la. Anne disfarça. Não é o que todos fazem? Todos não fingem ser algo que não são? O mundo inteiro se baseia em mentiras e trapaças. Cynthia é uma mentirosa, assim como Marco.

Anne fica tonta e se senta à mesa da cozinha. Cynthia liga a cafeteira e se vira para ela, encostando-se na bancada. De onde Anne está, Cynthia parece ainda mais alta, as pernas mais compridas do que nunca. Anne percebe que está com inveja, uma inveja terrível de Cynthia. E a vizinha sabe.

Nenhuma das duas quer começar a conversa. É estranho. Por fim, Cynthia murmura:

— Estão fazendo algum progresso na investigação?

Ela exibe uma expressão preocupada ao perguntar, mas não engana Anne, que olha para a vizinha e diz:

— Nunca vou recuperar minha filha.

Diz isso com calma, como se estivesse fazendo um comentário sobre o tempo. Sente-se desconectada, não tem qualquer ligação com nada. De repente, percebe que foi um erro ter ido até ali. Não é forte o bastante para enfrentar Cynthia sozinha. Era perigoso. Tem medo de Cynthia. Mas por quê? O que a vizinha poderia fazer contra ela, depois do que já aconteceu? Na verdade, Anne deveria se sentir invencível. Não tem mais nada a perder. É Cynthia quem deveria ter medo *dela*.

Então Anne compreende. Sente um frio na espinha. Está com medo de si mesma. Com medo do que pode fazer. Precisa ir embora dali. Levanta-se de súbito.

— Preciso ir — murmura.

— Como assim? Você acabou de chegar — retruca Cynthia, surpresa, dirigindo a ela um olhar penetrante. — Você está bem?

Anne afunda novamente na cadeira e abaixa a cabeça. Cynthia se aproxima e se agacha ao seu lado. Toca de leve a mão com unhas feitas nas costas da vizinha. Anne está com medo de desmaiar, sente que vai vomitar. Respira fundo, esperando a vontade passar. Se esperar, se respirar, a sensação de náusea vai passar.

— Tome um pouco de café — sugere Cynthia. — A cafeína vai te ajudar.

Anne ergue a cabeça e observa Cynthia servindo o café. Essa mulher não se importa nem um pouco com ela, mas está lhe servindo café, acrescentando creme e açúcar, trazendo a xícara para a mesa, como fazia antigamente. Anne toma um gole, então outro. Cynthia tem razão, ela se sente melhor. O café clareia seus pensamentos, permite que ela raciocine. Ela toma outro gole e deixa a xícara na mesa. Cynthia se senta de frente para ela.

— Há quanto tempo você tem um caso com meu marido? — pergunta Anne com uma voz casual e surpreendentemente neutra, considerando-se a raiva que sente. Qualquer pessoa que a ouvisse acharia que ela não se importa com o possível caso de Marco.

Cynthia se recosta na cadeira e cruza os braços sobre os seios fartos.

— Não tenho um caso com seu marido — afirma, com a mesma frieza.

— Sem essa — diz Anne, num tom estranhamente amistoso. — Eu já sei de tudo.

Cynthia parece surpresa.

— Como assim? Não há nada para saber. Marco e eu não temos caso nenhum. Nós nos beijamos na varanda, na última vez em que vocês estiveram aqui, nada de mais. Coisa de adolescente. Ele estava bêbado. Nós dois estávamos bêbados. Nós nos deixamos levar pelo momento. Não significou nada. Foi a primeira e última vez que tocamos um no outro.

— Não sei por que vocês negam. Já sei que estão tendo um caso — insiste Anne, olhando para Cynthia por cima da borda da xícara.

A mulher a encara do outro lado da mesa, segurando sua xícara com as duas mãos.

— Já falei para você e para os policiais quando eles estiveram aqui: nós só nos beijamos lá fora. Estávamos bêbados, só isso. Não houve nada entre nós dois antes nem depois disso. Não o vejo desde a noite do sequestro. Você está imaginando coisas, Anne.

Seu tom de voz é condescendente.

— Não minta para mim! — sibila Anne de repente. — Eu vi Marco saindo daqui ontem à tarde. — Cynthia fica tensa. — Então não minta para mim dizendo que não o viu mais! E eu já sei do celular.

— Que celular?

A sobrancelha perfeitamente desenhada de Cynthia se ergue.

— Deixa para lá — murmura Anne, arrependendo-se de ter dito essa última parte.

Ela pensa na possibilidade de Marco usar o celular para falar com outra pessoa. É tão confuso tudo o que está acontecendo... Ela mal consegue raciocinar direito. Tem a impressão de que sua mente está entrando em colapso. Sempre foi sensível, mas, nessa situação — com a filha desaparecida, com a traição e as mentiras do marido —, quem não perderia a cabeça? Ninguém poderia culpá-la. Ninguém poderia culpá-la se ela fizesse uma besteira.

A fisionomia de Cynthia muda. A falsa preocupação desaparece, e ela encara Anne com frieza.

— Você quer saber o que está acontecendo, Anne? Tem certeza de que realmente quer saber?

Anne retribui o olhar, confusa com a mudança de tom. Consegue imaginar Cynthia na época da escola: a menina alta e bonita que fazia bullying com as meninas baixas, gordinhas e inseguras como Anne.

— Quero, sim.

— Tem certeza? Porque, depois que eu te contar, não tem mais volta.

Cynthia deixa a xícara na mesa.

— Sou mais forte do que você pensa — afirma Anne. Há certa agressividade em sua voz. Ela também deixa a xícara na mesa, inclina-se para a frente e acrescenta: — Eu perdi minha filha. O que mais poderia me magoar?

Cynthia sorri, mas é um sorriso frio, calculista. Recosta-se na cadeira e olha para Anne como se tentasse tomar uma decisão.

— Acho que você não faz ideia do que está acontecendo.

— Então por que você não me conta? — instiga Anne.

Cynthia se levanta, fazendo a cadeira ranger ao ser arrastada no chão da cozinha.

— Tudo bem. Espere aqui. Eu já volto.

Cynthia sai da cozinha e sobe a escada. Anne fica imaginando o que ela teria para lhe mostrar. Considera fugir dali. O que mais seria capaz de suportar? Talvez sejam fotos. Fotos dela com Marco. Cynthia é fotógrafa. E é o tipo de mulher que gosta de se fotografar, por ser muito bonita e vaidosa. Talvez mostre a Anne fotos dela na cama com Marco. E a expressão do seu marido será totalmente diferente de quando ele faz amor com Anne. Ela se levanta. Está prestes a sair pela porta de vidro quando Cynthia surge com um laptop na cozinha.

— Perdeu a coragem? — pergunta.

— Não, eu só queria um pouco de ar fresco — mente Anne. Ela fecha novamente a porta e retorna à mesa.

Cynthia coloca o laptop na mesa e o abre. As duas se sentam e aguardam alguns minutos, até o computador ligar.

— Sinto muito por isso, Anne, sinto mesmo — diz ela.

Anne a encara, sem acreditar nisso nem por um instante, e, relutante, volta a atenção para a tela. Não é o que ela esperava. É um vídeo em preto e branco do quintal de Cynthia e do quintal da casa de Anne. Ela observa a data e a hora na beirada da tela. Fica completamente gelada.

— Espere — pede Cynthia.

Anne sente que vai ver o homem que morreu nas montanhas levando sua filha. Cynthia é cruel a esse ponto. E tinha esse vídeo esse tempo todo.

— Por que você não mostrou isso à polícia? — pergunta Anne, com os olhos fixos na tela.

Sem conseguir acreditar, Anne vê Marco surgir na porta de casa à meia-noite e trinta e um e mexer na lâmpada do sensor de movimento: a luz se apaga. Anne sente o sangue se esvair de seu corpo. Vê Marco entrar em casa. Dois minutos se passam. A porta dos fundos se abre. Marco sai com Cora nos braços, envolta na manta branca. Olha ao redor, como se quisesse se certificar de que não está sendo observado, encara a câmera por um instante, sem saber de sua existência, e entra depressa na garagem, passando pelo portão. O coração de Anne bate acelerado. Um minuto depois, vê Marco saindo da garagem sem a filha. É meia-noite e trinta e quatro. Ele atravessa o jardim na direção de casa, sumindo brevemente da imagem e reaparecendo no quintal dos Stillwell.

— Entende agora, Anne? — pergunta Cynthia, quebrando o silêncio aterrador. — Eu e Marco não temos caso nenhum. Marco raptou sua filha.

Anne está perplexa, horrorizada, sem conseguir falar nada.

— Talvez você deva perguntar a ele onde ela está — acrescenta Cynthia.

Capítulo Trinta e Um

Cynthia se recosta na cadeira.

— Posso mostrar isso à polícia, ou talvez você prefira que eu não faça isso. Sua família tem dinheiro, não tem?

Anne se levanta de súbito. Abre a porta de correr de vidro e sai às pressas dali, deixando Cynthia sentada sozinha à mesa com o laptop. A imagem de Marco levando Cora para a garagem à meia-noite e trinta e três daquela madrugada ficou marcada nas retinas e no cérebro de Anne. Essa imagem nunca mais vai sair de sua cabeça. *Marco raptou Cora*. E passou esse tempo todo mentindo para ela.

Anne não sabe com quem se casou.

Corre para casa e entra pela porta dos fundos. Mal consegue respirar. Senta-se no chão da cozinha, encostada no armário, trêmula. Chora desesperadamente e lembra-se, ofegante, daquela imagem repetidas vezes.

Isso muda tudo. Marco raptou a filha deles. Mas por quê? Por que fez isso? Não pode ter sido para protegê-la. O detetive Rasbach já lhe explicou que isso não era possível. Se ela tivesse matado Cora e Marco tivesse descoberto isso à meia-noite e meia, não poderia haver um cúmplice dele ali na garagem à meia-noite e trinta e cinco. E agora Anne sabe que ele levou Cora para fora de casa exatamente à meia-noite e trinta e três. Deve ter combinado com alguém, com o homem que morreu, que o esperasse na garagem à meia-noite e meia, quando sabia que seria sua vez de ir dar uma olhada na filha. Portanto, Marco planejou o rapto. Ele *planejou* o rapto. Com o homem que agora está morto. Ela tem a impressão de que já o viu antes. Onde?

O tempo inteiro Marco estava por trás de tudo, e ela não fazia a menor ideia disso.

Marco sequestrou a filha deles junto com o homem que agora está morto. Onde está Cora? Quem a roubou do homem no chalé? *O que diabos aconteceu? Como ele pôde ter feito isso?*

Anne fica sentada no chão da cozinha, os braços em torno dos joelhos, tentando compreender. Cogita voltar à delegacia e contar o que viu para o detetive Rasbach. Ele poderia pegar o vídeo com Cynthia. Ela já imagina o motivo de a vizinha não ter entregado o vídeo à polícia: deve estar usando-o contra Marco. Quer tê-lo em suas mãos. Cynthia é esse tipo de mulher.

Por que Marco sequestraria Cora? Se não fez isso para proteger Anne, então ele teve seus próprios motivos. O único possível é dinheiro. Ele queria o dinheiro do resgate. O dinheiro dos pais dela. É uma descoberta assustadora. Anne já sabe que a empresa está indo mal. Lembra-se de que Marco lhe pediu que assinasse os documentos da hipoteca da casa alguns meses antes, para receber dinheiro e expandir os negócios. Anne deduziu que a empresa estava crescendo mais rápido do que o esperado, que estava tudo bem. Mas talvez ele também estivesse mentindo naquele momento. Tudo se encaixa. A falência da empresa, a hipoteca da casa e, por fim, o sequestro — *da própria filha* — para arrancar dinheiro dos pais dela.

Por que Marco simplesmente não abriu o jogo sobre as dificuldades da empresa? Eles poderiam ter conversado com os pais dela e pedido mais dinheiro. Por que ele fez uma idiotice dessas? Por que entregou a filhinha preciosa deles àquele homem que foi golpeado até a morte com uma pá?

Será que Marco foi ao chalé depois que o dinheiro do resgate foi roubado e matou o homem num acesso de fúria? Será que seu marido também era um assassino? Ele teve tempo de ir ao chalé sem que ela notasse? Ela tenta lembrar que dia é hoje, tenta recordar cada dia que se passou desde o sequestro, mas está tudo muito confuso em sua cabeça.

Será que o celular fazia parte do plano? Ela se dá conta de que estava enganada desde o início. Não tem nada a ver com nenhum caso amoroso, com Cynthia ou com quem quer que fosse. É por causa do sequestro. Marco sequestrou a filha deles.

O homem com quem ela se casou.

O mesmo homem que, sentado ali na cozinha, disse que o homem morto nas montanhas lhe parecia familiar.

De repente, sente medo do próprio marido. Não sabe quem ou o que ele é. Está começando a entender do que ele é capaz.

Será que ele a amou em algum momento da vida ou se casou com ela apenas pelo dinheiro?

O que ela deve fazer agora? Contar o que sabe à polícia? O que aconteceria com Cora se ela fizesse isso?

Depois de muito tempo, Anne se levanta. Obriga-se a ir depressa para o quarto. Tremendo, começa a arrumar uma mala.

Anne desce do táxi diante da casa dos pais. A casa onde passou a infância e a juventude. É muito imponente. Uma grande mansão de pedra, com um jardim bem-cuidado e um quintal que dá para uma floresta. Ela paga ao taxista e fica ali parada por um minuto, com a mala a seus pés, observando a casa. Naquele bairro as casas são muito distantes umas das outras. Ninguém vai vê-la, a menos que a mãe esteja em casa e olhe pela janela. Ela se lembra nitidamente do dia em que saiu por aquela porta e subiu na garupa da moto de Marco, completamente apaixonada.

Tanta coisa aconteceu desde então. Tanta coisa mudou. Ela detesta voltar para a casa dos pais. É como se admitisse que eles sempre estiveram certos em relação a Marco. Ela não quer acreditar nisso, mas viu a prova com os próprios olhos. Agiu contra a vontade dos pais ao se casar com Marco, seguiu a própria cabeça, o próprio coração.

Agora já não sabe mais nada.

Parada diante da casa dos pais, sem ter avisado que iria até ali, Anne de repente se lembra de onde viu o homem assassinado nas montanhas. Sente o corpo tremer feito vara verde, tentando assimilar essa nova informação. Então pega o celular e chama outro táxi.

Marco tenta mais uma vez falar com Richard e deixa outra mensagem breve na caixa postal. Richard está punindo o genro ao deixá-lo de fora das negociações. Vai cuidar da situação sozinho e só vai contar os detalhes a Marco quando tudo acabar, quando Cora voltar para casa sã e salva. Se voltar.

Até Marco admite para si mesmo que talvez seja melhor assim. Se alguém pode conseguir isso, é Richard. O sogro, seu dinheiro e seus nervos de aço. Marco está exausto, física e emocionalmente. Só quer se deitar no sofá do escritório, dormir por algumas horas e acordar com o telefonema de que Cora voltou para casa em segurança. Mas e depois? O que vai acontecer?

Ele se lembra de que tem uma garrafa de uísque aberta no fundo da gaveta de um de seus arquivos. Para de andar de um lado para outro, aproxima-se do armário e puxa a gaveta. A garrafa está pela metade. Pega um copo, também escondido ali, e se serve de uma dose generosa. Então volta a andar pela sala.

Marco não suporta a possibilidade de nunca mais ver Cora. Também está morrendo de medo de ser preso. Tem certeza de que, se isso acontecer, o advogado que teria mais capacidade de livrá-lo da cadeia, Aubrey West, não estará mais representando-o. Porque os pais de Anne não vão pagá-lo, e Marco não tem dinheiro para bancar um advogado renomado.

Ele enche mais uma vez o copo, deixa a garrafa aberta na mesa e se dá conta de que já está pensando no que fazer depois de ser preso. Parece-lhe algo inevitável. Anne não vai defendê-lo depois que o pai lhe contar a verdade. Por que ela faria isso? Vai odiá-lo. Se ela tivesse feito o mesmo, ele jamais a perdoaria.

E ainda tem Cynthia e o vídeo.

Ao tomar a terceira dose de uísque, pela primeira vez Marco cogita contar a verdade à polícia. E se simplesmente dissesse a Rasbach que, sim, conhecia Bruce, que no fim das contas se chamava Derek Honig. Sim, estava com problemas financeiros. Sim, o sogro se recusou a ajudar. Sim, ele planejou o rapto da própria filha para arrancar dinheiro dos sogros.

Mas não tinha sido ideia dele. E sim de Derek Honig.

Foi Derek Honig que sugeriu o sequestro, que o planejou. Na cabeça de Marco, aquilo era uma maneira de receber com certa antecedência a herança da esposa. Não era para ninguém morrer. Nem o cúmplice. Muito menos sua filha.

Marco também é uma vítima. Não é inocente, mas é uma vítima. Estava desesperado e encontrou alguém que se apresentou com um nome falso e o convenceu a participar do sequestro para proveito próprio. Um bom advogado como Aubrey West poderia reverter sua situação.

Marco poderia se abrir com o detetive Rasbach. Contar tudo.

Depois que Cora estiver em casa.

Ele ia ser preso. Mas, se sobreviver a isso, Cora ficaria com a mãe. Richard já não teria nada para usar contra ele. E Cynthia ia se ferrar. Talvez ele até conseguisse colocá-la na cadeia por tentativa de chantagem. Por um instante, imagina a vizinha num macacão laranja nada elegante, o cabelo sujo.

Para de súbito no meio da sala, vê seu reflexo no espelho grande pendurado na parede que fica de frente para a janela e mal se reconhece.

Capítulo Trinta e Dois

Quando anoitece, Marco finalmente volta para casa. Bebeu demais, por isso deixa o carro e pega um táxi. Chega em casa desgrenhado, os olhos injetados, o corpo exaurido de tensão, mesmo depois de todo o álcool.

Entra pela porta da frente.

— Anne? — chama, perguntando-se onde ela está. A casa está escura e parece vazia. Está muito silenciosa. Ele para, tentando escutar em meio ao silêncio. Talvez ela não esteja ali. — Anne? — Sua voz sai mais forte, cheia de preocupação.

Marco chega à sala. Detém-se ao vê-la. Anne está sentada no sofá, no escuro, imóvel. Há um facão em suas mãos. Marco nota que é a faca de trinchar do cepo que fica na bancada da cozinha. Ele sente o sangue sumir de seu rosto. Avança com cautela e tenta enxergá-la melhor. O que ela está fazendo sentada no escuro com uma faca?

— Anne? — murmura. Ela parece em transe. Isso deixa Marco assustado. — Anne, o que aconteceu? — Ele se aproxima dela como alguém que tenta chegar perto de um animal perigoso. Como Anne não responde, ele pergunta, com o mesmo tom de voz suave: — O que você está fazendo com uma faca?

Ele precisa acender a luz. Aproxima-se lentamente do abajur da mesinha.

— Não chegue perto de mim!

Ela ergue a faca.

Marco se detém e olha para a esposa. Nota a maneira como ela segura a faca, como se estivesse disposta a usá-la.

— Eu sei o que você fez — diz Anne, com a voz baixa e desesperada.

Marco pensa rápido. Anne deve ter conversado com o pai. As coisas devem ter dado errado. Marco fica em pânico. Percebe que estava confiando demais no sogro para resolver tudo, para recuperar Cora. Evidentemente tudo deu errado. A filha deles nunca vai voltar. O pai de Anne contou a verdade a ela.

E agora, para completar, sua esposa enlouqueceu.

— Para que essa faca, Anne? — pergunta Marco, obrigando-se a manter a calma.

— Para me proteger.

— Para se proteger de quem?

— De você.

— Não precisa se proteger de mim — afirma Marco, no escuro. O que o pai dela andou dizendo? Que mentiras? Ele nunca faria mal à esposa ou à filha. Tudo não passou de um grande erro. Ela não tem motivo para ter medo dele. *Você é perigoso, Marco, com seus planos e suas artimanhas.*

— Você esteve com seu pai?

— Não.

— Mas falou com ele.

— Não.

Marco não entende.

— Com quem você falou?

— Ninguém.

— Por que você está sentada aqui no escuro com uma faca?

Ele quer acender a luz, mas não quer assustá-la.

— Não, não é verdade — diz Anne, como se acabasse de se lembrar de algo. — Estive com Cynthia.

Marco fica em silêncio. Apavorado.

— Ela me mostrou o vídeo.

Anne lança um olhar terrível para ele. Todo o sofrimento e toda a fúria transparecem em seu rosto. O ódio.

Marco sente os joelhos fraquejarem. Está tudo acabado. Anne deve querer matá-lo pelo rapto de Cora. Não pode culpá-la. Tem vontade de pegar a faca e fazer o mesmo.

De repente, sente o corpo gelar. Precisa ver a faca. Precisa saber se ela a usou. Mas está escuro demais. Não consegue ver se há sangue nela ou na faca. Dá um passo adiante e para. Os olhos de Anne o assustam.

— *Você* sequestrou Cora. Vi com meus próprios olhos. Levou nossa filha enrolada na manta até a garagem. Aquele homem a levou embora. Você planejou isso tudo. Mentiu para mim. E continuou mentindo o tempo todo. — Seu tom é de incredulidade. — Quando foi enganado por ele, você foi até o chalé e o matou.

Ela está cada vez mais agitada.

Marco está horrorizado.

— Não, Anne... Não matei ninguém!

— E depois me disse, sentado à mesa da cozinha, que ele lhe parecia *familiar*.

Marco se sente péssimo. Imagina como ela vê a situação. Como a história foi distorcida.

Segurando com força a faca nas mãos, Anne se inclina para a frente.

— Estou morando com você nessa casa desde que Cora desapareceu, e durante todo esse tempo você estava mentindo para mim. Mentindo sobre tudo. — Ela olha nos olhos dele e murmura: — *Não sei quem você é.*

Com o olhar fixo na faca, Marco responde, desesperado:

— Eu raptei Cora, sim. Raptei Cora, Anne. Mas não é o que você está pensando! Não sei o que Cynthia disse a você. Ela não sabe de nada. Está me chantageando. Está tentando usar o vídeo para arrancar dinheiro de mim.

Anne o encara, os olhos arregalados na escuridão.

— Posso explicar, Anne! Não é o que parece. Me escute. Eu estava com dificuldades financeiras. A empresa não estava bem. Tive alguns problemas. Então conheci um homem... Derek Honig. — Marco hesita. — Ele me disse que se chamava Bruce Neeland. Parecia um cara legal, nós nos tornamos amigos. *Ele* sugeriu o sequestro. Foi tudo ideia dele. Eu precisava do dinheiro. Ele disse que seria rápido e fácil, que ninguém se machucaria. Ele planejou tudo.

Marco faz uma pausa para respirar. Ela o observa com olhos impiedosos. Ainda assim, é um alívio confessar, dizer a verdade.

— Eu fui até a garagem e entreguei Cora a Derek. Ele deveria ligar para nós doze horas depois, e a recuperaríamos em dois ou três dias, no máximo. Era para ser muito rápido e fácil — diz Marco, amargurado. — Mas aí ele não entrou em contato com a gente. Eu não sabia o que estava acontecendo. Tentei ligar para ele com aquele celular que você encontrou... O telefone era para isso. Mas ele não me atendia. Eu não sabia o que fazer. Não tinha outra maneira de entrar em contato com ele. Achei que talvez tivesse perdido o celular. Ou ficado com medo, que a tivesse matado e saído do país. — Marco começa a soluçar. Ele faz uma pausa e tenta se recompor. — Fiquei desesperado. Está sendo um inferno para mim também, Anne, você não faz ideia.

— Não me diga que eu não faço ideia! — grita ela. — Nossa filha desapareceu, e a culpa é sua!

Ele tenta acalmá-la baixando o tom de voz. Precisa contar tudo a ela, precisa desabafar.

— Quando nós recebemos o macacão pelo correio, achei que fosse ele entrando em contato. Que talvez tivesse acontecido alguma coisa com o celular e ele estava com medo de ligar para mim. Achei que ele estivesse tentando devolver nossa filha. Nem quando o valor do resgate subiu para cinco milhões de dólares achei que... ele ia me enganar. Só fiquei preocupado com a possibilidade de seus pais não pagarem. Pensei que ele tivesse aumentado o valor porque achava que estava correndo um risco maior. — Marco para de falar por um instante, aturdido por reviver aquilo tudo. — Mas quando cheguei ao local combinado, Cora não estava lá. — Ele desaba, aos prantos. — Ela devia estar lá. Não sei o que aconteceu! Anne, juro para você que eu nunca quis fazer mal a ninguém. Muito menos à nossa filha... e a você.

Marco cai de joelhos diante dela. Anne pode cortar seu pescoço, se quiser. Ele não se importa.

— Como pôde fazer isso? — murmura ela. — Como pôde ser tão idiota? — Marco ergue a cabeça e a encara. — Por que não pediu dinheiro ao meu pai, se estava tão desesperado?

— Eu pedi! — retruca Marco. — Mas ele negou.

— Não acredito em você. Ele jamais faria isso.

— Por que eu mentiria?

— Você *só* mente, Marco.

— Então pergunte a ele!

Seus olhares se encontraram por um instante.

Então, mais calmo, Marco diz:

— Você tem todos os motivos do mundo para me odiar, Anne. Eu me odeio pelo que fiz. Mas não precisa ter medo de mim.

— Nem mesmo depois de você ter matado aquele homem? Com uma pá?

— Não fui eu!

— Por que você não me conta tudo de uma vez, Marco?

— Eu *contei* tudo! *Não* matei aquele homem no chalé.

— Então quem o matou?

— Se soubéssemos isso, então saberíamos quem está com Cora! Derek não machucaria nossa filha, tenho certeza. Nunca a machucaria. Eu nunca a teria deixado com ele se achasse que era capaz de fazer mal a ela.

Mas, ao dizer isso, Marco fica pasmo com a facilidade com que entregou a filha a outra pessoa. Estava tão desesperado que não enxergou os riscos.

Mas aquilo não era nada comparado ao desespero que estava sentindo no momento. Por que Derek faria mal a Cora? Ele não teria motivo nenhum para isso. A menos que tenha entrado em pânico diante da situação.

— Ele só queria fazer a troca, receber o dinheiro e sumir — continua Marco. — Outra pessoa deve ter descoberto que ele estava com Cora, então resolveu matá-lo e raptar nossa filha. Depois nos enganou. Anne, você precisa acreditar em mim — suplica ele. — Eu não o matei. Como poderia ter feito isso? Você sabe que passei o tempo todo aqui com você ou no trabalho. Eu *não* teria como matar ele.

Anne fica em silêncio, refletindo.

— Não sei no que acreditar — murmura ela.

— Foi por isso que eu quis ir à delegacia. Falei para os detetives que tinha visto Derek aqui perto de casa para que o investigassem. Queria colocá-los na direção certa, para que descobrissem quem o matou e encontrassem Cora sem ter que me entregar. Mas, como sempre, a polícia não conseguiu nada. — Em um tom de derrota, ele acrescenta: — Mas é provável que minha prisão seja só questão de tempo.

— Se o vídeo chegar até a polícia, você vai ser preso imediatamente — diz Anne, amargurada.

Marco a encara. Não sabe se ela preferiria que a polícia o prendesse ou não. É difícil saber o que ela está pensando.

— Eu peguei Cora e a entreguei a Derek. Nós tentamos, sim, tirar dinheiro dos seus pais. Mas eu não matei Derek. Não matei ninguém. Eu juro. — Ele toca o joelho dela de leve. — Anne, me dê a faca.

Ela olha para a faca nas mãos como se não tivesse se dado conta de que ela estava ali.

Por mais danos que tenha causado, Marco não quer ser responsável por mais nenhuma desgraça. O comportamento de Anne é perturbador. Com delicadeza, ele tira a faca das mãos dela. Ela não resiste. Aliviado, ele vê que a lâmina está limpa. Não há sangue. Marco examina a esposa com atenção e, em seguida, olha para os pulsos dela: nenhum vestígio de sangue em parte alguma. Ela não se feriu. A faca era para se proteger; para se proteger do próprio marido. Ele a deixa na mesinha ao lado, levanta-se e se senta no sofá, de frente para ela.

— Você falou com seu pai hoje? — pergunta.

— Não, mas fui à casa deles — responde Anne.

— Mas você disse que não esteve com eles.

— Não estive. Arrumei minha mala. Eu ia deixá-lo — confessa ela, amargurada. — Depois que saí da casa de Cynthia, depois que vi o vídeo, fiquei cega de ódio por você, pelo que você fez. — O tom de voz denuncia novamente sua inquietação. — Achei que você fosse um assassino. Eu estava com medo de você.

— Entendo seu ódio por mim, Anne. Entendo que você nunca vai me perdoar. — As palavras saem embargadas. — Mas não precisa sentir medo de mim. Não sou um assassino.

Ela desvia o olhar, como se não suportasse encará-lo.

— Fui até a casa dos meus pais, mas não entrei lá.

— Por que não?

— Porque me lembrei de onde vi aquele homem, o que morreu.

— Você já o viu? — pergunta Marco, surpreso.

Anne olha para ele.

— Eu disse isso a você.

De fato, ela havia dito isso a Marco, mas ele não tinha acreditado. Na hora, achou que estivesse apenas influenciando a esposa.

— Onde você o viu?

— Foi muito tempo atrás — sussurra ela. — Ele era amigo do meu pai.

Capítulo Trinta e Três

MARCO FICA PARALISADO.

— Tem certeza?

— Tenho.

Ela está estranha, diferente. Será que ele pode confiar no que ela diz? A cabeça de Marco está a mil. Richard e Derek Honig. O celular.

Será que tudo não passou de uma armação? Será que Richard estava por trás daquele pesadelo? *Será que durante todo esse tempo Richard estava com Cora?*

— Tenho certeza de que já o vi com meu pai, quando eu era mais nova — diz Anne. — Meu pai conhece esse cara. Por que ele conheceria o homem que raptou nossa filha, Marco? Você não acha isso estranho?

Ela parece distraída.

— Muito estranho — concorda Marco, pronunciando as palavras bem devagar.

Ele se lembra da desconfiança que sentiu quando o sogro atendeu sua ligação. *Será que esse era o elo que faltava?* Foi Honig quem abordou Marco do nada. Tornou-se amigo de Marco, ouviu seus problemas. Ganhou a confiança dele. Insistiu em que Marco pedisse mais dinheiro a Richard, que se recusou a ajudá-lo. E se os dois estivessem tramando juntos e Richard tivesse negado seu pedido ciente de que Honig estaria lá, esperando para encher a cabeça do genro? Honig sugeriu o sequestro naquele mesmo dia. E se Richard tivesse arquitetado tudo nos mínimos detalhes? Marco se sente mal. Sendo esse o caso, ele foi ainda mais enganado do que imaginava. E pelo homem que mais detesta no mundo.

— Anne — diz Marco. Em seguida as palavras saem ininterruptas. — Foi Derek Honig quem *me* abordou. Tornou-se meu amigo. Insistiu para que eu pedisse mais dinheiro ao seu pai. Então, no dia em que seu pai me negou outro empréstimo, ele apareceu de novo, *como se soubesse de tudo*. Como se soubesse que eu estaria desesperado. Foi quando sugeriu o sequestro. — Marco tem a impressão de estar acordando de um pesadelo. As coisas finalmente começam a fazer sentido. — E se seu pai estiver por trás disso, Anne? — Com um tom de voz urgente, ele acrescenta: — Richard deve ter pedido para Honig me abordar, me convencer do sequestro. Armaram para cima de mim, Anne!

— Não! — protesta ela. — Não acredito. Meu pai nunca faria isso. Por quê? Que motivo teria?

Marco fica magoado com o fato de ela não hesitar em pensar que ele mataria um homem com uma pá, a sangue-frio, mas não acreditar que o pai pudesse armar para cima dele. Contudo, ele precisa se lembrar de que ela viu o maldito vídeo. Aquilo destruiria a confiança de qualquer pessoa. Precisa lhe contar o resto.

— Anne, o celular no duto de ventilação. O aparelho que eu estava usando para me comunicar com Honig.

— O que tem?

— Depois que você o encontrou, notei que havia algumas chamadas perdidas: alguém tinha me ligado do celular do Honig. Liguei de volta para o número. E... seu pai atendeu.

Ela o encara, incrédula.

— Anne, ele estava *esperando* que fosse eu do outro lado da linha. *Sabia* que eu tinha raptado Cora. Perguntei como ele tinha conseguido aquele celular. Ele disse que os sequestradores haviam mandado para ele pelo correio, com um bilhete, assim como fizeram com o macacão. Disse que entraram em contato com ele porque saiu na imprensa que foram seus pais que pagaram o regate. Que estavam pedindo mais dinheiro por Cora, que ele pagaria o resgate, mas me fez prometer que eu não iria contar a você. Ele não queria que você se enchesse de esperança de novo, caso as coisas dessem errado.

— O quê? — O rosto de Anne, marcado pelo sofrimento, ganha vida. — Ele está se comunicando com os sequestradores?

Marco assente.

— Disse que ia negociar com eles e recuperar Cora sozinho, porque eu tinha estragado tudo.

— Quando foi isso? — pergunta Anne, sem fôlego.

— Ontem à noite.

— *E você não me contou?*

— Ele me fez prometer que não te contaria! Para o caso de as negociações não darem certo. Passei o dia inteiro tentando falar com ele, mas ele não retorna minhas ligações. Estou enlouquecendo sem saber o que está acontecendo. Imagino que ele não tenha conseguido recuperá-la, ou já teríamos recebido a notícia. — Mas agora Marco está enxergando tudo com outros olhos. Ele foi enganado por um mestre. — Anne... *E se esse tempo todo seu pai sabia o paradeiro de Cora?*

Anne parece não aguentar mais tudo aquilo. Parece desnorteada. Por fim, pergunta:

— Mas por que ele faria isso?

Marco sabe o motivo.

— Porque seus pais me odeiam! Querem me destruir, destruir nosso casamento, ficar com você e Cora.

Anne faz que não com a cabeça.

— Eu sei que eles não gostam de você, talvez até te odeiem, mas o que você está dizendo... Não acredito nisso. E se ele estiver falando a verdade? E se os sequestradores estiverem se comunicando com meu pai, e ele estiver tentando recuperar Cora?

A esperança em sua voz é de partir o coração.

— Mas você acabou de dizer que seu pai conhece Derek Honig — retruca Marco. — Isso não pode ser coincidência.

Faz-se um longo silêncio.

— E *ele* matou Derek Honig com uma pá? — sussurra ela.

— Talvez — responde Marco, em dúvida. — Não sei.

— E Cora? O que aconteceu com ela?

Marco coloca as mãos nos ombros da esposa e olha em seus olhos assustados.

— Acho que seu pai está com ela. Ou ele sabe quem está.

— O que vamos fazer? — sussurra Anne.

— Precisamos pensar. — Marco se levanta do sofá; está ansioso demais para continuar sentado. — Se Cora está com seu pai, ou se ele sabe onde ela está, temos duas opções. Podemos procurar a polícia de uma vez ou confrontá-lo.

Anne olha ao redor, como se aquilo tudo fosse demais para ela.

— Talvez devêssemos conversar com seu pai antes, em vez de ir à polícia — considera Marco, apreensivo.

Ele não quer ser preso.

— Se formos até meu pai, posso conversar com ele. Ele vai me devolver Cora. Vai estar arrependido, tenho certeza. Só quer que eu seja feliz.

Marco para de andar pela sala e encara a esposa, questionando sua percepção da realidade. Se é verdade que Derek Honig era amigo de Richard, pode muito bem ser verdade também que seu sogro o tenha manipulado até o desespero financeiro, até o sequestro de Cora. Richard pode ter planejado a falsa entrega do resgate, pode ter matado um homem a sangue-frio. E causou um sofrimento terrível à filha. Não se importa com a felicidade dela. Quer que as coisas sejam feitas do jeito dele.

É desumano. Pela primeira vez, Marco se dá conta do que seu adversário é capaz. O sogro provavelmente é um sociopata. Quantas vezes Richard já disse a ele que, para ter sucesso nos negócios, é preciso ser desumano? Talvez fosse isso: talvez ele estivesse tentando ensinar a Marco uma lição sobre desumanidade.

De repente, Anne diz:

— Pode ser que meu pai não tenha nada a ver com isso. Talvez Derek tenha ficado seu amigo e manipulado você porque conhecia meu pai e sabia que ele tinha dinheiro. Mas talvez meu pai não soubesse de nada. Talvez não soubesse que Derek era o sequestrador e tenha mesmo recebido o celular e o bilhete pelo correio, como disse.

Ela parece mais lúcida.

Marco reflete por um instante.

— É possível.

Mas ele acredita que Richard está por trás de tudo. No fundo, sente isso.

— Precisamos ir lá — murmura Anne. — Mas você não pode simplesmente chegar acusando ele. Não temos certeza do que está acontecendo. Posso dizer a ele que sei que você raptou Cora e a entregou a Derek Honig. Que precisamos da ajuda dele para recuperá-la. Se meu pai estiver *mesmo* envolvido, precisamos dar uma saída a ele. Precisamos fingir que ele não teve nada com isso, implorar a ele que negocie com os sequestradores, que descubra um jeito de trazer Cora de volta para nós.

Marco reflete sobre o que ela disse e assente. Anne está raciocinando direito, como costuma fazer, e ele se sente aliviado. Além disso, ela tem razão: Richard Dries não é um homem que se deixa encurralar. O importante é recuperar Cora.

— E talvez meu pai não esteja por trás de nada disso. Talvez esteja apenas se comunicando com os sequestradores.

É óbvio que ela quer acreditar que o pai não faria uma coisa dessas com ela.

— Duvido muito.

Eles ficam alguns minutos sentados, exaustos, preparando-se para o que está por vir.

— É melhor irmos logo — propõe Marco, afinal.

Anne assente. Segura o braço do marido quando estão de saída.
— Promete que não vai perder a calma com meu pai?
O que Marco pode fazer?
— Prometo. — Com tristeza, acrescenta: — Devo isso a você.

Eles pegam um táxi até a casa dos pais de Anne, passando por mansões cada vez mais imponentes até chegarem ao bairro mais nobre da cidade. Está tarde, e eles não telefonaram avisando da visita. Querem o elemento surpresa. Anne e Marco estão sentados no banco de trás do táxi, sem dizer nada. Marco sente Anne trêmula ao seu lado, a respiração ofegante. Segura a mão dela para acalmá-la. Ele está suando de nervoso dentro daquele carro abafado: parece que o ar-condicionado não está funcionando. Portanto, abre um pouco a janela para respirar melhor.

O táxi chega na entrada circular de cascalho da casa e para diante da porta. Marco paga ao motorista e lhe diz que não precisa esperar. Anne toca a campainha. Ainda há luzes acesas na casa. Depois de alguns instantes, a mãe de Anne abre a porta.

— Anne! — exclama ela, evidentemente surpresa. — Eu não estava esperando por você.

Anne passa pela mãe e entra na casa. Marco a acompanha.

E imediatamente todos os planos deles vão por água abaixo.

— Onde ela está? — pergunta Anne, lançando um olhar penetrante para a mãe.

Alice fica aturdida e não responde. Anne começa a andar pela casa imensa, deixando Marco parado no hall, chocado com seu comportamento. Anne surtou, e ele não sabe o que pode acontecer.

A mãe de Anne vai atrás dela em sua busca frenética pela casa. Marco ouve os gritos da esposa:

— Cora! Cora!

Percebe uma movimentação ao seu lado e ergue os olhos. Richard está descendo a escada principal. Os dois se entreolham: ambos têm nervos de aço. Ambos ouvem os gritos de Anne:

— Onde ela está? Cadê minha filha? — Sua voz está ficando cada vez mais inquieta.

De repente, Marco duvida de tudo. Será que Anne tinha mesmo reconhecido Derek Honig? Será que Derek era amigo de Richard ou o cérebro dela apenas criou uma ilusão? Ele a encontrou em casa, no escuro, segurando uma faca. Será que pode confiar no que ela diz? Tudo em que ele acredita se baseia na ligação de Richard com Derek Honig. Agora cabe a Marco descobrir a verdade.

— Podemos nos sentar? — propõe Richard, passando por Marco e seguindo para a sala.

Marco o acompanha. Está com a boca seca. Está com medo. É possível que não esteja lidando com uma pessoa normal. Richard muito provavelmente é um sociopata. Marco sabe que está desorientado. Não faz ideia de como lidar com a situação, e tudo depende disso.

Ele ouve os passos de Anne: ela está subindo a escada. Ele e Richard se entreolham, ouvindo-a gritar o nome da filha, abrindo as portas dos quartos, avançando pelo corredor em busca da menina.

— Ela não vai encontrá-la — diz Richard.

— Onde ela está, seu filho da puta? — pergunta Marco, também fugindo do roteiro.

Nada está saindo como o planejado.

— Bem, não está *aqui* — responde o sogro com frieza. — Por que não esperamos Anne se acalmar para todos nós conversarmos?

Marco precisa se controlar para não esganar o sogro. Obriga-se a sentar e esperar.

Por fim, Anne entra na sala, com a mãe logo atrás.

— Onde ela está? — grita Anne para o pai.

Seu rosto está repleto de lágrimas. Ela está histérica.

— Sente-se, Anne — pede o pai com firmeza.

Marco faz um gesto para que Anne se sente ao seu lado, e é o que ela faz, acomodando-se no sofá imenso e macio.

— Você sabe por que estamos aqui — começa Marco.

— Parece que Anne acha que Cora está aqui. Por que ela acharia isso? — pergunta Richard, fingindo espanto. — Marco... Você contou a ela que os sequestradores estavam mantendo contato comigo? Eu pedi a você que não contasse nada.

Marco tenta falar, mas não sabe por onde começar.

De qualquer modo, Richard não deixa. De pé perto da lareira, vira-se para Anne.

— Sinto muito, Anne, mas os sequestradores nos desapontaram... de novo. Eu esperava recuperar Cora hoje à noite, mas eles não apareceram. Levei mais dinheiro, conforme combinado, mas eles simplesmente não apareceram. — Ele se vira para o genro. — Claro que *eu* não perdi o dinheiro, como *você*, Marco.

Marco fica com mais raiva: Richard não resiste à tentação de fazê-lo parecer um idiota.

— Pedi a você que não contasse a ela justamente para evitar esse sofrimento — justifica Richard. Ele se vira para Anne com um olhar solidário. — Fiz tudo o que podia para trazê-la de volta. Sinto muito mesmo. Mas prometo que não vou desistir.

Anne afunda no sofá ao lado do marido. Marco observa o sogro: a frieza com que ele se referiu ao genro se transforma em entusiasmo ao conversar com a filha. Marco nota a incerteza nos olhos de Anne: ela quer acreditar que o pai nunca lhe faria mal.

— Desculpe por sua mãe e eu não termos contado a você antes, Anne, mas tínhamos medo de que isso acontecesse — diz Richard. — Não queríamos que você se enchesse de esperança de novo. Os sequestradores entraram em contato com a gente e pediram mais dinheiro. Pagaremos qualquer quantia para recuperar Cora, você sabe disso. Fui encontrá-los, mas ninguém apareceu.

Ele meneia a cabeça, evidentemente frustrado e arrependido.

— É verdade — confirma Alice, sentando-se na outra ponta do sofá, ao lado da filha. — Estamos arrasados.

Ela começa a chorar, estende os braços, e Anne abraça a mãe, chorando incontrolavelmente.

Marco pensa: *isso não pode estar acontecendo.*

— Infelizmente, a única coisa que nos resta é ir à polícia — anuncia Richard. — Contar tudo.

Ele se vira para Marco, olhando com frieza para ele.

Marco sustenta o olhar do sogro.

— Diga a eles, Anne, o que você sabe.

Mas, abraçada à mãe, Anne o observa como se já tivesse esquecido de tudo.

Desesperado, Marco diz:

— O homem que foi assassinado, Derek Honig. A polícia sabe que ele tirou Cora da nossa casa e a levou para um chalé nas Montanhas Catskill. Mas tenho certeza de que você já sabe disso.

Richard dá de ombros.

— A polícia não me conta nada.

— Anne o reconheceu — afirma Marco categoricamente.

Será que Richard ficou um pouco mais pálido? Marco não tem certeza.

— E então? Quem é ele?

— Ela o reconheceu porque ele é *seu* amigo. Como isso é possível, Richard? Um amigo *seu* raptou nossa filha?

— Ele não era meu amigo. Nunca ouvi falar dele — responde Richard com tranquilidade. — Anne deve ter se enganado.

— Acho que não — retruca Marco.

Anne não diz nada. Marco a encara, mas ela não olha para ele. Será que o está traindo? Vai ficar do lado do pai e abandonar o marido? Porque acredita mais no pai do que em Marco? Ou porque está disposta a sacrificá-lo para recuperar a filha? Marco sente a sala girar.

— Anne, você acha que esse homem que morreu, o homem que supostamente estava com Cora, é meu amigo? — pergunta Richard

Ela encara o pai, endireita-se no sofá.

— Não.

Marco a observa, aflito.

— Foi o que pensei — diz Richard, olhando para o genro. — Agora vamos recapitular o que sabemos — propõe, virando-se para a filha. — Sinto muito, Anne, mas isso vai ser doloroso para você. — Ele se senta na sua poltrona junto à lareira e respira fundo antes de começar, como se quisesse dar a entender que tudo foi muito difícil para ele também. — Os sequestradores entraram em contato com a gente. Sabiam nossos nomes porque a imprensa divulgou que tínhamos pagado o primeiro resgate de cinco milhões de dólares. Eles nos mandaram um pacote. Nele, havia um celular e um bilhete. O bilhete dizia que o celular foi usado pelo primeiro sequestrador para se comunicar com o pai da menina, que estava envolvido no rapto. Tentei ligar para o único número que havia no telefone. Ninguém atendeu. Mas guardei o aparelho, que um dia finalmente tocou. E era Marco.

— Já sei disso tudo — diz Anne, quase com indiferença. — Sei que Marco entregou Cora a Derek na nossa garagem naquela noite.

— Sabe? — pergunta o pai, surpreso. — Como você sabe disso? Marco contou?

Marco fica nervoso, com medo de que ela mencione o vídeo.

— Contou — mente Anne, olhando para ele.

— Que bom, Marco, que você foi homem o bastante para isso — diz Richard. Ele prossegue: — Não sei o que aconteceu exatamente, mas imagino que alguém tenha matado o homem no chalé e raptado Cora. Em seguida, enganou Marco no momento do pagamento do resgate. Achei que tudo estava perdido, até a pessoa nos procurar. — Ele meneia a cabeça com tristeza. — Não sei se vão entrar em contato de novo. Só podemos torcer.

Furioso, Marco perde o controle.

— Isso é mentira! — grita ele. — Você sabe o que aconteceu. Armou tudo isso! Sabia que minha empresa estava mal. Você *mandou* Derek me procurar. Para que ele sugerisse um sequestro. Não foi ideia minha. Nunca foi ideia minha! Você manipulou tudo e todos. Principalmente eu. Derek me convenceu a pedir mais dinheiro a você, e você negou. Sabia como eu estava desesperado. Então, justamente quando você nega o dinheiro, ele aparece, no pior momento, com o plano do sequestro. *Você* está por trás de tudo! Agora me diga: foi *você* que matou Derek?

O grito de Alice sai abafado.

— Porque é isso que eu acho que aconteceu — continuou Marco. — *Você o matou. Você* tirou Cora daquele chalé ou contratou alguém para fazer isso. Sabia onde ela estava. Sempre soube. E não perdeu nem um centavo. Porque estava por trás do pedido de resgate. Mandou alguém aparecer para pegar o dinheiro. Mas quer que *eu* vá para a cadeia. — Ele faz uma pausa para respirar. — Você não se importa nem um pouco com Cora?

Richard desvia os olhos de Marco e encara Anne.

— Acho que seu marido enlouqueceu — afirma ele.

Capítulo Trinta e Quatro

— Mostre o bilhete — exige Marco.
— O quê? — pergunta Richard, pego de surpresa.
— O bilhete dos sequestradores, seu filho da puta — retruca Marco. — Mostre para a gente! Prove que você está mantendo contato com eles.
— Tenho o celular. Não guardei o bilhete — responde Richard, com tranquilidade.
— Ah, é? E o que você fez com o bilhete?
— Destruí.
— E por que você faria isso?
Fica evidente para todos na sala que ele não acredita que tenha existido um bilhete.
— Porque o bilhete incriminava você — diz Richard. — Era por isso que eu sabia que você estava do outro lado da linha.
Marco ri, mas sem achar nenhuma graça. É uma risada amarga, quase de raiva.
— Você quer que a gente acredite que você destruiu o bilhete porque me incriminava? Então sua intenção não é me colocar na cadeia por sequestro e me afastar da sua filha para sempre?
— Não, Marco, essa nunca foi a minha intenção. Não sei por que você pensaria uma coisa dessas. Nunca fiz nada além de ajudar você, e sabe disso.

— Você é tão falso, Richard! Você me ameaçou por telefone, você sabe que sim. Tramou tudo isso para se livrar de mim. Por que mais faria uma coisa dessas? Então, se houvesse um bilhete, jamais o teria destruído. — Marco se inclina na direção do sogro e, em tom de ameaça, murmura: — Não existe bilhete algum, não é, Richard? Os sequestradores não estão mantendo contato com você, porque *você* é o sequestrador. *Você* está com o celular de Derek... Pegou o aparelho quando o matou ou quando mandou alguém matá-lo. Sabia onde ele estava com Cora porque arquitetou tudo. Traiu Derek, o que provavelmente já era seu plano desde o início. Então me diga: quanto você ia pagar a ele para me colocar na cadeia?

Marco se recosta no sofá. Percebe que Alice está encarando-o, horrorizada.

Com calma, Richard observa Marco fazer suas acusações. Em seguida, se vira para a filha.

— Anne, ele está inventando tudo isso para desviar sua atenção do fato de ele ser o culpado de tudo. Não tive nada a ver com essa história, estou apenas tentando ao máximo recuperar minha neta. E proteger Marco da polícia.

— Você é um mentiroso! — grita Marco, desesperado. — Sabe onde Cora está. Devolva nossa filha! Olhe para Anne! Olhe só para ela! Devolva a filha dela!

Anne ergue a cabeça, e seu olhar vai do pai para o marido, do marido para o pai, com uma expressão de angústia.

— Então podemos chamar a polícia? — desafia Richard. — Vamos deixá-los resolver esse caso.

Marco pensa rápido. Se Anne não admitir que Derek era amigo de seu pai ou se ela não tiver certeza de que os dois se conheciam, Marco não terá prova alguma. A polícia já o considera o principal suspeito. Richard, um respeitado empresário bem-sucedido, pode entregar o genro a eles em uma bandeja de prata. Tanto Anne quanto o pai dela sabem que Marco tirou a filha do berço e a entregou a Derek. Marco ainda acredita que Richard está por trás de tudo. Mas não tem prova nenhuma.

Está ferrado.

E eles continuam sem Cora.

Marco imagina que Richard vai manter Cora escondida para sempre, se necessário, só para sair vitorioso.

Como Marco pode fazê-lo *pensar* que se saiu vitorioso? Assim ele devolveria Cora...

Será que ele deveria confessar à polícia? É isso que Richard quer? Talvez, quando ele for preso, os "sequestradores" milagrosamente voltem a entrar em contato com Richard e devolvam Cora ilesa. Porque, apesar do que Richard diz na frente de Anne, Marco sabe que o sogro quer vê-lo se ferrar. Quer que Marco vá para a cadeia, mas não quer que pareça que foi ele quem o entregou.

— Tudo bem, chame a polícia — responde Marco.

Anne começa a chorar. A mãe afaga suas costas.

Richard pega o celular.

— Está tarde, mas tenho certeza de que o detetive Rasbach não vai se importar de vir até aqui.

Marco sabe que está prestes a ser preso. Precisa de um advogado. Um bom advogado. Conseguiria mais dinheiro com a casa, mas Anne teria que concordar em aumentar o valor da hipoteca. Mas por que uma mulher concordaria em hipotecar a casa para defender o marido da acusação de ter raptado a própria filha? Mesmo que ela *estivesse* disposta a isso, o pai a convenceria do contrário.

Como se lesse a mente de Marco, Richard anuncia:

— Nem preciso dizer que não vamos pagar pela sua defesa.

Em um silêncio cheio de tensão, eles aguardam a chegada do detetive. Alice, que normalmente se ocuparia fazendo chá para todos, sequer se mexe no sofá.

Marco está desolado. Richard venceu, aquele manipulador desgraçado. Mais uma vez, e agora em definitivo, Anne caiu nas garras de sua família. Enquanto ela estiver com os pais, tudo vai dar certo em sua vida. Richard vai encontrar um jeito de devolver a filha a ela. Será um herói. Vão dar toda a assistência financeira a ela e Cora enquanto Marco vai apodrecer na cadeia. Ela só precisa sacrificá-lo. Ela tomou sua decisão. Ele não pode culpá-la.

Por fim, a campainha toca. Todos se sobressaltam. Richard se levanta para atender a porta, enquanto os outros permanecem sentados e inexpressivos na sala.

Marco decide que vai confessar tudo. Depois que Cora voltar sã e salva, vai contar à polícia sobre o papel de Richard nessa história toda. Talvez não acreditem nele, mas podem ao menos investigá-lo. Talvez encontrem uma ligação entre Richard e Derek Honig. Mas Marco tem certeza de que Richard não deixou qualquer vestígio.

Richard conduz Rasbach à sala. O detetive parece assimilar a situação no mesmo instante: vê Anne chorando nos braços da mãe em uma ponta do sofá, e Marco sentado na outra. Marco imagina como deve estar sua aparência: pálido, suado. Deve estar péssimo.

Richard oferece uma poltrona ao detetive.

— Desculpe, sei que você não gosta quando negociamos com os sequestradores e só depois informamos à polícia, mas ficamos com medo de agir de outra forma.

Rasbach está sério.

— Quer dizer que eles ligaram?

— Sim, ligaram ontem. Combinei de levar mais dinheiro para eles hoje à noite, mas não apareceram.

Marco observa o sogro. Pergunta-se o que diabos ele está fazendo. *Ligaram?* Ou Richard está mentindo para a polícia ou está mentindo para Marco e Anne. Quando vai dizer ao detetive que foi Marco quem raptou Cora?

Rasbach pega um caderninho no bolso interno do paletó. Anota cuidadosamente tudo o que Richard diz. O sogro não menciona Marco. Sequer olha para ele. Será que está fazendo isso pela filha?, imagina Marco. Será que quer mostrar a ela que é capaz de proteger o genro, apesar de todos saberem o que ele fez? *O que Richard está tramando?* Talvez ele nunca tenha tido a intenção de contar à polícia o que Marco fez: só queria vê-lo sofrer. Que canalha!

Ou será que está esperando que o próprio Marco se entregue? Para saber se o genro teria coragem de fazer isso? Será que isso é um teste pelo qual ele precisa passar para recuperar a filha?

— Foi só isso? — pergunta Rasbach, afinal, levantando-se e fechando o caderno.

— Acho que sim — responde Richard.

Ele desempenha perfeitamente o papel de pai e avô preocupado. Com extrema desenvoltura. Um mentiroso experiente.

Richard leva o detetive à porta, enquanto Marco, exausto e confuso, permanece no sofá. Se era um teste, ele acabou de ser reprovado.

Anne o observa por um instante e desvia os olhos.

Richard retorna à sala.

— Pronto, agora você acredita em mim? — pergunta ele a Marco. — Destruí o bilhete para proteger você. Acabei de mentir para a polícia. Para proteger você, falei que os sequestradores me ligaram. Não contei ao detetive sobre o bilhete e o celular que te incriminam. Não sou o bandido aqui, Marco. Você é.

Anne se desvencilha do abraço da mãe e olha novamente para o marido.

— Mas ainda não sei por que fiz isso — observa Richard. — Não sei por que você se casou com esse homem, Anne.

Marco precisa sair dali, precisa pensar. Não sabe o que Richard está tramando.

— Venha, Anne, vamos para casa.

A esposa desvia os olhos novamente.

— Anne?

— Acho que ela não vai a lugar nenhum — diz Richard.

Marco sente um aperto no peito diante da possibilidade de voltar para casa sem Anne. É evidente que Richard *não* quer que ele seja preso. Talvez não queira passar pela humilhação pública de ter um genro preso. Talvez, durante todo esse tempo, ele só quisesse deixar claro para Anne que tipo de homem Marco é. Talvez ele só quisesse separar os dois. E, pelo visto, conseguiu.

Todos encaram Marco como se esperassem ele ir embora. Marco sente a hostilidade da família e pega o celular para chamar um táxi. O carro chega, e ele fica surpreso quando os três o acompanham à porta, talvez para se certificarem de que ele está mesmo indo embora. Ficam parados na varanda, observando-o se afastar.

Marco olha para a esposa, com o pai e a mãe ao seu lado. Não consegue decifrar sua expressão.

Ela nunca mais vai voltar para casa. Estou totalmente sozinho, pensa.

Rasbach está apreensivo ao voltar da mansão da família Dries. Ele tem muitas perguntas sem resposta. A principal delas é: onde está a menina desaparecida? Ele parece estar longe de solucionar o caso.

O detetive pensa em Marco. Em sua expressão assombrada. Marco estava exausto, esgotado. Rasbach não sente pena dele, e sabe que tem alguma coisa ali. Quer descobrir o que é. Quase desde o começo Rasbach tem suas reservas com relação a Richard Dries. Para ele — talvez por preconceito, por sempre ter pertencido à classe trabalhadora —, ninguém ganha tanto dinheiro assim sem tirar vantagem de alguém. É muito mais fácil ganhar dinheiro quando não nos importamos com os sentimentos das pessoas. Uma pessoa com escrúpulos tem mais dificuldade de enriquecer.

Na opinião de Rasbach, Marco não se encaixa no perfil de um sequestrador. Ele sempre lhe pareceu um homem desesperado para sair de uma situação difícil. Alguém que cometeria um erro se estivesse sob pressão. Richard Dries, por outro lado, é um empresário experiente, um homem de riqueza considerável, o que aguça, de certa forma, as suspeitas do detetive. Às vezes, essas pessoas são tão arrogantes que se acham acima da lei.

Richard Dries é um homem que exige atenção.

Por isso, Rasbach colocou escuta em todos os telefones dele.

O detetive sabe que os sequestradores não ligaram: Richard está mentindo.

Então ele também decide colocar alguns policiais vigiando a casa.

Capítulo Trinta e Cinco

EM SEU QUARTO — faz anos que ela e Richard têm quartos separados —, Alice anda de um lado para o outro. É casada com Richard há muito tempo. Não teria acreditado em nada disso alguns anos antes. Mas agora ele é um homem cheio de segredos. Segredos terríveis e imperdoáveis, caso o que ela acabou de ouvir seja verdade.

Já faz algum tempo que Alice sabe que Richard tem uma amante. Não é a primeira vez que ele a trai. Mas dessa vez ela percebe que é diferente. Sentiu que ele se afastou dela, parecia estar com um pé fora de casa. Como se estivesse pensando em um plano de fuga. Nunca achou que ele a deixaria de fato, nunca acreditou que ele tivesse coragem de fazer isso. Porque ele sabe que, se a deixar, não vai receber nem um centavo. Essa é a melhor parte do contrato pré-nupcial. Se ele a deixar, não vai ficar com metade da fortuna dela. Ele não vai ficar com nada. E ele precisa de dinheiro, porque não sobrou muito de suas economias. Assim como está acontecendo com Marco, os negócios de Richard não andaram nada bem nos últimos anos. Ele mantém a empresa funcionando mesmo sem obter lucro, para que ninguém saiba do seu fracasso, para fingir que é um grande empresário. E ela investe dinheiro no negócio dele só para ajudá-lo a manter a reputação. No início, não se importava, porque o amava.

Porém, já não o ama mais.

Faz meses que ela sabe que esse caso é mais sério do que os outros. No começo, fez vista grossa, esperando que chegasse ao fim, como havia ocorrido com os anteriores. Afinal, a atração que sentiam um pelo outro no início do casamento tinha acabado havia muito tempo. Mas, como o caso continuou firme, Alice ficou obcecada em descobrir quem era a mulher.

Richard era bom em esconder seus rastros. Ela não conseguia pegá-lo em flagrante. Por fim, Alice deu-se por vencida e procurou um detetive particular. Contratou o profissional mais caro que encontrou, deduzindo, com razão, que seria o mais discreto. Os dois se encontraram numa sexta-feira à tarde para que ele lhe passasse seu relatório. Ela achou que estava preparada, mas ficou chocada com o que o detetive havia descoberto.

A amante do marido era a vizinha da sua filha, Cynthia Stillwell. Uma mulher que tinha quase metade da idade dele. Amiga da filha. Uma mulher que ele havia conhecido em uma festa na casa da filha. Era vergonhoso.

Sentada no Starbucks, observando as próprias mãos cheias de veias agarrando a bolsa, Alice ouviu o detetive de Rolex revelar suas descobertas. Viu as fotos. E logo desviou os olhos. Ele lhe informou detalhes dos encontros, lugares e datas. Ela fez o pagamento em espécie. Sentia-se enojada.

Então voltou para casa e decidiu que esperaria Richard dizer que ia deixá-la. Não sabia como ele lidaria com sua situação financeira e não se importava com isso. Só sabia que, se ele lhe pedisse algum dinheiro, ela negaria. Havia solicitado ao detetive particular que ficasse de olho nas contas bancárias dela, para saber se o marido estava sacando dinheiro. Tinha decidido continuar com os serviços dele. No entanto, eles não se reuniriam mais no Starbucks: ela encontraria um lugar mais reservado. Tudo aquilo fazia com que ela se sentisse suja.

Então Cora desapareceu naquela mesma noite — no mesmo dia em que ela se encontrou com o detetive particular —, e o caso sórdido de Richard foi deixado de lado, substituído pelo horror do sequestro. A princípio, Alice ficou com medo de que Anne tivesse machucado a filha e de que ela e Marco tivessem escondido o corpo. Afinal, Anne tinha aquela doença e estava sofrendo com a maternidade. Parecia muito estressada, e Alice sabia que o estresse era um gatilho para uma pessoa como Anne. Então o macacão e o bilhete chegaram pelo correio. Que alívio!

Tinha sido uma verdadeira montanha-russa. Acreditaram que recuperariam Cora naquele dia, mas a perderam de novo. Durante todo esse tempo, ela sentiu medo, sofreu pela neta e se preocupou com o frágil estado emocional da filha.

Até... hoje.

Essa noite ela descobriu tudo. Ficou chocada ao ouvir Marco admitir que havia raptado Cora.

Ficou ainda mais chocada ao ouvi-lo acusar seu marido de armar para cima dele. Mas então, sentada com a filha inconsolável nos braços, tudo começou a fazer sentido. Era terrível.

O grande plano de Richard. O sequestro. Armar para Marco levar a culpa. Onde estavam os cinco milhões de dólares? Ela tem certeza de que Richard escondeu o dinheiro em algum lugar. E ainda há os outros dois milhões, que estão no fundo do armário do hall, dentro de uma sacola, prontos para a próxima tentativa. Ela nunca viu o bilhete nem o celular. Richard lhe disse que havia destruído tudo.

Richard ia roubar sete milhões de dólares dela sob o pretexto de recuperar sua única neta dos sequestradores. Aquele filho da mãe.

Já era terrível que ele a trocasse por aquela Cynthia horrorosa.

Já era terrível que ele a traísse, que a abandonasse por uma mulher que tinha a idade da filha dela. Era terrível que ele tentasse arrancar seu dinheiro. *Mas como ele ousa fazer mal à sua filha desse jeito?*

E onde está sua neta?

Ela pega o celular e liga para o detetive Rasbach. Tem revelações a fazer a ele.

Também queria dar uma olhada na foto do tal Derek Honig.

Anne passa a noite em claro em seu antigo quarto, em sua antiga cama. Fica deitada, pensando. Além da dolorosa perda da filha, sente-se traída por todos. Traída por Marco, por ter participado do sequestro. Traída pelo pai, que teve uma participação ainda mais desprezível, se Marco estiver certo. E ela tem certeza de que o marido está certo, porque o pai negou que conhecia Derek Honig. Se o pai não estivesse envolvido no desaparecimento de Cora, não teria motivo algum para negar que conhecia Honig. Ela já sabia de tudo. Por isso, quando ele lhe perguntou sobre Derek, ela fingiu que não o havia reconhecido, fingiu jamais tê-lo visto.

Fica imaginando quanto a mãe sabe... ou do quanto ela desconfia. Anne quase estragou tudo no início da noite, mas depois se controlou, lembrou-se do que precisava fazer. Sente pena do marido — mas não muita, considerando o que ele fez — por ela não ter se posicionado a favor dele durante a noite, mas quer recuperar a filha. Tem certeza de que já viu Honig várias vezes, nessa mesma casa, anos antes. Ele e o pai costumavam conversar nos fundos da propriedade, perto das árvores, tarde da noite, depois que ela ia para a cama. Ela os observava pela janela do quarto. Nunca viu seu pai sentado com Derek Honig na beira da piscina, bebendo, ou na presença de outras pessoas, nem mesmo da mãe dela. Ele sempre chegava tarde, depois do anoitecer, e os dois iam para os fundos da casa, onde conversavam perto das árvores. Quando criança, ela sabia intuitivamente que não deveria perguntar ao pai sobre aquilo, que o que eles faziam era sigiloso. Que tipo de coisa eles fizeram juntos ao longo dos anos, uma vez que foram capazes de sequestrar sua filha? Do que seu pai é capaz?

Anne se levanta e olha pela janela do quarto que dá nos fundos da casa e na floresta junto ao vale. Foi uma noite abafada, mas há uma brisa entrando pela tela. É muito cedo: ela mal enxerga os contornos do mundo lá fora.

Ouve um barulho no andar de baixo: uma porta se fechando de leve. Parece que é a porta dos fundos da cozinha. Quem estaria saindo tão cedo? Talvez a mãe dela também não esteja conseguindo dormir. Anne cogita descer para ficar com ela, para confrontá-la, para descobrir se a mãe pode lhe dizer alguma coisa.

Da janela, vê o pai caminhando pelo jardim. Ele avança com firmeza, como se soubesse exatamente aonde vai. Está levando uma grande sacola esportiva.

Ela o observa por trás da cortina, como fazia quando criança, com medo de que ele se vire e a flagre espiando. Mas ele não faz isso. Segue em direção à trilha. Ela conhece bem aquela trilha.

Marco também não consegue dormir. Anda sozinho pela casa, torturando-se com seus pensamentos. Anne o deixou de vez: o vídeo de Cynthia o destruiu. Anne o traiu na noite passada ao não admitir que já havia visto o pai na companhia de Derek Honig, mas ele não a culpa. Ela fez o que tinha de fazer, e ele entende o motivo. Talvez Cora volte para eles. Volte para Anne, não para Marco. Ele pensa que nunca mais vai ver a filha. Anne vai se divorciar dele, é óbvio. Vai contratar os melhores advogados e ficar com a guarda integral de Cora. E, se Marco insistir no direito de visitá-la, Richard ameaçará contar à polícia sobre seu papel no sequestro. Ele perdeu qualquer direito à filha. Está sozinho. Perdeu as duas pessoas que mais importam para ele no mundo: a esposa e a filha. Nada mais importa. Ele nem liga mais para o fato de estar falido ou de estar sendo chantageado.

Tudo o que pode fazer é andar pela casa e esperar que encontrem Cora.

Ele se pergunta se alguém vai pelo menos avisá-lo quando isso acontecer. Sua exclusão do fechado círculo familiar está completa. Talvez ele fique sabendo do retorno de Cora pela imprensa.

Anne hesita por um instante. Só há um motivo para o pai estar seguindo para a floresta a essa hora da manhã sem dizer nada a ninguém, levando uma sacola grande. Ele vai buscar Cora. Alguém vai se encontrar lá com ele.

Ela não sabe o que fazer. Deve segui-lo? Ou é melhor ficar em casa e confiar que o pai vai trazer a filha de volta? Mas Anne não confia mais nele. Precisa saber a verdade. Veste às pressas a roupa que usou no dia anterior, desce correndo a escada e sai pela porta da cozinha. O ar frio e úmido da manhã a atinge e deixa sua pele arrepiada. Ela sai em disparada pelo jardim, seguindo o pai. Não tem nenhum plano, está agindo por instinto.

Desce depressa a escada de madeira que leva ao vale, na penumbra, com uma das mãos no corrimão. Conhece muito bem esse caminho, mas já faz anos que não passa por ali. Ainda assim, sua memória não falha.

Está ainda mais escuro ali na floresta. A terra, macia e úmida, retarda seus passos. Anne tenta não fazer qualquer ruído e segue o mais depressa que consegue pela trilha, atrás do pai. A penumbra é assustadora. Ela não vê o pai à sua frente, mas pressupõe que ele não vai se afastar da trilha.

Seu coração está acelerado, tamanho seu medo e seu esforço físico. Anne sabe que tudo se resume a esse momento. Acredita que o pai está ali para recuperar sua filha. De repente, se dá conta de que, se chegar de surpresa ao local do encontro, pode estragar tudo. Precisa ficar escondida. Por isso, para por um instante, ouvindo com atenção, os olhos semicerrados para enxergar melhor. Não vê nada além de árvores e sombras. Segue de novo pela trilha, com cuidado, porém o mais rápido que consegue, quase às cegas, ofegante de pânico e cansaço. Chega a uma curva na trilha onde há outra escada de madeira, que leva a uma rua residencial logo acima no vale. Ergue os olhos. Bem ali, mais adiante, vê o pai. Ele está sozinho, carregando um embrulho nos braços. Já deve conseguir vê-la. Será que, no escuro, vai saber que é ela?

— Pai! — grita.

— Anne?! O que você está fazendo aqui? Por que não está dormindo?

— É Cora?

Anne se aproxima, arfante. Ela está ao pé da escada; ele está descendo, vindo em sua direção. Já está amanhecendo, e ela consegue ver o rosto dele.

— É, sim, é Cora! — grita ele. — Eu a recuperei para você!

O embrulho está imóvel, parece um peso morto em seus braços. Ele continua descendo a escada.

Horrorizada, ela fita o embrulho em seus braços.

Então, sobe correndo para encontrá-lo. Tropeça, mas consegue se apoiar nos degraus com as mãos. Estende os braços.

— Me dê ela! — grita.

Richard entrega o embrulho à filha. Ela afasta a manta que cobre o rosto da bebê, apavorada com o que pode encontrar. A menina está imóvel. Anne observa o rosto da menina. É Cora. Ela parece morta. Anne precisa examiná-la com atenção para descobrir se está respirando. Está respirando, *sim*, mas a respiração está fraca. Seus olhos se movem sob as pálpebras pálidas.

Anne coloca gentilmente a mão no peito de Cora. Sente as leves batidas de seu coração, sente o peitinho da menina subindo e descendo. Ela está viva, mas não parece nada bem. Anne se senta na escada e imediatamente leva a filha ao peito. Ainda tem leite.

Com um pouco de estímulo, a bebezinha começa a mamar, cada vez mais ávida. Anne segura a filha junto ao peito, algo que achava que nunca mais faria. Lágrimas escorrem por seu rosto enquanto ela observa a menina mamando. Encara o pai, que ainda está ao seu lado. Ele desvia os olhos.

— Ligaram para mim de novo, uma hora atrás — tenta explicar. — Marcaram outro encontro na estradinha do outro lado do vale. Dessa vez, um homem apareceu. Entreguei o dinheiro a ele, que me devolveu Cora. Graças a Deus. Eu estava voltando com ela para casa, para acordar você. — Ele sorri para a filha. — Acabou, Anne, nós a recuperamos. Eu a recuperei para você.

Anne observa a filha sem dizer nada. Não quer olhar para o pai. Está novamente com Cora. Precisa ligar para Marco.

Capítulo Trinta e Seis

MARCO SENTE O estômago revirar quando o táxi para diante da casa dos pais de Anne. Vê várias viaturas da polícia e uma ambulância estacionada ali. Também reconhece o carro do detetive Rasbach.

— Cara, o que está acontecendo aqui? — pergunta o taxista.

Marco não responde.

Anne ligou para seu celular alguns minutos antes e disse: *ela está comigo. Está bem. Você precisa vir.*

Cora está viva e Anne ligou para ele. O que vai acontecer em seguida, ele não sabe.

Marco sobe correndo os degraus da varanda da casa, de onde saiu poucas horas antes, e irrompe na sala. Vê Anne no sofá com a filha nos braços. Há um policial uniformizado posicionado atrás delas, como se as protegesse. O pai e a mãe de Anne não estão ali. Marco se pergunta onde eles estão e o que aconteceu.

Aproxima-se da esposa e da filha e dá um abraço angustiado nas duas. Em seguida, se afasta para olhar Cora. Ela está mais magra, parece doente, mas está respirando e dormindo tranquila, com as mãozinhas fechadas.

— Graças a Deus — murmura Marco, trêmulo, as lágrimas escorrendo pelo rosto. — Graças a Deus.

Ele observa a filha, admirado, e acaricia seus cachinhos. Nunca se sentiu tão feliz. Quer se agarrar a esse instante, quer se lembrar dele para sempre.

— Os médicos a examinaram e disseram que ela está bem — informa Anne. — Mas sugeriram que a gente a leve ao hospital, para fazer alguns exames.

Marco nota que Anne está exausta, mas muito feliz também.

— O que aconteceu? Onde estão seus pais? — pergunta Marco afinal, sem jeito.

— Estão na cozinha — responde Anne.

Porém, antes que ela possa dizer mais alguma coisa, o detetive Rasbach surge na sala.

— Parabéns.

— Obrigado — diz Marco.

Como sempre, ele não consegue interpretar a fisionomia do detetive, não sabe o que há por trás daqueles olhos perspicazes.

— Fico muito feliz por você ter recebido sua filha de volta sã e salva — diz Rasbach, encarando Marco. — Eu não queria dizer isso antes, mas as chances eram pequenas.

Sentado ao lado de Anne, Marco está nervoso, olhando para Cora, imaginando se esse momento feliz está prestes a acabar, imaginando se Rasbach vai lhe dizer que já sabe de tudo. Marco quer adiar isso, de preferência para sempre, mas precisa saber. A tensão é insuportável.

— O que aconteceu? — pergunta outra vez.

— Eu não estava conseguindo dormir — começa Anne. — Da janela do quarto, vi meu pai indo até a floresta. Levando uma sacola grande. Deduzi que ele ia se encontrar de novo com os sequestradores. Decidi segui-lo e, quando o alcancei, ele já estava com ela. Os sequestradores ligaram mais uma vez e combinaram outra troca. Dessa vez, um homem apareceu com Cora. — Ela se vira para o detetive. — Ele já tinha ido embora quando alcancei meu pai.

Marco aguarda em silêncio. Então essa vai ser a versão oficial. Ele considera as consequências. Richard vai ser o herói. Ele e Alice pagaram outro resgate para recuperar sua filha. Foi isso que Anne acabou de dizer à polícia. Marco não sabe se ela acredita nessa versão ou não.

Também não sabe em que o detetive Rasbach acredita.

— E o que acontece agora? — pergunta.

Rasbach olha para ele.

— Agora, Marco, nós contamos a verdade.

Marco se sente um pouco desnorteado. Percebe que Anne ergue a cabeça na direção do detetive, pronta para o desastre que está por vir.

— O quê? — pergunta Marco.

Ele sente o suor formigando a pele.

Rasbach se senta na poltrona diante deles. Inclina-se para a frente.

— Eu sei o que você fez, Marco. Sei que tirou sua filha do berço e a colocou no banco de trás do carro de Derek Honig pouco depois da meia-noite e meia daquela madrugada. Sei que Derek a levou para o chalé nas Montanhas Catskill, onde ele foi brutalmente assassinado alguns dias depois.

Marco não diz nada. Sabe que Rasbach sempre acreditou nisso, mas que provas ele tem? Será que Richard lhe contou sobre o celular? É isso que ele estava fazendo na cozinha? *Será que Anne lhe contou sobre o vídeo?* De repente, Marco já não consegue mais olhar para a esposa.

— O que eu acho é o seguinte, Marco — continua Rasbach, falando devagar, como se compreendesse que Marco estava desorientado e talvez tivesse dificuldade em acompanhar seu raciocínio. — Acho que você precisava de dinheiro. Acho que você armou esse sequestro com Derek Honig para tirar dinheiro dos pais da sua esposa. E acho que ela não sabia de nada.

Marco nega com a cabeça. Precisa negar tudo.

— Depois disso, não tenho certeza do que aconteceu. Talvez você possa me ajudar. Você matou Derek Honig, Marco?

Ele tem um sobressalto.

— Não! Por que acha isso?

Marco está agitado. Seca as mãos suadas na calça.

— Derek traiu você — diz Rasbach com tranquilidade. — Não levou sua filha ao local combinado. Roubou o dinheiro. Você sabia onde ele estava com a bebê. Sabia do chalé na montanha.

— Não! — grita Marco. — Eu não sabia onde ficava o chalé! Ele nunca me disse!

Faz-se silêncio absoluto na sala, com exceção do tique-taque do relógio no consolo da lareira.

Chorando, Marco cobre o rosto com as mãos.

Rasbach aguarda, deixando o silêncio tomar conta da sala. Com delicadeza, diz:

— Marco, acho que não era sua intenção que as coisas se desenrolassem dessa maneira. Acho que você não matou Derek Honig. Acho que foi seu sogro, Richard Dries, quem fez isso.

Marco ergue a cabeça.

— Se você abrir o jogo para nós, se disser tudo o que sabe contra o seu sogro, podemos conversar e chegar a um acordo.

— Que tipo de acordo? — pergunta Marco.

Sua cabeça está a mil.

— Se você nos ajudar, talvez possamos retirar a acusação de ter tramado o sequestro. Posso falar com o promotor. Acho que ele vai concordar, considerando as circunstâncias.

Marco vê uma luz no fim do túnel. Sua boca está seca. Ele não consegue falar. Apenas assente. Parece ser o suficiente.

— Você vai ter que ir à delegacia depois que terminarmos aqui — avisa Rasbach.

O detetive se levanta e volta para a cozinha.

Anne continua na sala, ninando a filha adormecida, mas Marco fica de pé e o acompanha. Fica surpreso por suas pernas ainda obedecerem aos seus comandos. Richard está sentado em uma das cadeiras da cozinha, calado. Os dois se entreolham e, em seguida, Richard desvia o rosto. Um policial uniformizado pede para ele se levantar e o algema. Alice observa tudo de longe, sem dizer nada, inexpressiva.

— Richard Adam Dries — anuncia o detetive Rasbach —, o senhor está preso pelo assassinato de Derek Honig e por tramar o sequestro de Cora Conti. Tem o direito de permanecer em silêncio. Tudo o que disser ou fizer pode ser usado contra o senhor no tribunal. O senhor tem direito a um advogado...

Marco observa a cena, pasmo com a sorte que teve. Sua filha voltou em segurança. Richard foi desmascarado e vai ter o que merece. Marco não vai ser processado. Cynthia já não tem nada que possa ser usado contra ele. Pela primeira vez desde que o pesadelo começou, ele se sente aliviado. Acabou. *Finalmente acabou.*

Dois policiais uniformizados passam pela sala com Richard algemado e o levam à porta da frente, com Rasbach, Marco e Alice logo atrás. Richard não diz nada. Não olha para a esposa, para a filha, para a neta ou para o genro.

Marco, Anne e Alice o observam se afastar.

Marco se vira para a esposa. Recuperaram a filha tão amada. Anne sabe de tudo. Não há mais nenhum segredo entre eles.

Na delegacia, eles planejam os detalhes do acordo de Marco. Ele tem um novo advogado, de um conceituado escritório. Não é o de Aubrey West.

Marco resolve contar tudo a Rasbach.

— Richard me incriminou. Armou para cima de mim. Colocou Derek no meu caminho. Foi tudo ideia dele. Eles sabiam que eu precisava de dinheiro.

— Nós começamos a desconfiar de que meu pai estava envolvido — diz Anne. — Eu sabia que ele conhecia Derek Honig. Eu o reconheci porque, há alguns anos, ele ia muito lá em casa. Mas como você descobriu tudo?

— Eu sabia que ele estava mentindo — responde Rasbach. — Richard disse que os sequestradores tinham ligado para ele, mas nós havíamos colocado escuta nos telefones dele. Sabíamos que eles não tinham ligado. E, ontem à noite, sua mãe me procurou.

— Minha mãe?

— Seu pai tem uma amante.

— Eu sei — diz Anne. — Minha mãe me contou hoje de manhã.

— O que isso tem a ver com o caso? — intervém Marco.

— Sua sogra contratou um detetive particular para descobrir o que marido estava tramando. O detetive colocou um rastreador no carro do Richard algumas semanas atrás. O aparelho ainda está lá.

Marco e Anne ouvem o detetive atentamente.

— Sabemos que Richard esteve no chalé por volta da hora do assassinato. — Marco e Anne se entreolham. Voltando-se para Anne, Rasbach acrescenta: — Sua mãe também reconheceu Honig, quando mostrei a ela uma foto dele.

— Richard estava com o celular de Derek — diz Marco. — Era por meio desse celular que a gente deveria se comunicar. Mas Derek nunca me ligou e nunca atendia meus telefonemas. Notei que havia algumas chamadas perdidas e, quando retornei, Richard atendeu. Disse que os sequestradores tinham mandado o celular para ele pelo correio com um bilhete. Mas fiquei me perguntando se ele tinha matado Derek e roubado o aparelho. Nunca acreditei que houvesse um bilhete. Ele disse que o destruiu para me proteger, porque o bilhete me incriminava.

— Alice nunca viu nem o bilhete nem o celular — observa Rasbach. — Richard disse que os recebeu quando ela não estava em casa.

— Por que Richard mataria Derek? — pergunta Marco.

— Nós achamos que o plano inicial era Derek ter devolvido Cora quando você levou o dinheiro do resgate, mas ele não fez isso, e Richard se deu conta de que tinha sido enganado. Achamos que Richard foi atrás dele no chalé aquela noite e o matou. Foi quando viu a oportunidade de exigir mais dinheiro.

— Onde Cora ficou desde então? Quem estava cuidando dela? — pergunta Anne.

— Flagramos a filha da secretária de Richard saindo da cidade, pouco depois de ele ter recuperado Cora, hoje de manhã mais cedo. Foi ela quem ficou com a menina. Tem problemas com drogas e precisava de dinheiro.

Anne cobre o rosto com as mãos, horrorizada.

Exaustos mas aliviados, Anne e Marco finalmente voltam para casa com Cora. Depois de irem à delegacia, levaram a filha ao hospital, onde os médicos a examinaram e concluíram que ela está perfeitamente bem. Marco prepara uma refeição rápida para os dois enquanto Cora mama novamente, faminta. A imprensa já não os incomoda mais: o novo advogado deixou claro para os repórteres que Anne e Marco não vão se pronunciar sobre o assunto e ameaçou processá-los caso o casal seja importunado. Em algum momento, quando as coisas se acalmarem, vão colocar a casa à venda.

Por fim, deixam Cora no berço. Deram um banho na filha e trocaram a roupa dela, examinando-a com a mesma atenção de quando era recém-nascida, para se certificarem de que a menina está bem. E é mesmo um renascimento. Talvez seja um novo começo para eles. Anne diz a si mesma que crianças são fortes. Cora vai ficar bem.

Os dois ficam de pé ao lado do berço, observando a filha, que sorri e balbucia algo para eles. É um enorme alívio vê-la sorrindo: nas primeiras horas depois do resgate, a bebê apenas mamava e chorava. Mas agora voltou a sorrir. Deitada no berço, com a presença de seus carneirinhos e dos pais, ela move as perninhas.

— Nunca achei que esse momento ia chegar — murmura Anne.

— Nem eu — admite Marco, mexendo no chocalho da filha.

Ela dá um gritinho e segura com força o objeto.

Eles ficam em silêncio por um instante, observando a filha adormecer.

— Você acha que algum dia vai conseguir me perdoar? — pergunta Marco, por fim.

Como posso perdoá-lo por ter sido tão egoísta, fraco e idiota?, pensa ela. Mas responde:

— Não sei, Marco. Preciso viver um dia de cada vez.

Ele assente, aflito. Depois de alguns instantes, diz:

— Nunca houve outra mulher, Anne, eu juro.

— Eu sei.

Capítulo Trinta e Sete

ANNE COLOCA CORA novamente no berço, torcendo para que tenha sido a última mamada da noite e para que a filha durma até amanhecer. É tarde, muito tarde, mas ela ouve Cynthia andando de um lado para o outro, inquieta, na casa ao lado.

Foi um dia de revelações surpreendentes. Depois que o pai foi levado pela polícia algemado, a mãe chamou Anne em um canto, enquanto Marco ficava na sala com a filha adormecida no colo.

— Acho que você deveria saber quem é a amante do seu pai — disse.

— Isso importa? — perguntou Anne.

Que diferença fazia? Certamente era uma mulher bonita, mais jovem. Anne não se importava com a mulher. O importante era saber que o pai — na verdade, lembra ela, o padrasto — havia sequestrado sua filha para arrancar milhões de dólares da mãe. Agora seria preso por sequestro e assassinato. Ela ainda não conseguia acreditar que aquilo tudo era real.

— Ele estava saindo com a sua vizinha — revelou a mãe. — Cynthia Stillwell. — Anne encarou a mãe, incrédula, ainda capaz de ficar chocada com essa notícia, apesar de tudo o que havia acontecido. — Ele a conheceu na sua festa de réveillon — explicou. — Lembro que ela ficou dando em cima do seu pai. Na hora, achei que não fosse nada de mais. Mas o detetive particular descobriu tudo. Tenho fotos. — A expressão da mãe deixava transparecer sua aversão. — Tenho cópias dos recibos do motel.

— Por que você não me contou? — protestou Anne.

— Só descobri há pouco tempo. Então Cora foi sequestrada, e eu não quis incomodar você com isso. — Ela acrescentou, amargurada: — O detetive foi um dos melhores investimentos que já fiz.

Anne se pergunta o que está se passando na cabeça de Cynthia. Graham está viajando. Ela está sozinha em casa. Deve saber que Richard foi preso. Saiu na imprensa. Será que ela se importa com o que aconteceu com Richard?

A bebê está dormindo profundamente no berço. Marco está dormindo na cama do casal, roncando alto. É a primeira vez que ele consegue dormir de verdade em mais de uma semana. Mas Anne está totalmente acordada. E Cynthia também, na casa ao lado.

Anne coloca as sandálias e sai pela porta da cozinha. Caminha tranquilamente até o jardim de Cynthia, tomando o cuidado de não deixar o portão bater. Atravessa o quintal e para na escuridão, com o rosto a centímetros da porta de vidro. A luz da cozinha está acesa. Anne vê Cynthia contornando a bancada perto da pia, mas se dá conta de que a vizinha provavelmente não consegue vê-la. Ela fica ali, na escuridão, olhando para ela por um instante. Cynthia está fazendo chá. Está usando uma camisola verde-clara e sensual, exageradamente provocante para uma noite em casa sozinha.

Obviamente não faz ideia de que está sendo observada.

Anne bate de leve no vidro. Vê Cynthia se sobressaltar, virando-se na direção do barulho. Anne encosta o rosto no vidro. Ela percebe que a vizinha não sabe o que fazer, mas entreabre a porta.

— O que você quer? — pergunta, com frieza.

— Posso entrar? — Anne mantém a voz neutra, é até simpática.

Cynthia olha para ela com desconfiança, mas recua um passo, para lhe dar passagem. Anne abre um pouco mais a porta, entra e a fecha com cuidado.

Cynthia retorna à bancada e, por cima do ombro, diz:

— Eu estava fazendo chá. De camomila. Aceita? Parece que nenhuma de nós consegue dormir essa noite.

— Claro, por que não? — diz Anne com simpatia.

Ela observa Cynthia preparar outra xícara de chá. A vizinha parece nervosa.

— Por que você veio aqui? — pergunta ela sem rodeios, entregando a xícara a Anne.

— Obrigada — diz Anne, ocupando o lugar de sempre à mesa da cozinha, como se as duas ainda fossem amigas que se sentam para tomar um chá e conversar.

Ela ignora a pergunta de Cynthia. Dá uma olhada na cozinha, soprando a bebida quente para esfriá-la, como se não tivesse nada em mente.

Cynthia permanece junto à bancada. Ela não vai fingir que as duas ainda são amigas. Anne a observa por cima da borda da xícara. Cynthia parece cansada, menos atraente. Pela primeira vez, Anne vê traços da fisionomia de Cynthia quando ela envelhecer.

— Recuperamos Cora — diz Anne, contente. — Você deve ter ouvido.

Ela inclina a cabeça na direção da parede que divide as duas casas: sabe que Cynthia certamente escuta o choro da filha por trás dela.

— Que bom para você — responde Cynthia.

Em cima da bancada entre as duas há um cepo de facas. Anne tem o mesmo utensílio em casa: pouco tempo antes estava em promoção no mercado.

Ela deixa a xícara na mesa.

— Eu só queria esclarecer uma coisa.

— Esclarecer o quê?

— Você não vai nos chantagear com aquele vídeo.

— Ah, é? E por quê? — indaga Cynthia, como se não estivesse acreditando naquilo, como se achasse que tudo não passava de fingimento.

— Porque a polícia sabe o que Marco fez — responde Anne. — Contei aos policiais sobre o seu vídeo.

— Sei. — Cynthia continua cética. Parece achar que Anne está mentindo. — E por que você contaria isso a eles? Marco não vai ser preso? Ah, espere aí... Você *quer* que ele seja preso. — Ela encara Anne com ar de superioridade. — Não posso culpar você.

— Marco não vai ser preso.

— Eu não teria tanta certeza assim.

— Ah, mas eu tenho. Marco não vai ser preso, porque meu pai, *seu amante*, foi preso por assassinato e por ter tramado o sequestro, como tenho certeza de que você provavelmente já sabe. — Anne observa Cynthia fechar o semblante. — Ah, sim, eu sei de tudo. Minha mãe contratou um detetive particular, que estava vigiando vocês. Ele tem fotos, recibos do motel, tudo. — Anne toma mais um gole do chá. — Seu caso secreto não é tão secreto assim.

Anne finalmente está em posição de vantagem e gosta disso. Sorri para a vizinha.

— E daí? — pergunta Cynthia, afinal.

Anne percebe que ela está nervosa.

— O que talvez você não saiba é que Marco fez um acordo.

Ela nota que Cynthia fica assustada e decide finalmente abordar o assunto que motivou sua visita. Em tom de ameaça, diz:

— Você estava envolvida nisso. Sabia de tudo.

— Eu não sabia de *nada* — protesta Cynthia, com desdém. — Eu só sabia que seu marido raptou a própria filha.

— Ah, acho que você sabia, sim. Acho que participou de tudo com meu pai. Todo mundo sabe que você adora dinheiro. — Com uma ponta de maldade, Anne acrescenta: — Talvez *você* vá para a cadeia.

A expressão de Cynthia muda.

— Não! Eu não sabia o que Richard tinha feito, só fiquei sabendo quando vi no jornal hoje à noite. Eu não tenho nenhum envolvimento nisso. Achei que Marco fosse o culpado. Você não tem nenhuma prova contra mim. Não cheguei nem perto da sua filha!

— Não acredito em você.

— Não me importo com o que você acredita... Essa é a verdade — afirma Cynthia. Ela encara Anne com os olhos semicerrados. — O que aconteceu com você, Anne? Era tão divertida, tão interessante... até ter uma filha. Tudo em você mudou. Você se dá conta de como ficou chata, ranzinza, entediante? Coitado do Marco, não sei como ele aguenta.

— Não tente mudar de assunto. Não estamos falando de mim. Você sabia o que meu pai estava tramando. Não minta para mim. — A voz de Anne fica trêmula de raiva.

— Você nunca vai ter como provar isso, porque simplesmente não é verdade — retruca Cynthia. Então, com malícia, acrescenta: — Se eu estivesse envolvida, você acha que eu teria deixado a menina sair viva? Provavelmente teria sido melhor se Richard a tivesse matado logo no início, daria muito menos trabalho. Seria um prazer acabar com o choro interminável daquela fedelha.

Cynthia fica assustada... Sabe que passou dos limites.

De repente, a cadeira de Anne tomba para trás. A pretensão habitual de Cynthia é substituída por uma expressão de terror absoluto. Sua xícara de porcelana se espatifa no chão no exato instante em que ela dá um grito terrível, ensurdecedor.

Marco está dormindo profundamente, mas, no meio da noite, acorda de súbito. Abre os olhos. Está muito escuro, mas há luzes vermelhas percorrendo as paredes do quarto. Luzes de alguma ambulância.

A cama está vazia ao seu lado. Anne deve ter acordado de novo para amamentar a filha. Ele fica curioso. Levanta-se e vai até a janela do quarto, que dá para a rua. Afasta a cortina e espia lá fora. Há uma ambulância estacionada à esquerda.

Em frente à casa de Cynthia e Graham.

Ele fica paralisado. Vê as viaturas de polícia em preto e branco do outro lado da rua, outras chegando. Seus dedos torcem involuntariamente a cortina. Ele sente uma descarga de adrenalina.

Uma maca sai da casa, carregada por dois paramédicos. Deve ter alguém na maca, mas Marco ainda não consegue ter certeza por causa da posição dos homens. Eles não estão com pressa. Os paramédicos trocam de posição. Marco vê que há alguém na maca, mas não sabe dizer quem é, porque o rosto está coberto.

Quem quer que seja a pessoa na maca, ela está morta.

Marco sente o sangue se esvair de seu rosto e acha que vai desmaiar. Enquanto observa o que está acontecendo, uma mecha de cabelo preto surge na maca.

Ele olha novamente para a cama vazia.

— *Meu Deus* — murmura. — *Anne, o que você fez?*

Sai correndo do quarto, dá uma olhada rápida no quarto da filha. Cora está dormindo no berço. Desesperado, ele desce correndo a escada e se detém de repente na sala escura. Vê a silhueta da esposa: ela está sentada no sofá, imóvel. Aproxima-se dela, em pânico. Anne está curvada no sofá, o olhar vago, como se estivesse em transe. Ao ouvi-lo chegar, porém, ela vira a cabeça.

Ela está segurando no colo uma faca de trinchar.

A luz vermelha da ambulância e das viaturas circula pelas paredes da sala e dão ao ambiente um tom lúgubre. Marco vê que a faca e as mãos dela estão escuras... Escuras de sangue. Anne está coberta de sangue. Há manchas escuras no rosto e no cabelo. Ele sente ânsia de vômito.

— Anne — murmura, e sua voz é um lamento trêmulo. — Anne, o que você fez?

Ela retribui seu olhar na escuridão.

— Não sei. Não lembro.

Agradecimentos

Sou grata a muitas pessoas. A Helen Heller, minha agente maravilhosa, obrigada por tudo. Obrigada de coração também a todos da Marsh Agency, pela esplêndida representação mundial.

Obrigada a Brian Tart, Pamela Dorman e todas as pessoas da Viking Penguin nos Estados Unidos. Obrigada a Larry Finlay e Frankie Gray, da Transworld, no Reino Unido, e à fabulosa equipe da casa. Obrigada a Kristin Cochrane, Amy Black, Bhavna Chauhan e à equipe da Doubleday Canadá, que sempre me apoiou. Tenho a sorte de contar com equipes fantásticas de publicidade e marketing em ambos os lados do Atlântico.

Obrigada a Ilsa Brink, pela criação do site.

Obrigada também a minhas revisoras: Leslie Mutic, Sandra Ostler e Cathie Colombo.

E, é claro, eu não poderia ter escrito este livro sem o apoio da minha família.

Este livro foi composto na tipologia Palatino
LT Std, em corpo 11,5/16, e impresso em
papel off-white no Sistema Cameron da
Divisão Gráfica da Distribuidora Record.